強者はいかにして
ルールを歪めるのか、
それを正すには
どうしたらいいのか

ハッキング思考

ブルース・シュナイアー 著
高橋聡 訳

A Hacker's Mind
How the Powerful Bend
Society's Rules, and How to
Bend Them Back

日経BP

To Tammy

A Hacker's Mind

How the Powerful Bend Society's Rules,
and How to Bend Them Back

はじめに

よく言うじゃないか、水は坂をのぼらないって。これまでも、これからもそうさ
でもそこに大金をつぎ込むと
自然法則にだって穴があくんだ。水も坂をのぼるようになる

――「水は坂をのぼらない」[1]、ジム・フィッティング（セッション・アメリカーナ）

アンクル・ミルトン・インダストリーズという会社が、１９５６年からアリの飼育キットを販売している。２枚の透明なプラスチック板を3センチほどの間隔で立てて、両脇をふさぎ、上面は開閉できるようにする。そこにできた幅の狭い空間に砂を入れ、アリを放つ。そうすると、アリがトンネルを掘るところを観察できる。

キットにアリは含まれていない。店頭に置いてあるあいだアリを生かしておくのは難しいだろうし、ひょっとすると昆虫とおもちゃについて、子どもの安全に関する規制があるのかもしれない。かわりに、キットに入っているカードに住所を書いて送ると、試験管に入ったアリが送られてくる。

このカードを見たとき、たいていの人は、企業が試験管入りのアリを送ってくるという事実に驚く。私が初めて同じカードを見たときに考えたのは、こういうことだった。「だったら、この会社

から、誰にでも生きたアリを送りつけられるじゃないか」

　セキュリティ技術者というのは、普通の人とは違う目で世界を見ようとするものだ。ある制度やしくみ《システム》を見たとき、普通の人はそれがどう機能するかに注目する。セキュリティ技術者は、どうすればシステムの機能を頓挫させられるかに頭を絞る。そこから、本来とは違うシステムの動作を引き出し、できないはずのことを実行させる。そうした動作を利用して、なんらかの利を得ようとするのである。

　これが、ハックだ。システムの目的や意図を損ねる、それでいてシステムで許容される行為である。アンクル・ミルトンのシステムを使って、欲しがってもいない誰かに試験管入りのアリを送りつけるようなことだ。

　私は、ハーバード・ケネディ・スクールでサイバーセキュリティ政策を教えており、第１回の授業の終わりには、次の授業でテストがあるといきなり予告することにしている。円周率の最初の１００桁を空《そら》で書くというテストだ。[2] 学生には、こう告げる。「不規則な１００桁の数字を二日間で暗記するなんて現実的でないことは承知しています。ですから、ぜひカンニングしてください。ただし、見つからないように」

　二日後、教室は騒然とする。新しいカンニングの手口など思いつかない学生が大半だ。紙片に数字を書き込んで、どこかに隠し持つ。あるいは、１００桁を読み上げる自分の声を録音しておき、耳に入れたワイヤレスイヤホンをどうにかして隠そうとする。だが、なかには独創性を発揮する学生もいる。ある学生は、目に見えない特殊なインクを使って答えを書き、それが見えるメガネをかけていた。数字を中国語で書いた学生もいる。私には読めないからだ。また、100桁をビーズの色で符号化し、ネックレスにして首にかけてきた学生もいる。別の学生は、最初と最後の数桁だけ暗記して、残りは適当な数字を書いてきた。私の採点が甘いことを期待したのだろう。私が気に入ったのは、数年前にあったハックだ。たしか、ジャンという学生だったと思うが、ただ数字を順番に書き連ねていくだけだった。ところが、それがとてもゆっくりなのだ。提出したのも最後だった。私はその様子をじっと観察していたが、何をやっているのか見当もつかなかった。まわりの学生も、注目していたと思う。「まさか、暗算で無限級数を求めているのか？」とも考えたが、そうではなかった。プログラムを組んだスマートフォンをポケットに入れておき、バイブレーションのパターンで数字をモールス信号にしていたのだ。

この授業では、なにも不正行為を推奨しているわけではない。正真正銘の不正行為があったらハーバードでは退学ものだ、と学生には繰り返し伝えている。私が教えたいのは、サイバーセキュリティをめぐる社会政策を進めようとするなら、不正をはたらく人の考え方を身につけろということだ。ハッキング思考を養うべきなのである。

本書で語るのは、ハッキングの話だ。ただし、映画やドラマ、報道記事で描かれる姿とはかけ離れている。コンピューターのハッキング方法や、コンピューターハッカーから身を守る対策を教えるわけでもない。本書に登場するのは、特定の世界に根強く残っているもの、本質的な人間性に関わっているもの、コンピューターの発明よりはるか昔から存在するものだ。金と権力の絡んでくる話である。

子どもは根っからのハッカーだ。ルールも、その趣旨も十分には理解していないから、本能のようにハッキングする（人工知能も同じだ。第7部で取り上げる）。だが、その点では金持ちも変わらない。子どもや人工知能と違って、ルールや事情は理解している。にもかかわらず、子どもと同じように、金持ちの多くはルールが自分たちにも当てはまるということを受け入れない。あるいは、少なくとも自分たちの利益のほうが優先されると、当たり前に思っている。その結果、金持ちはいつの世にもシステムをハッキングするのである。

私が語るハッキングとは、暇に飽かしたティーンエイジャーや敵対国の政府がコンピューターシステムに対して行うことではないし、道徳心に欠けた学生が勉強イヤさにすることでもない。権力から遠い人々による反体制の行動でもない。それよりもハッカーが目をつけそうなのは、ヘッジファンドを狙い、金融規制の抜け穴を見つけて、システムから少しでも多くの利益を引き出そうとすることだ。ハッカーは企業のオフィスにいるかもしれないし、公職に就いているかもしれない。政治的なロビイストの仕事でもハッキングは欠かせない。ソーシャルメディアのシステムが私たちをひき付けるときにも、ハッキングは使われる。

私が語るハッキングは、裕福な権力者がする行為、既得の権力を強化する行為だ。

ピーター・ティールの例をあげよう。１９９７年の法律でロスＩＲＡという個人退職勘定が成立した。対象としては中流の投資家が想定されており、収入水準にも、投資できる金額にも制限がある。ところが、億万長者のピーター・ティールはそこにハックを見いだした。[3]ペイパルの創業者のひとりだったので、２０００ドルを投じて、同社の１７０万株を1株あたり０・００１ドルという格安の価格で購入することでロスＩＲＡの投資制限を回避し、株価が50億ドルになったとき、その全額にまったく税金がかからなかったのである。

強大な企業の私利私欲からも、富裕層の貪欲さからも、政府は私たちを守ってくれない。そう感じることが多い理由の手がかりはハッキングにある。国家権力を前に私たちが無力感を抱く理由も一部は同じだ。ハッキングは、裕福な権力者が規則を出し抜いて富と権力を増やす手段になる。権力者は斬新なハックを見いだそうとし、ハックからずっと利益を得られるよう努める。重要な点はここだ。裕福な権力者は、ハッキングに長《た》けているわけではない。ハッキングしても、罪を問われることが少ないだけだ。それどころか、権力者のハックが、社会のしくみのなかで当たり前になることも多い。そうなったものを修正するには、制度を変えなければならないが、それは難しい。制度を支えている指導者こそが、不正によって私たちを不利に追いやる当の本人だからである。

システムはすべてハッキングできる。今まさにハッキングされているシステムも多く、しかも事態はどんどん悪くなっている。ハッキングを抑える術《すべ》を習得しなければ、私たちの経済、政治、社会システムは崩れはじめる。システムが当初の目的を十全に果たせなくなり、システムに対する信義と信頼が失われていくからである。すでにそうなりかかっている。ピーター・ティールが資本利得税の10億ドルを支払わないまま無事でいられると聞いて、どうお考えだろうか。

一方、これも紹介していくが、ハッキングは有害なものばかりではない。正しく使いこなせば、ハッキングを通じてシステムは進化し、良くなっていく。そうやって社会は発展する。もう少し具体的にいうと、そうやって人は、それまでのシステムを完全に破壊することなく社会を前進させていくのである。ハッキングは、世の中を良くする力になりうる。大切なのは、良いハックを後押ししつつ、同時に悪いハックに歯止めをかける方法を理解することであり、両者の違いを知ることだ。

ハッキングは、現代社会で人工知能（ＡＩ）と自律システムの導入が加速していくと、いよいよ破壊的な変化をもたらすだろう。ＡＩも自律システムもコンピューターシステムであり、そうなるとあらゆるコンピューターシステムと同じようにハッキングされるのは必然だ。ＡＩシステムはすでに融資、雇用、仮釈放に関する決定を下しており、社会システムに影響をもたらしている。ということは、ＡＩに関わるハックはいずれ経済と政治のシステムにも影響を及ぼす。それだけではなく、現代のＡＩがすべて機械学習のプロセスによって支えられている以上、そのプロセスからやがてコンピューターがハッキングを実行するようにもなるだろう。

そこから推し量っていうと、ＡＩが新しいハックを発見するのも遠いことではない。そうなれば、あらとあらゆる変化が起こる。これまで、ハッキングはわけても人間的な試みだった。ハッカーは人間であり、ハックにも人間ならではの限界があった。その限界が取り払われようとしているのだ。ＡＩは、コンピューターだけではなく政府を、市場を、そして私たちの思考をハッキングしはじめる。人間のハッカーがたじたじとなるスピードとスキルでシステムをハッキングするだろう。本書は、ＡＩのハッカーを念頭に置いて読み進めてほしい。本書の最後を飾るのも、その話になる。

本書が重要な理由は、まさにここにある。ハックを認識し、それに備える方法を理解する必要があるとすれば、今がまさにそのときだ。そして、そこでセキュリティ技術が役に立つ。

以前、どこでだったかは残念ながら失念したが[4]、数学リテラシーについてこんな言葉を聞いたことがある。「数学で世の中の問題が解決できるわけではない。ただ、万人が数学をもう少しだけ知ってくれれば、世の中の問題を解決しやすくなるということだ」。セキュリティについて考えることも、同じだと思う。セキュリティのマインドセットで、あるいはハッキング思考で世の中の問題が解決できるわけではない。万人がセキュリティをもう少しだけ知ってくれれば、世の中の問題を解決しやすくなるということだ。

では、始めよう。

目次

第2部　基本的なハックとその防御……45

第3部 金融システムのハッキング……99

第4部 法システムのハッキング……147

第5部 政治システムのハッキング……193

第6部 認知システムのハッキング……235

第1部

ハッキング入門

1章　ハッキングとは何か

「ハック」「ハッキング」「ハッカー」。どの言葉も、単純ではない意味をもち、[1] 悪い含みも多い。私なりの定義を以下にあげたが、これは厳密ではないし、正式なものでもない。それでいいと思っている。本書でめざすのは、さまざまなシステムについて、それがどのように破綻するか、どうすれば強靱になるかを理解しようとするときに、ハッキング的な考え方が有効だと伝えることだからだ。

定義：ハック[2]（名詞）

1　想定を超えた巧妙なやり方でシステムを利用して、（a）システムの規則や規範の裏をかき、（b）そのシステムの影響を受ける他者に犠牲を強いること。

2　システムで許容されているが、その設計者は意図も予期もしていなかったこと。

ハッキングは、不正行為とは違う。ハックが不正に当たることもあるが、たいていはそうではない。不正行為というのは、規則に反すること、すなわちシステムで明示的に禁止されている行為だ。

許可なく他人の名前とパスワードをウェブサイトに入力するのも、納税申告のときに所得の一部を隠すのも、あるいはテストで人の答えを見て写すのも、すべて不正行為に当たる。ハッキングではない。

ハックは、改善や向上、機能強化、イノベーションとも違う。サーブとリターンの練習を重ねてテニスの腕を磨こうとするのは、改善だ。アップルがアイフォンに新しい機能を追加したら、それは機能強化と呼ばれる。スプレッドシートの画期的な使い方を考えつくのは、イノベーションだ。ハックがイノベーションや機能強化になっていることもある。アイフォンを脱獄《ジェイルブレイク》して、アップルが認めていない機能を追加するなどはその一例で、ただしこれはハックの必要条件ではない。

ハッキングは、システムを標的とし、システムを破ることなく、システム自体の裏をかく。車のウィンドウを割り、配線を直結してエンジンをかけるのは、ハックではない。キーレスエントリーシステムを欺いてドアを解錠し、エンジンをかけたら、それがハックだ。

この違いに注意してほしい。ハッカーは、ただ被害者を出し抜くだけではない。システムの規則に存在する欠陥を見つけるのである。許可されていないわけではなく、許可された範囲のことをやっているにすぎない。システムを出し抜いているのだ。ということは、結果的に、システムの設計者を出し抜いていることになる。

ハッキングは、システムの規則や規範を打ち破って、システムの意図をくじく。いわば、「システムの逆手をとる」のである。ハッキングは、不正行為とイノベーションの真ん中に位置している。「ハック」は主観的な言葉だ。ハッキングに関しては、「見れば分かる」という面も多い。明らかにハックといえるものもあるし、同じくらい明らかにハックといえないものもある。両者の中間にはグレーな領域も存在する。たとえば速読は、ハックではない。文章中のピリオドに秘密情報を隠すマイクロドット、これはまぎれもないハックだ。さまざまな作品の要約を紹介しているサービス「クリフノート」は、ハックといえるかもしれないが、断定はできない。

ハックは独創的だ。最後には（たいていは義憤を感じたうえで）、悔しいが認めざるをえないような結果になる。実際には思いつきそうになくても、「そう来たか、自分で思いつきたかった」という反応を引き出すこともある。これは、非道な凶行に及ぶハックでさえ例外ではない。２００３年の著書[3]『セキュリティはなぜやぶられたのか』の冒頭で、私は９・11同時多発テロがなぜ「驚異的」だったのか、その理由を書いた。あのときのテロリストは、ハイジャックに関する不文律を破ったのだ。９・11以前、ハイジャックというのは航空機の行き先を指定し、なんらかの政治的要求を突きつけたり、政府や警察機構との取引を求めたりして、まがりなりにも平和的な解決に至るものだった。９・11のテロリストがやったことは、おぞましく身の毛もよだつ行為だったが、彼らのハックが独創的だったことは間違いない。空港のセキュリティチェックを通らない武器は使わず、民間航空機を誘導ミサイルに変えて、航空機テロの規範を一方的に書き換えたのである。

ハッカーとその行為は、この世界のさまざまなシステムについて、違う考え方をするよう迫る。私たちが当たり前の前提としていることを明るみにさらし、権力者を狼狽させることも多いし、とんでもないコストにつながることもある。

テロはともかくとしても、人は見事だという理由でハックを好む。マクガイバーはハッカーだった。脱獄ものや犯罪映画には、見事なハックが次々と登場する。『男の争い』も『大脱走』も、『パピヨン』『ミッション・インポッシブル』『ミニミニ大作戦』も、『オーシャンズ』シリーズも、みなそうだ。

　ハックには斬新さがある。「そんなことが許されるのか」とか「できるとは思わなかった」というのは、ハックに対してよくある反応だ。何がハックか、何がハックでないかが時間とともに変わることもある。規則や規範は変わるし、「一般常識」も変わるからだ。ハックは、最終的に禁止される場合も許可される場合もあるので、かつてハックだったものがハックでなくなるという面もある。スマートフォンを無線のホットスポットにするには、以前ならジェイルブレイクが必要だったが、今ではiOSでもアンドロイドでも、ホットスポットとして使うのは標準の機能になった。差し入れのケーキに金属やすりを隠して服役中の仲間に届ける手口は、最初のうちこそハックだったが、今では警戒が厳重になって、もはや映画の中でしか見ることはない。

　2019年には、オハイオ州の刑務所で、ドローンを使って[4]携帯電話とマリファナを受刑者に届けるという例があった。その当時なら、これはハックと呼べたかもしれない。今では、刑務所の近くでドローンを飛ばすこと自体が州によっては違法になったので、もうハックとはいえなくなった。最近では、釣り竿を使って[5]刑務所の壁越しに密輸品を投げ入れたという話を読んだことがある。ネコを使った例もあって[6]、スリランカの刑務所で、麻薬とSIMカードを運んでいたところを捕獲されたという（だが、のちに脱走した）。間違いなく、ハックだ。

　ハックは、合法的であることも多い。規則の一字一句には従いながら、その精神をすり抜けるので、非合法と判断されるのは、上位の規則があってそこで禁止されている場合に限られる。税法に存在する抜け穴を突かれたとしても、もっと包括的な法律がない限り、おそらく合法とみなされる。

　このような行為を表すイタリア語もある。furbizia という単語で、煩雑な手続きや不便な法律をかいくぐるときなどに使われる。ヒンディー語の jugaad という単語も似たような意味で、急場をしのぐときの巧みさや機転を強調した言い方だ。ブラジルポルトガル語では、gambiarra という語が近い。

ハックは、道徳的なこともある。ある営みや行為が合法的なら、当然ながら道徳的ということになるが、世の中がそれほど単純でないことは言うまでもない。道徳にもとる法律が存在するように、道徳的な犯罪も存在する。この本で取り上げるハックのほとんどは、厳密にいうと合法だが、法律の精神には反している（そして、法体系はハッキングできるシステムの一種にすぎない）。

「ハック」という言葉は、1955年にマサチューセッツ工科大学（MIT）のテック鉄道模型クラブで生まれ、[7]またたく間に、隣接分野であるコンピューターの世界に広まった。もともとは、問題を解決する手法を表す言葉であり、機転やイノベーション、臨機応変を意味しており、敵対的という性質や、まして犯罪の含みがあるものではなかった。だが、1980年代の終わり頃には、「ハッキング」というともっぱら、コンピューターのセキュリティシステムを破ることを意味するようになる。コンピューターを使って何か新しいことをやるのではなく、本来の意図とは違う動作をするようコンピューターに強いるのである。

私の考えでは、コンピューターシステムに対するハッキングから、経済、政治、社会の各システムに対するハッキングまでは、ほんの一歩の差しかない。どのシステムも、規則の集まり、ときには規範の集まりにすぎないからである。コンピューターと同様、ハッキングに対しては脆弱なのだ。

これは、新しい考え方ではない。人は、有史以来、社会のシステムをハッキングしてきた。

2章　システムをハッキングする

ハックは、どんなシステムでも対象にできるが、種類の違うシステムで比較してみると、ハックのしくみが際立つかもしれない。税制《コード》とコンピューターのコードなどだ。

税制はソフトウェアとは違う。コンピューター上で実行されるわけではない。それでも、コンピューターについて語るときの「コード」と同じように考えることができる。ある年度の財務情報を入力、確定した税額を出力と考えれば、入力を取って出力を返す一連のアルゴリズムだからである。

税制は、おそろしく複雑だ。私たちのような個人にとっては違うかもしれないが、富裕層や各種の企業に対しては、膨大な量の細則と例外、特例が定められている。税制を構成しているのは、国の法律、行政上の決定、司法上の裁定、そして法的な見解だ。法人やさまざまな合名会社に関する法律や規制も入ってくる。全体がどのくらいの規模なのか、信頼できる概算は入手が難しく、専門家でさえ、訊いてみたところ答えに窮していた。税に関わる法律そのものは、[1]およそ2600ページ分だ。国税局が定めている規則と税制上の決定を合わせると、およそ7万ページまで膨れ上がる。企業組織や合名会社に関する法律も同じくらい複雑なので、厳密さをあきらめるなら、ざっと合計10万ページくらいだろうか。つまり3000万行、それがアメリカの税制というコードだ。マイクロソフトのウィンドウズ10は、約５０００万行のコードでできている。[2] 文章上の行と、コンピューターコードの行を比較するのは難しいが、比較はそれなりに有効だ。どちらの場合も、その複雑さの大半は、コードの部分部分が相互にどう機能し合うかという点に関わっている。

コンピューターのコードには、必ずバグが存在する。間違いのある箇所だ。仕様の誤り、プログラミングの誤り、ソフトウェアを開発するプロセスのどこかで発生する誤り、あるいは誤入力やスペルミスといったつまらないミスである。今どきのソフトウェアアプリケーションは、数千まではいかないにしても、数百の単位でバグが存在するのが普通だ。皆さんがいま使っているどのソフトウェアにもバグがある。コンピューターにも、スマートフォンにも、そして自宅や職場で見かける「モノのインターネット（ＩｏＴ）」のデバイスにもある。それでも、こうしたソフトウェアはまずいたって正常に動くのだから、バグといっても定義は曖昧で、それほど影響は大きくない場合が多い。通常の使い方をしているときにバグに遭遇することはほぼないが、存在しているのは確かだ（税制の大部分は目にすることがないのと似ている）。

そうしたバグの一部からセキュリティホールが生じる。これはかなり限定的なバグであり、攻撃者は意図的にこのバグを発動させ、コードの設計者やプログラマーが意図していなかった結果を引き出す。コンピューターセキュリティの専門語では、このようなバグを「脆弱性」と呼んでいる。

税制にもバグは存在する。税法の記述における誤りもあれば、議会が採決し大統領の署名を経て立法化された実際の文言における誤りもある。法律の一部を解釈するときに見落としがあったかもしれないし、何かしら意図せずに省いていたかもしれない。税制のなかで個々の細則どうしが複雑に絡みあって、そこから誤りが生じる可能性もある。

最近あった例のひとつが、トランプ政権下で成立した2017年税制改革法だ。この法律は性急に、しかも密室で起草され、一度の公聴会もなく、それどころか校正さえ経ずに可決された。法案の一部は手書きで、賛成にしろ反対にしろ票を投じた議員がその内容を正確に把握していたとは、とうてい考えられない。はたして、条文に誤りがあったために、戦没者遺族給付金が誤って給与所得に分類されるということが起こった。遺族に対して、実に1万ドル以上もの税金が請求される[3]結果になったのだ。これはバグである。

もっとも、この場合は脆弱性ではない。誰も、それを悪用して自分の税額を減らせるわけではないからだ。だが、税制には脆弱性といえるバグも存在する。たとえば、企業が節税策として使う「ダブルアイリッシュ・ダッチ・サンド」という手法がかつて存在した。複数の国の税法の関係から生じる脆弱性で、最終的にはアイルランド側で修正されている。そのしくみはこうだ。[4]アメリカ企業が資産をアイルランドの子会社に送金する。子会社は、アメリカ国内の顧客への売上から巨額のロイヤルティーをこのアメリカ企業に課す。こうすると、アメリカ企業の国内での税額は大幅に下がるし、アイルランドではロイヤルティーに対する税金がもともと低く抑えられていた。次に、アイルランドの税法に存在する抜け穴を利用して、アメリカ企業は子会社の利益をバミューダ、ベリーズ、モーリシャス、ケイマン諸島といったタックスヘイブンにある法人に移し、その利益が課税されないようにする。次に、アイルランドに二番目の子会社を設立するが、こちらはヨーロッパの顧客を対象にし、税率が低い点は同じである。最後に、もうひとつの脆弱性を利用し、二番目のアイルランド子会社がオランダの仲介企業を利用して最初のアイルランド子会社に、そして海外のタックスヘイブンに利益を戻す。この脆弱性を利用するには、テック系企業が特に適している。海外の子会社に知的財産権を割り当てることができ、その子会社が現金資産をタックスヘイブンに送金できるからだ。

グーグルやアップルなどの企業は、アメリカの企業でありながら国内で相当額の税金を逃れていた。そこで使われていたのが、まさにこの抜け道だった。3つの国の税法が、まったく意図も予期もされない形で使われたということだ。もっとも、アイルランドはアメリカ企業の誘致を狙って意図的に税率をゆるくしていたのだが、これはハッカーにとっても好都合だった。推定では、アメリカの企業が国内で支払いを免れた税額は、2017年だけでほぼ2000億ドルに達したという。[5]その分が、ほかの全員にしわ寄せになっていたのだ。

税の世界では、こうしたバグや脆弱性を「抜け穴」と呼んでいる。その抜け穴を巧妙に利用するのが、いわゆる「節税」だ。コンピューターセキュリティの世界だったら「悪玉研究者《ブラックハット》」と呼ばれそうな専門家が税の世界にも大勢いて、税制というコードを一行一行調べては、悪用できる脆弱性を見つけ出そうとしている。それが、税理士だ。

コンピューターのコードなら、脆弱性の修正方法は分かっている。まず、さまざまなツールを駆使して、コードを完成する前に脆弱性を見つけようとする。次に、コードが世に出てしまったあとにもさまざまな検出方法があり、何といっても速やかにパッチを適用することができる。

それと同じ手法を、税制にも応用できる。2017年税制改革法には、固定資産税の控除額に上限があった。[6]この規定が発効するのは2018年からだったため、2018年分の固定資産税を2

017年に前納するという巧妙なハックが考案された。2017年が終わる直前に、国税局は前納が合法となるケースと非合法となるケースを定め、この悪用に対して手を打った。結論だけいうと、ほとんどのケースは非合法となっている。

こんな風に簡単に済むことは、実は多くない。ハックが法律に内包されている、あるいは排除できない場合もある。税金に関する法律を可決するのは、とにかく大ごとであり、特にアメリカでは党派色が強くなって紛糾しがちになる。戦没者遺族が所得税を課された問題も、是正に向かったのは2021年になってからだ。しかも、議会が修正したのは2017年税制改革法のバグ自体ではなく、2017年のバグに関係する、それよりさらに古いバグだった。そのうえ、この修正は2023年にならないと終わらない[7]（これでも簡単に進んだほうだ。全員が法律の誤りを認めたからである）。ソフトウェアにパッチを適用するのと同じくらい迅速に税制を修正できることは、そうそうないのである。

もうひとつの選択肢もある。この場合、脆弱性は修正されないまま徐々に通常のやり方の一部になっていく。税制の抜け穴は、最終的に多くがそうなっている。国税局がそれを受け入れる場合もあるし、裁判で合法と判断されることもある。税法の意図には沿っていないかもしれないが、法律の文言が許しているのだ。支持する有権者がいれば、議会によって遡及的に合法化されることもある。こういう過程を経て、システムは進化する。

ハックが、システムの意図をくじく。管轄権をもつ上位システムが、ハックを阻止あるいは許可する。明示的に許可する場合もあるし、何もしないという形で暗黙的に許可する場合もある。

3章　システムとは何か

ハックは、表面的にはシステムの規則に従いつつ、その精神や意図にそむく。ハックが成り立つには、対象となる規則の体系が存在しなくてはならない。そこで、話を進める前に、そもそも「システム」とは何か、少なくとも、私がどういう意味で使っているか、その定義をはっきりさせておこう。

定義：システム（名詞）
一連の規則または規範によって制約され、なんらかの結果を生み出すことを意図した複雑なプロセス。

私が今この文章を書くのに使っているワープロソフトは、ひとつのシステムだ。一連のソフトウェア規則によって制御される電気信号の集まりが、その規則に従って、入力された言葉を画面に表示して文章を、すなわち私が目的とする結果を生み出す。そういうシステムである。この本が形になったのは、もうひとつのシステムの産物、つまり結果である。ページをデザインする、印刷して製本する、カバーを付ける、梱包して出荷するといったプロセスを経てきた。そうしたどのプロセスも、一連の規則に従って完遂されている。この2つのシステムと、ほかにもいくつかのシステムが組み合わされて、読者が手にしている紙の本や、電子ブックリーダーで読書中の電子ファイル、あるいはいずれかのオーディオブックシステムで再生中の電子ファイルという形態になったのである。この概念は、システムの諸要素が一か所にまとまっていても、世界中に分散していても変わらない。できあがるものがリアルでもバーチャルでも、無償でも高額でも当てはまるし、出来がお粗末だろうと、供給が不安定だろうと関係ない。ひとつ、あるいは複数のシステムが必ず介在する。

システムには規則がある。多くは法的な規則だが、ゲームのルール、集団やプロセスの非公式の規則、あるいは社会における暗黙のルールというものもある。認知システムも法則、すなわち自然の法則に従っている。

ハックはシステムで許されているという点に注意してほしい。ただし、ここで私がいう「許されている」の意味は、かなり特殊だ。合法的という意味ではないし、認められているとか、社会的に容認されているとか、まして倫理にかなっているというわけでもない。いずれか、あるいはすべての条件を満たしていることが、ときどきあるにすぎない。重要なのは、システムが、その枠内ではハックの発生を防げない構造になっているということだ。そうしたハックをシステムが許さないとしても、それは意図的ではない。設計上、たまたま偶然そうなっているにすぎない。技術的なシステムの場合なら、おおむねソフトウェアがハックの発生を認めているという意味になる。社会的なシステムなら、システムを統制する規則、たいていは法律が、ハックを明確には禁止していないという意味になる。だからこそ、そうしたハックを「抜け穴」と呼ぶこともあるのだ。

言い方を変えると、関係者が一連の共通規則を守ることに、明示的もしくは暗黙的に、あらかじめ同意しているシステムに対してハックは実行されるということだ。ときには、システムの規則が、そのシステムを支配する決まり事と同じではないこともある。ややこしい話になってきたのは承知しているので、例で説明しよう。コンピューターは、そこで稼働するソフトウェアで構成された規則によって制御されている。コンピューターをハッキングするというのは、そのソフトウェアを揺るがすことだ。だが同時に、人の行為の合法性を決めうる法律も存在する。たとえばアメリカでは、「コンピューター詐欺・不正利用防止法」によって、ほとんどのハッキングが重罪になっている（重要なのは、この構造だ。ハッキングされるのはコンピューターシステムだが、それより総括的な法制度によってそれが禁止されている）。法律をどのくらい総括的にするかについて問題はいろいろあるが、総括的だからこそ、コンピューターに対するあらゆるハッキングを非合法と断じる万能性を備えているのである。

プロスポーツは常にハッキングされている。それは明示的な一連の規則によって支配されているからだ。法律がたびたびハッキングされるのは、法律が規則にほかならないからである。

当然、システムによっては、法律が規則である場合もあれば、少なくとも法律が規則の多くを定めている場合もある。金融制度《システム》や法制度《システム》そのものに対するハッキングを論じるときに説明するように、法案や契約書、裁判所の見解に、単純な誤字あるいは分かりにくい言いまわしがあれば、起草者や裁判官がもともとは意図していなかった悪用が無数に発生する原因となる。

重要な点がある。規則は明示されていなくてもいいということだ。規範によって縛られているだけのシステム、特に社会システムはこの世の中に数多く存在する。規範は、規則ほど公式ではない。明文化されていないことも多く、それでも人の行動の指針となる。私たちは常に社会規範によって縛られているし、状況が変われば規範も変わる。政治でさえ、法律と同じくらい規範にも支配されており、それは最近のアメリカを見ていれば、いやというほど痛感させられる。次から次へと規範が破られているからだ。

システムに関する定義で私は、「意図した」という言葉を使った。そこには設計者がいるという含みがある。システムでめざす結果を決める者のことだ。定義のなかでも重要な要素なのだが、これが満たされることは多くない。

コンピューターの場合、ハッキングされるシステムは個人や組織によって意図的に作られているので、ハッカーはシステムの設計者を出し抜いていることになる。これは運営当事者によって定められる規則の体系にも当てはまる。会社の手続き、スポーツのルール、国連の各種条約などがそうだ。

本書で取り上げるシステムの多くは、個別の設計者がいるわけではない。市場資本主義は、誰かが設計したわけではなく、多くの人が時間をかけてその進化に手を加えてきた。民主主義のプロセスも同じで、アメリカの場合は憲法、立法、司法、社会的規範の組み合わせで成り立っている。そして、社会・政治・経済のシステムをハッキングするというのは、システムの設計者、システムが進化してきた社会プロセス、そのシステムを支配する社会規範という組み合わせのどこかを出し抜くことなのである。

人間の認知システムも、時間をかけて進化してきたが、そこに設計者が関与していないことは言うまでもない。その進化は生物学を基盤とするシステムの正常な一部である。すでにあるシステムの使い方が融合し、古いシステムは再利用され、不要になったシステムは消えていく。だが、本書で語るのは生物システムの「目的」だ。脾臓《ひぞう》の目的、扁桃《へんとう》の目的である。進化とは、システムが設計者の手によらずに自らを「設計」する過程にほかならない。このようなシステムについては、身体やエコシステムにおけるシステムの機能から語りはじめることになる。もちろん、目的を設計した人などいないと分かったうえでだ。

ハッキングは、システム思考から自然に出てくる所産だ。システムは、私たちの生活の至るところに存在する。そのシステムが複雑な社会の大部分を支えており、社会が複雑になるのに応じてシステムも複雑になりつつある。そうなると、システムの隙を突くこと、すなわちハッキングもかつてなく大きな意味をもってくる。極論すると、システムを十分に深く理解すれば、ほかの人と同じように規則に縛られてふるまう必要はなくなる。規則に存在する欠陥や不足を探せるようになる。システムによって課された制約がはたらかないケースがあることに気づく。そうなったら、システムをハッキングするのは当然だろう。そして、財力と権力があれば、とがめられずに終わることも多いのだ。

4章　ハッキングのライフサイクル

コンピューターセキュリティの考え方でいうと、「ハック」は2つの要素で成り立っている。脆弱性とエクスプロイトである。

脆弱性とは、あるシステムでハッキングの発生を許してしまう性質をいう。コンピューターシステムにおける欠陥の一種である。エラーか見落としのどちらかであり、設計、仕様、コード自体のどれにでも起こりうる。カッコが対応していないといった軽微なものもあるし、ソフトウェアアーキテクチャの特性のように重大なものもある。ハックを成り立たせる根本的な理由が脆弱性だ。その脆弱性を利用するしくみを、エクスプロイトという。

ログインしようとしているウェブサイトが、ユーザー名とパスワードを暗号化せずに送信するようなら、それは脆弱性である。インターネット上でその情報を傍受し、入手したユーザー名とパスワードを使ってそのアカウントにアクセスするソフトウェアプログラムがあれば、それがエクスプロイトだ。ソフトウェアを使って、他のユーザーの非公開ファイルを見ることができたら、それも脆弱性といえる。そのファイルを閲覧できるソフトウェアプログラムが、エクスプロイトに当たる。鍵を使わずにドアを解錠できたら、そこには脆弱性がある。そのドアをこじ開ける物理的な道具が、エクスプロイトということになる。

コンピューターの世界でいうと、たとえばエターナルブルー（EternalBlue）の例がある。エターナルブルーとはアメリカ国家安全保障局（NSA）が付けたコードネームで、ウィンドウズオペレーティングシステム（OS）に対するエクスプロイトツールだ。それが、利用開始から5年以上たった2017年に、ロシア人のグループに盗み出されたのである。エターナルブルーは、マイクロソフトが実装したサーバーメッセージブロック（SMB）プロトコルに存在する脆弱性を利用する。SMBプロトコルとは、クライアント／サーバー間の通信を制御するプロトコルで、脆弱性はそのコードが原因だった。特殊な細工を加えたデータパケットをインターネット上でウィンドウズコンピューターに送信すると、攻撃者は任意のコードを実行してそのコンピューターを乗っ取ることができる。つまり、NSAはエターナルブルーを使って、インターネットに接続している任意のウィンドウズコンピューターを遠隔操作できたということだ。


ハッキングに関与する人間には何種類かいて、それぞれが身につけているスキルも違うが、「ハッカー」という言葉はその違いを区別せずに使われている。まず、クリエイティブなハッカーがいる。好奇心に動かされ、専門知識を駆使してハックを見いだし、エクスプロイトを作り出す人間である。エターナルブルーの場合なら、NSAのコンピューター科学者がこれに当たる。税制の抜け穴だったダブルアイリッシュ・ダッチ・サンドの場合は、各国の法律とその相互関係を念入りに研究した国際租税法の専門家がそうだった。

次に、作り出されたエクスプロイトを実際に使う人間が現れる。NSAの場合なら、標的に対してエクスプロイトを動員した関係者がこれに当たる。ダブルアイリッシュ・ダッチ・サンドの場合は、特定の企業の節税戦略にこの抜け穴を使った会計士がそうだ。このような行為に及ぶハッカーは、他人のクリエイティビティに便乗しているようなもので、コンピューターの世界では、このような層を「スクリプトキディ」という蔑称で呼んでいる。新しいハックを生み出すほどの能力や創造性はないが、他人の創造性から生み出された成果を活かしてコンピュータープログラムを、この場合はスクリプトを実行することならできるという層だ。

そして最後に、エクスプロイトを実際に使う組織や人が存在する。つまり、NSAが海外のネットワークをハッキングした、ロシアがアメリカをハッキングした、グーグルが税制をハッキングしたということになる。

この最後の存在が実に大きい。これから語ろうとしているのは、権力のある富裕層がいかにシステムをハッキングするかという点だからである。権力と富があれば技術的に優れたハッカーになれるわけではなく、技術を利用しやすくなる。アメリカやロシア、グーグルのように、システムのハッキングに必要な専門技術を借りることができるのである。

ハックは、発明されることも発見されることもある。細かくいうと、根底にある脆弱性が「発見」され、それからエクスプロイトが「発明」される。言葉はどちらでもいいのだが、私は「発見」を使いたい。ハックの可能性は誰かがその存在に気づくより前からシステムに潜在していたという意味合いが強くなるからだ。

ハックが発見されて、次にどうなるかは、その発見者しだいだ。一般的には、ハックを考え出した人や組織が、自分たちの利益のためにそれを使用する。コンピューターシステムの場合なら、ハッカー犯罪者や、NSAに代表される国の情報機関、あるいはその中間の性質をもつ者がこれに当たるだろう。誰が、どのように使いはじめるかによって、他者はそれに気づくことも気づかないこともあるし、別個に独立して発見する場合もある。そこまでにかかる時間も、数週間から数か月、数年とさまざまだ。

　コンピューター以外のシステムの場合、ハックの使われ方はその頻度と知名度によって違ってくる。オンラインバンキングシステムに目立たない脆弱性が存在し、ときどき犯罪者に利用されるくらいだと、何年間も銀行側に気づかれないことがある。税制の隙を突く巧妙なハックが広まるのは、発見者がこぞってその情報で儲けようとする[1]からだ。人の心理を巧みに狙う不正操作は、一定以上に知られれば公然の事実になるが、そうでない場合は、何十年も知られないままになるかもしれない。

　最終的にシステムが対応し、根底にある脆弱性が修正されれば、ハックは無力化される。つまり、脆弱性を取り除いたり、その他の形で使えなくしたりしてシステムを更新するということである。脆弱性がなくなればハックは成り立たない。単純な原理だ。

　ということは、標的となるシステムの管理に当たっていて、それをなんらかのプロセスでアップデートする責任を負う何者かが存在するということになる。システムが、マイクロソフトのウィンドウズOSなど、大がかりなソフトウェアパッケージであれば、その裏には開発者がいる。マイクロソフトやアップルといった企業は、そうしたシステムに修正《バッチ》を施すのが常態になった。

　同じことはオープンソースやパブリックドメインのソフトウェアにも当てはまる。それを支えている人や組織が存在し、コードは誰でも見ることができる。廉価なＩｏＴソフトウェアでは、こうした機能が成り立ちにくい。ＩｏＴソフトウェアの大半は、利益率をぎりぎりに抑えて外部で設計されており、その開発チームはとうの昔に解散しているからだ。さらに悪いことに、そもそもパッチを当てられないＩｏＴ機器も多い。パッチのしかたが分からないということではない。ＩｏＴ機器の多くはコンピューターコードをソフトウェアではなくハードウェアに埋め込んでいるため、最初からパッチは不可能なのである。生産ラインがなくなって開発元が倒産していると、事態はさらに悪くなり、責任者がいないままインターネットに接続する無数のデバイスがあとに残ることになる。

技術システムの場合、ハックは発見されたとたんパッチが当てられることが多い。これが、本書で取り上げているような社会システムとなると、同じようにうまく機能するとは限らない。税制にしても、改正するには長年に及ぶ立法のプロセスが必要になる。ハックで利益を得る層がどんな改正も認めない姿勢でロビー活動を展開するかもしれない。そのハックが社会に益するかどうかをめぐって、正当な異論が上がる可能性もある。そして、その結論を下すのは、名目上でこそ民主主義的なプロセスということになっているが、そこで裕福な権力者の発言力がいかに大きいかは、これ以降にいくらでも出てくる例を見れば明らかだ。

システムにパッチを当てられない場合、ハックはシステムの規則に組み込まれる。ハックが新た《ニュー》な標準《ノーマル》になるのである。だから、ハックとして登場したものも、たちまち日常の一部になる。本書でこれから語っていく、技術以外のハックの多くが、こうした道筋をたどることになる。

5章　どこにでもあるハッキング

どれほど閉鎖されたシステムであろうと、脆弱性は必ず残っていて、ハッキングは常に可能である。1930年、オーストリア・ハンガリー帝国の数学者クルト・ゲーデルが、数学的体系はすべて不完全であるか、もしくは矛盾しているということを証明した。私の持論でいうと、これはもっと汎用的に当てはまる。いかなるシステムにも、曖昧さ、矛盾、見落としが存在しており、それを常に悪用できるということだ。なかでも規則の体系は、人間の言語と理解力にいくつも限界があるなかで、完全であることと、分かりやすいこととのあいだに微妙なラインを引かなければならない。そこに、制約を押しのけたい、限界に挑戦したいという人間の自然な欲求を加え、脆弱性が不可避であることも合わせると、あらゆるものが、常にハッキングされているということになる。

クラブペンギンは、ディズニーが2005年から2017年まで運営していたオンラインの子ども向けゲームだ。子どもがオンラインで見ず知らずの人と接触するというのは、いつでも心配の種で、ディズニーは「アルティメット・セーフ・チャット」というモードを用意した。リストに載っている定型メッセージだけに限定して、自由形式のテキストを禁じたのである。現実でもオンラインでも子どもが被害にあわないように、定型以外のチャットをさせないという意図だった。だが、子どもにしてみれば、互いに自由に話がしたいと思うのは当然だろう。そこでこの制限をハッキングするために編み出されたのが、アバターの身体を使って文字や数字を表すという方法だった。

　子どもは、生まれついてのハッカーだ。意向というものを理解しないので、大人と同じようにはシステムの制限が見えない。問題を全体で見て、自分でも気づかないうちに偶然ハックを発見したりする。規範にも縛られないし、十中八九、法律もやはり理解していない。規則に挑むのは、独立心の表れだ。

　クラブペンギンと同じく、子ども向けのオンラインゲームも、いじめ、いやがらせ、悪質な犯罪を防ごうとして会話に制限を設けている場合が多い。子どもは、それも全部ハッキングする。[1] モデレーションや言語フィルターをかいくぐるには、たとえば「phuq《ファック》」のようにスペルを故意に変える、言いたい内容を複数の発話に分けて発話単位ではルールを破らないようにする、あるいは「縦読み」を使うといった方法がある。数字の入力を禁じるサイトもあったが、その場合には one ではなく won 、two ではなく too 、three ではなく tree などと綴って対抗した。ののしりの言葉も同じで、loser（負け犬）を lose her 、stupid（バカ）を stew putt と書いたりしている。

　学校も、用意したコンピューターの使い方に対して制限を試みており、学生はハッキングで対抗してきた。成功したハックは、仲間の間で拡散される。ある学区では、アクセスしてよいウェブサイトを制限したが、学生はＶＰＮ（仮想プライベートネットワーク）を使えば見つからずに制限を回避できると気づいた。チャットアプリをブロックした学区もあったが、学生はグーグルの共有文書をチャットに使えることを発見する。

共有文書を利用するハックは目新しいものではなく、「フォルダリング」[2]という名前まで付いている。元アメリカ陸軍大将のデビッド・ペトレイアス将軍も、ロビイストのポール・マナフォートも、そして9・11のテロリストも使っていた。同じメールアカウントを相手と共有し、それぞれがメッセージを書き残すが、下書きのままにして送信しないでおくと、通信監視を回避できるのである。

私が子どもの頃には、電話の料金システムをすり抜けるハックもあった。若い読者はご存じないかもしれないので説明しよう。まず、人間のオペレーターを呼び出して、こちらの名前を伝え、コレクトコールで通話したいと告げる。オペレーターは電話をかけ、応答した人にコレクトコールに応じるかどうかを尋ねる、コレクトコールには、かなりの追加料金がかかるのだが、オペレーターによる発信なので、料金が発生する前に一定の情報は伝えることができる。つまり、私がコレクトコールをかける、オペレーターが相手――たいていは親だ――にコレクトコールを受けるかどうか尋ねるというやり取りだ。親はたいていコレクトコールを拒否し、かわりにもっと低い通常料金で電話をかけてくるのである。これをさらに効率的に利用する手口もある。家族間の連絡で、オペレーターに伝える人名を一覧表にしていたケースだ。人名は一種の暗号メッセージのようになっていて、たとえば「ブルース」は「無事に到着」、「スティーブ」は「折り返し電話して」という具合だった（オペレーターは発信者の本名を知るよしもないので）。今でも、料金システムをすり抜ける電話ハックは健在だ。相手が応答する前に電話を切る、いわゆる「ワン切り」もそうで、ナイジェリアでは「フラッシング」と呼ばれている。[3]この手法が、インドでも2010年代はじめに大流行したことがある。[4]携帯電話と固定電話で料金がかなり違ったためである。いずれも、追加料金を支払わずに情報交換するために電話のシステムの裏をかくハックだった。

コロナ禍での在宅学習[5]も、多くの学生をハッカーに仕立てる要因になった。たとえば、自分の名前を「接続中……」に変えてビデオ画像を切り、接続でトラブルが起こっているように見せた学生がいた。2020年の3月、コロナ禍になって間もない頃、遠隔授業に使われていたコラボレーションアプリ「ディントーク（DingTalk）」のレビューに大量の一つ星評価を送りつけた学生たちもいる[6]。アプリストアから削除されることを期待しての攻撃だった（成功はしなかった）。

システムは、規則に従った厳密なものになる傾向がある。ユーザーにできることが制限されるから、必ず誰かが許可された以外のことをしたいと考える。そこにハックが生まれる。システムとはどんなものか、システムがどう動くかを熟知すると、システムは至るところで見かけることになる。そうなると、ハッキングも至るところで目にすることになるのだ。

だからといって、システムというものがすべて破綻しているということではない。ゲーデルを思い出そう[7]。弁護士のあいだには、「あらゆる契約書は不完全」という格言がある。契約書が機能するのは、当事者が契約の趣旨を損ねないよう厳格に防いでいるからではない。抜け穴のほとんどが、信頼と善意で埋められているからであり、うまくいかなくなったときにも仲裁と裁定[8]のシステムが存在するからである。世間知らずの理想論に聞こえるかもしれないが、信頼のシステムこそ、社会を成り立たせているものなのだ。人と合意に達するとき、私たちは揺るぎない保証を求めたりしない。なぜなら、（1）実現は不可能であり、（2）試みたとしても時間がかかるうえに結果が出にくく、（3）実際そこまで求められることはない、からだ。

さらに汎用的なシステムでも同じことだ。システムが機能するのは、想定されているように脆弱性がないからではない。信頼と裁定の組み合わせがあるからだ。これから私はハックとハッキングのことを書こうとしているとはいっても、大部分は例外にすぎない。たいていの人はシステムをハッキングしないし、そのシステムはほぼ常に十分うまく機能している。たいていの人はシステムをハッキングしないと信頼していい根拠がある。そして、いざハッキングが起こったときには、それに対処するシステムもある。それが回復力《レジリエンス》だ。回復力があるから社会は成り立っている。人間は、何千年ものあいだ、そうやってハッキングに対処してきたのである。

ハッキングできるかどうかは、システムごとに違う。本書のこれ以降では、ハッキングに対してシステムがどのくらい脆弱かを左右する特性をいろいろと確かめていく。規則が多く複雑なシステムになると特に脆弱性が高いが、それはただ、予期も意図もされない結果になる確率が高いからにすぎない。コンピューターシステムは間違いなくそうで、私は以前、複雑さが社会の最大の敵だと書いたことがある。[9] そのほか、税制や金融規制、人工知能（ＡＩ）にも当てはまる。それより柔軟な社会規範や規則によって制約されている人間のシステムは、ハッキングに対してさらに脆弱だ。解釈の余地を広く残しているため、抜け穴が多くなるからである。

一方、重要性が低く、小規模で周辺的なシステムの場合、またおそらくもっと実験的で定義の曖昧なシステムの場合、機能に支障があっても損害は小さい。したがって、どんな不具合が起こるかと気に病むより、もっと多くのハッキングを経てシステムを進化させるほうがよいのかもしれない。

橋を設計して建造するプロセスのハッキングを許した場合、そこに価値はあまりなく、危険は大きい。一歩間違えれば大惨事になりかねない。

ハッキングは、人間の本質に当たり前に存在する一部だ。どこにでもあり、これから見ていくとおり、進化しつづける。絶え間なく続き、終わりがなく、そしてダーウィンが言う「最も美しく、最も素晴らしい形態」を、あるいは最も奇抜で驚異的な形態を作り出す能力を備えている。

第 2 部

基本的なハックとその防御

6章　ATMのハック

最初に、限定的なシステムに対する多種多様なハックを調べていこう。それより広い、政治、社会、経済、さらには認知といったシステムへのハックを理解するのに欠かせない土台になるからだ。

ATMは、中にお金が入っているというだけで、ただのコンピューターにすぎない。インターネットを介して――30年ほど前には電話回線とモデムだった――銀行のネットワークにつながっており、ウィンドウズOSが稼働している。ハッキングが可能なことは言うまでもない。

2011年、オーストラリアに住むドン・ソンダーズというバーテンダーが、ただでATMから現金を引き出す手口を思いついた。ある晩遅く、偶然このハックが頭に浮かんだのだという（そのとき酔っぱらっていたと想像すると、話がもっとおもしろくなるところだ）。自分のものではないお金を口座間で移動し、システムに取引を記録されることなく現金を引き出せる方法に気づいたのである。そんな大儲けを可能にしたのは、ATMで口座間の送金を記録するソフトウェアに存在していた脆弱性と、ATMが夜間にオフラインになるとき各口座の出入金の記録に遅延が生じるというもうひとつの脆弱性、その2つの組み合わせだった。といっても、ソンダーズがそれを理解していたわけではない。たまたま発見し、同じ手口を何度も繰り返せると気づいただけのことだ。

その後5か月にわたって、ソンダーズは160万豪ドル、つまり約110万米ドルを引き出した。[1]結局、逮捕されることもないまま、罪悪感から、最後には引き出すのをやめ、セラピーを受けたうえで罪を認めている。銀行のほうは、大金を失った経緯を把握できずじまいだった。

少し立ち止まって、このケースでハッキングされているものが何かということを考えてみよう。銀行からお金を盗み出すのは、例外なく違法だ。ここでハックの対象になっているのは銀行のシステムではない。ＡＴＭのシステムと銀行のソフトウェアだ。ソンダーズは、意図されていない、予想もできない方法でそのシステムを利用して、つまりシステムで許容されていることをして、銀行側の意図の裏をかいた。これはハックだ。

ＡＴＭに対する攻撃と、それに対抗するセキュリティ対策との数十年に及ぶ進化には、ハッカーと防御側のあいだで繰り広げられてきた軍拡競争が端的に表れている。それ以上に明らかなのが、本書を通じて何度か再確認するテーマのいくつかだ。システムが単独で存在することはない。小さい複数のシステムで構成されており、大きいシステムの一部を成している。ＡＴＭは、間違いなくコンピューターソフトウェアだ。だが、物理的なモノでもある。ＡＴＭを使用するとき、そこには顧客と、リモートバンキングのネットワークが関わる。ハッカーはこうしたＡＴＭのあらゆる面を狙えるのである。

初期のＡＴＭ攻撃は粗雑で、ハッキングどころか、ただの窃盗だった。キャッシュディスペンサーの開閉口を接着剤で固定し、利用者がたまりかねて立ち去ったあとでそれをこじ開ける犯人がいた。スロットに挿入されたところでカードをかすめ取り、あとから取り出して利用する手法を生み出した者もいる。ATMを機械ごとまるまる設置場所から奪い取り、安全な場所まで運び出してからゆっくり中身を取り出す手口もあった。テレビドラマ『ブレイキング・バッド』にもそんなシーンがある。これに、防御側が対抗する。間もなくATMは、キャッシュディスペンサーに開閉口がない設計になり、接着剤で固定できなくなった。設置のしかたを堅牢にしたり、中に保管される現金が少なくなるように補充の頻度を増やしたりもした（抜け目ない犯人は、連休に入る前の晩にATMを狙ってこれに対抗している。現金がたくさん入っているからだ）。現在のATMには、監視カメラが設置されているが、これは窃盗を防ぐためではなく、犯行後に犯人を特定し、できるなら逮捕するためだ。

そのほか、利用客が権威を信用するところにつけ込む手口もあった。たとえばこうだ。犯人は、スーツや制服に身を包んで、ATMを使っている利用客に話しかける。「こちらの機械は故障しています。あちらの機械をお使いください」――その客が素直に隣の機械に移動すると、犯人は最初の機械に「故障中」の札をかける。客は取引を済ませて立ち去り、犯人は最初の機械で中断していた取引を進めて、まんまと現金を引き出すのである。

このような傾向をたどる一連の窃盗が続いて、ATMの設計はさらに何段階か変化をとげる。[2] まず、取引が終わるまで利用客のカードは機械の中に取り込まれたままになった。職員を装った何者かに中断されないためだ。やがて、バックエンドが改修されてATMで複数の取引を同時に行うことはできなくなった。それでも、権威を悪用するハックをすべて防げたわけではない。インドネシアではもっと粗雑なケースが報告されている。銀行の支店長を装い、銀行内で電話をかけるふりをしたうえで、利用客のキャッシュカードを預けてもらうという手口だ。

一方、カードの情報を盗み取り、複製のカードを作って悪用するという別種のハックも知られている。これが、いわゆる「スキミング」で、しだいに広まり、手口も複雑になっている。ＡＴＭのカードスロットの上に2台目の磁気テープ読み取り装置（スキマー）を取り付けるというのが、典型的なハックだ。利用客が何も知らずにカードをスロットに入れると、犯人が取り付けた読み取り装置も通すことになる。隠しカメラやキーボード上のセンサーを取り付ければ、暗証番号も盗み取ることができる。また、公共の場所、たとえばショッピングセンターなどに、自立型の偽のＡＴＭを設置するという変種の手口もある。本物のＡＴＭのように見えるが、実際には磁気テープから情報を読み取り、暗証番号を取得する。その処理が済んだら「故障中」のメッセージを表示すれば、現金が出なくても利用客はそのまま立ち去るわけである。

こうしたハックでは、複数の脆弱性が悪用されている。一つ目に、利用客はスキマーや偽のＡＴＭに気づくだけの専門知識を持ち合わせていない。二つ目として、磁気テープ式の銀行カードは容易に複製できてしまう。そして三つ目にＡＴＭの認証システム、つまりカードを持っていて暗証番号を知っていればいいというシステム自体が、それほど安全ではない。

さらには、ソフトウェアを狙うＡＴＭハックもある。セキュリティの世界では「ジャックポッティング」と呼ばれている[3]手法で、盗み出したカードも暗証番号も使わずに、まるでスロットマシンのようにＡＴＭから現金をはき出させる。２０１６年に台湾で出現したのち、またたく間にアジア、ヨーロッパ、中央アメリカに広がっており、被害総額は数千万ドルに及んだ。別のソフトウェアに存在する別種の脆弱性[4]を悪用する攻撃もあり、これは2020年にヨーロッパで確認されてから、今でも世界規模で拡散している。

ジャックポッティングは、いくつかの手順を踏んで実行される。最初は詳細な技術を解明する段階で、中古のATMを入手し、分解して研究するというのがほぼ定石だ。これは難しくない。中古のATMはイーベイにいくらでも出品されている。技術を解明したハッカーは次に、稼働しているATMに狙いを定める。機械のパネルを開き、USBポートにデバイスを接続して、ATMのコンピューターに不正ソフト《マルウェア》を送りつけ、リモートアクセスを可能にするソフトウェアもインストールする。その作業にふさわしい服を着込むこともある。技術者っぽい格好をしていれば、怪しまれずに作業できるからである。こうした下準備がすべて済んだら、一人が安全な場所に身をひそめ、別の共犯者が空のカバンを持ってATMに近づく。あとは、リモートでATMに命令を送信すれば、現金をすべてはき出させることができるのである。

この手口で盗まれた被害額がどのくらいなのか、十分なデータはそろっていない。この手の事件については、銀行が詳しい情報を出し渋るからだ。それでも、アメリカ財務省の秘密情報機関《シークレットサービス》は、2018年にジャックポッティングに関する通達を各金融機関に送っている。[5] ところが、実はその8年前の2010年には、セキュリティ研究者のバーナビー・ジャックが、ハッカーの集まる国際イベント「DEF CON」でジャックポッティングを実演していたのだ。[6] そのときのデモでは、ATMに物理的な手を加える必要すらなかった。リモートで悪用できるソフトウェア上の脆弱性を発見し、それだけで同じ結果を実現していたのである。

7章　カジノのハック

リチャード・ハリスは、ネバダ州ゲーミング管理委員会の一員として、カジノの店内に設置する新しいスロットマシンを検査する仕事についていた。マシンの内部を見ることができる立場だったため、ソフトウェアが入っているチップを自分が用意したチップと入れ替えることができた。ハリスが手を加えたソフトウェアは、決まった順序でマシンにコインを挿入すると大当たりになるようプログラミングされていた。１９９３年から１９９５年にかけて、ハリスは30台以上に細工を加え、[1]そのマシンでプレイした仲間のグループを通じて数十万ドルを稼いだ。最後には、仲間の一人がしくじって逮捕されている。

ＡＴＭと同様、スロットマシンも中にお金が入っているというだけで、ただのコンピューターにすぎない。１８９５年に発明された当時は機械的な装置だったが、１９８０年代になると結果はコンピューター制御されるようになり、ホイールはただの心理的な演出効果になっていく。今では、ホイールを使わないマシンも多い。すべてコンピューターディスプレイ上のシミュレーション映像になっているからだ。

そして、スロットマシンは最初からハッキングされつづけている。古いマシンなら、物理的に揺らして絵柄のそろい方を変えることができた。紐を付けた一枚のコインで、マシンを騙《だま》してスピンさせる手口もある。スロットマシンの多くは、払い出すコインを光学センサーでカウントするので、なんらかのしかけをコイントレイからマシンの奥まで差し込んでセンサー部をふさいでしまうと、本来より多くコインを払い出させることもできた。

カジノの店内にあるゲームは、どれもハッキングされてきた。そのハックの一部が、今では普通のことになっている。許可されているということではないが、誰でも耳にするようになっていて、画期的とはみなされず、それどころか関心の的にすらならない。ブラックジャックで使われるカードカウンティングは、かつてハックだった。今では、そのノウハウが本になっているし、禁止するルールも作られている。

ルーレットの出目を予想するという考え方が出てきたのは、1950年代のことだ。回転盤《ホイール》の回転速度は一定で、ディーラーがボールを投げ入れるときも一定のくせがあるから、十二分に計算すれば、ボールが止まる確率が高いのはどこかを予想できることになる。

1960年代には、つま先にスイッチを付けた一種のウェアラブルコンピューターとイヤホンを使うという不正技術があった。[2] つま先のスイッチでデータを入力すると、その情報をもとに、ホイールの回転速度や、ディーラーがボールを投げ入れるときの平均的な速度などがコンピューターで計算される。その結果、高い確率でボールが止まりそうな数字が、イヤホンを通じて知らされるのである。のちにはデータ入力と速度の面で設計が改良され、1970年代には、カリフォルニア大学サンタクルーズ校の大学院生グループがこのつま先コンピューターで首尾よく利益をあげている。

このハックは、違法ではなかった。カジノのゲームで装置を使って結果を予想することをネバダ州が禁止するのは、1985年になってからである。[3] 実際には、ディーラーがベット（賭け）終了を宣告するタイミングを早くするようゲームのルールを変更するという対策がとられた。

数あるハックのなかでも、熟練スキルをもたない者にとってハードルが高いのが、ブラックジャックにおけるカードカウンティングだ。基本的には、デッキに残っている10点札（10とJ、Q、K）が多いほどプレイヤーに有利になり、10点札が少ないほどカジノ側に有利になる。したがって、カードカウンティングを使ってその情報をたどっておけば、有利なときに賭け金を増やせるのだ。有利といっても差はごくわずかで、1％前後にすぎないが、有利には違いない。ただし、プレイヤーには相当の集中力が求められる。

カジノがとった対応[4]は二種類ある。一つ目が、カードカウンティングを難しくすることだ。多くのカジノは、6組のカードを一緒にしてシャッフルし——実際には自動シャッフル機を使う——、そのうち3分の2だけを使って、プレイヤーが有利になる確率を引き下げている。カードを配るたびにシャッフルする場合もある。ラスベガスでもアトランティックシティーでも、フロアマネージャーは巡回しながら、カードカウンティングをしていそうなプレイヤーを見つけては話しかけるのだという。集中力をそぐのと、にらみをきかせるのと、両方を狙ってのことだ。

カジノ側がカードカウンティングを違法化しようとしたこともあるが、この手法が不正に当たると監督機関を納得させるには至らなかった（カードカウンティングの装置を禁止する法律は可決している）。[5] カジノ各店としては、カードカウンティング行為を押さえて、その客の入店を禁じることしかできない。そのために、以前ならカードカウンティング固有の不審な行動を警戒するようスタッフに指示していた。最近は、全カードの動きを店内のカメラで追跡し、自動で監視を行っている。カジノは民営なので、法律上の差別に当たらないかぎり、どんな客に対してだろうとサービスを拒否するのは原則として（州によって異なる）自由だ。[6]

カードカウンティングへの二つ目の対応は、業務上のコストとして受け入れることだ。カードを数えるのは、多くの人が思っているほど簡単ではない。ブラックジャックならプレイヤーが高い確率で勝てるという幻想は根強く、実のところカジノはその通念で儲けている面がある。カードカウンティングのプロから被る損害額より、カードカウンティングの初心者を相手にする利益のほうが大きいのだ。なかには、売り文句としてブラックジャックにカードを1組しか使っていないと宣伝しているカジノ店もある。

もちろん、例外はある。1980年代には、MITとハーバードの研究者が、斬新なカードカウンティング手法を考案した。[7] カジノ側はカードカウンティングの見抜き方を熟知している。カジノが目をつけるのは、（1）勝ちを続けており、（2）戦略的な知識を踏まえて賭けのパターンを変えるように見える、そんな客だ。そういう監視の目を、MITとハーバードのグループは、複数のプレイヤー間でカードカウンティングをいわば分業することで回避したのである。カードを数える役目のプレイヤーがテーブルにつき、賭けのパターンは絶対に変えない。大金を賭ける役目のプレイヤーは、やはり賭けのパターンは変えず、数える係のプレイヤーから合図を受けた共犯者に誘導される形で「有利なテーブル」に移る。グループは、この手口をやめるまでのあいだに推定1000万ドルを稼いだとされている。[8] 実に見事なハックだ。

8章　マイレージサービスのハック

1999年、デイヴィッド・フィリップスはヘルシーチョイス社のプリンを1万2000個も購入した。意外なことに、ある航空会社のマイレージプログラムをハッキングするためだった。

航空会社のマイレージプログラムは、1981年に広く知られるようになった。アメリカン、ユナイテッド、デルタの航空会社3社がそれぞれのプログラムを始めたときのことだ。今では、誰もが利用するようになった。ある航空会社を頻繁に利用している顧客に特典を付与し、他社への乗り換えを防ぐ、一種のロイヤルティープログラムである。コロナ禍以前には、私も年中、飛行機で移動していたので、マイレージプログラムのことは知り尽くしている。どのプログラムも、サービス開始以来ハッキングされてきた。

古くからあるハックのひとつが、いわゆる「マイレージラン」だ。「マイル」は、フライトを利用した距離に応じて顧客が獲得する単位で、航空券と交換できる内部通貨ともいえる。目端の利くハッカーなら、二種類の通貨のあいだの差益で儲ける方法を考えるだろう。相場より安い価格でマイルをたくさん獲得できる場合があるのだ。たとえば、ニューヨークからアムステルダムへの直行便を使うと3630マイルだが、イスタンブール経由にすると6370マイルになるとする。この二種類の航空券の金額が同じで、時間がいくらでもあるのであれば、かなりの得になる。

マイレージランは、まったく予想外の形でマイレージプログラムの裏をかくものだった。やがて、このハックはさらに巧妙になる。プログラムには、特典ランクが設けられている。たとえば、搭乗距離が1年で5万マイルを超えると、その価値はかなり大きくなる。ときどき、5回も6回も乗り継ぎがあって手間はかかるが安上がりという往復の旅程を組む旅行客がいる。マイルをためるのが目的だ。乗り継ぎのとき空港から出ることさえしない場合もある。

航空会社は、長年このハックを放置してきた。だが、2015年には各社とも、マイレージランのうまみが少なくなるように、プログラムの見直しを始めている。[1] エリートステータスに必要な最小額の要件を設け、最終的には「獲得マイル」の定義を改めて、マイレージの基準を搭乗距離ではなく購入金額に変えたのである。

そのほか、フライト以外でマイルをためる方法を狙ったハックもあった。[2] 航空会社は古くから、クレジットカード会社と提携している。そうしたクレジットカードだと、買い物をするたびにマイルを獲得できるが、実は申し込みのときのボーナスマイルがかなり大きい場合が多い。となると、ハックの手口は明らかだ。クレジットカードをいくつも作って、年会費が発生する前に退会するのである。クレジットカードを作り、3000ドル分のアマゾン・ギフトカードを購入して申し込みボーナスの資格を得たケースもあった。家電製品のキャンペーン追加ポイントを獲得するために、ガレージいっぱいのミキサーを買った人もいる。「5年間で46枚以上のクレジットカードを作り、申し込み時のボーナスだけで260万マイルを稼いだ」と豪語した女性もいる。

もちろん実害はある。フライトその他の特典で、実際には利用代金も利子も払っていない顧客に対して、銀行は数十億ドルも支払うはめになるし、そのコストは航空券の料金に転嫁される。なかには、このハックに対して締め付けを強化しようとしているクレジットカード会社もある。JPモルガン・チェース銀行は2016年、過去24か月のうちに全銀行で5枚以上のクレジットカードを作った消費者に対して、同社のクレジットカード申し込みを原則として承認しないという規則を打ち出した。[3] アメリカンエクスプレスも、「ポイントの獲得または利用に関連する悪用、誤用、またはゲーミングに関与した」場合にはマイルを取り消すとしており、[4] システムを悪用したと考えられる顧客に広く罰則を課すようになった。

というわけで、話は冒頭のプリン男に戻る。[5] 航空会社のマイレージプログラムを悪用したハッキング史のなかでも、ひときわ話題になったケースだが、デイヴィッド・フィリップスが見つけたのは、特定の航空会社のプログラムではなく、1999年にヘルシーチョイス社が実施したタイアップキャンペーンに存在する脆弱性だった。当時、ほとんどの航空会社はアフィリエイトプログラムを実施していたため、他の企業がマイルを大量に買い上げ、その顧客に特典として提供することができた。問題のケースは、ヘルシーチョイス社の商品を購入した顧客が、任意の航空会社でマイルを獲得できるというプログラムだった。フィリップスは、キャンペーンに該当する最も安い商品を調べ、1個25セントのプリンを1万2150個購入。その特典として、3000ドル強で120万マイルを獲得し、さらにはアメリカン航空でゴールド会員のステータスも手に入れたのである（その後、プリンは慈善事業に寄付し、さらに815ドルの税控除まで受けている）。ヘルシーチョイス社が想定した結果とは明らかに違うが、フィリップスは法律を破ったわけではない。同社は全額を負担するしかなかった。

9章　スポーツ界のハック

スポーツ界はいつもハッキングされている。プレッシャーは大変なものだろうし、ましてプロなら報酬にも関わってくる。おまけにルールブックにも完璧はありえない。その当然の結果だ。エピソード的に紹介してみよう。

アメリカ野球界、ときは1951年。セントルイス・ブラウンズ（現ボルチモア・オリオールズ）は、まったく無名だった身長1メートル9センチの選手エディ・ゲーデルをベンチ入りさせた。[1]ゲーデル選手は一度だけバッターボックスに立ち、当然ながらフォアボールで出塁した。ストライクゾーンがあまりに狭くなりすぎて相手ピッチャーがストライクを決められなかったからだ。リーグ公式ルールには身長についての資格規定がなかったので、このハックは厳密にいっても合法的だった。にもかかわらず、翌日リーグ会長はゲーデルの選手契約を無効と宣言した。

バスケットボール、1976年の出来事。NBAファイナルで2回目のオーバータイム中のことだった。フェニックス・サンズはボストン・セルティックスを相手に1点差をつけられ、残り時間は一秒を切っていた。ボールはサンズ側の手にあったが位置はコートの反対端で、自陣のゴールにシュートを決めるのは不可能だった。このとき、サンズのポール・ウェストファル選手がルールをハッキングする。すでに時間を使い切っていたにもかかわらず、タイムアウトを要求したのである。審判はもちろんテクニカルファウルを宣言し、セルティックスのフリースローとなる。それでもう1点を献上しても問題ではない。重要なのは、フリースローでサンズがコートの中央付近から再開できるということで、そうすればシュートを決めて2点獲得するチャンスが生まれる。同点となれば3回目のオーバータイム突入となるわけで、実際その狙いどおりになった。[2] 翌年、NBAはルールを改正し、意図的なテクニカルファウルによってボールをコート中央に進めることは禁止されている。

水泳界、1988年。ソウルオリンピックで、アメリカのデビッド・バーコフと日本の鈴木大地は背泳ぎをハッキングした。[3] プール長辺の過半まで潜水で進むという泳ぎで驚くべき記録を打ち立てたのである。この泳法はすぐに他の一流選手にも取り入れられたが、のちに国際水泳連盟が異を唱え、背泳ぎで潜水泳法を使っていい距離の上限が規定された。

アメリカンフットボール、2015年のこと。ニューイングランド・ペイトリオッツが、対ボルチモア・レイブンズ戦で斬新なハックを使った。[4] レシーバーとなる資格を決める複雑なルールを逆手にとって、スクリメージライン（オフェンス側とディフェンス側のあいだに引かれる架空の境界線）周囲にいるプレイヤーを次々と入れ替えたのである。2か月後、リーグ当局のルール改正によって[5]このハックは違反行為となった。

以上はいずれもハックが禁止された例だが、いつもこうなるとは限らない。ハッキングのほとんどは違反とみなされず、試合をおもしろくする要素として受け入れられる。スポーツの世界でいま当たり前に使われている戦法の多くが、以前はハックだった。アメリカンフットボールで、フォワードパスランはかつてハックだった。ラン&シュート・オフェンスもそうだったし、相手チームが選手交代しているときなどのハリーアップオフェンスもそうだ。野球でいうと、犠牲フライや敬遠がハックだった時代もある。どれもルール違反ではない。単にそれまで誰も思いつかなかっただけのことだ。それを誰かがやって、作戦の一部になっていったのである。

その変化はいつもスムーズに進むわけではない。バスケットボールのスラムダンクも登場したときにはハックだった。[6]リングより上の位置からボールをたたき込むほど高くジャンプできる人間がいるとは、それまで誰も想像していなかったからだ。最初の何十年かは賛否両論があった。さまざまなリーグがダンクを禁止しようとしたが、ファンには受けたため1970年代以降はバスケットボールの醍醐味のようになっている。

現在のクリケットでは、野球と違ってバッターは360度どの方向にボールを打ってもかまわない。一世紀以上のあいだ、野球と同様におおよそ投手《ボウラー》のいる方向に打ち返すか、そうでなければボールをバットのへりにかすらせてバッターの後方へ逸らすのが普通であった。2000年代のはじめ、ボールを「すくい上げ」て「斜め上に」、自分の頭上を飛び越えるように飛ばすという危険な打ち方ができると気づいた選手たちがいた。[7]クリケットのルールにまったく抵触せず、少しばかり余分の勇気と、ハッカー精神が必要なだけだ（一説によると、スリランカの狭い裏通りでプレイするために編み出されたともいう）。奇想天外な打ち方で勝利を得た有名な例も何試合かあり、今では標準的な打法になっている。

メジャーリーグでは、相手チームのサインを盗み見る、いわゆる「サイン盗み」は禁止されていない。ただ、このルールのハッキングが絶えないので禁止事項や注意事項も数多い。二塁《セカンド》手と三塁コーチはキャッチャーのサインを読み取ろうとしてもいいが、バッターには許されていない。外野からカメラを使うことは禁じられている。２０１７年と２０１８年、ヒューストン・アストロズがカメラを使ってサインを盗み見たときには、この時点でもうルールが確立していたので、これはハッキングではなく不正だった。

スポーツにおけるハックのほとんどは、使えば目に見える。潜水泳法も、クリケットで頭上越えの打球を放つのも、隠すことはできない。個人やチームが最初にやってみせた瞬間に、万人に知られる。例外的に、人目につかないハックも存在する。大別すると、機械が関わるレース（自動車やヨットなど）とドーピング（人間でも動物でも）の二種類だ。

Ｆ１はハックの宝庫だ。まず、あるチームのメンバーが既存の規定に抜け穴を見つけ、改造して車の性能アップを狙う。そうすると、ほかのチームも早晩それを知って模倣するか、抗議の声を上げる。最後に、国際自動車連盟（ＦＩＡ）が動いてそのハックを禁止するか、そうでなければ次シーズンで規定に加えることになる。

たとえば、１９７５年にタイレル・チームは六輪の自動車を開発した。[8] 後輪が２個、前輪が４個である。このハックで性能は向上したが信頼性は低下した。他のチームもこれに対抗して試作車を製作したが、1983年にはFIAが、車輪の数は4個とする、それより多くても少なくてもいけないと念入りに明記したルールを定めた。

1978年にはブラバム・チームが、送風機《ファン》のような可動の空力機器を禁止したルールすれすれに、ラジエーター付近にファンを取り付け、それを冷却装置だと主張した。[9] この車は自発的に出走を取りやめたため、結果的にルールは変更されていない。

1997年、マクラーレン・チームはブレーキペダル2基を備えた車を開発しており、その第二ブレーキは後輪のみを制御するものだった。[10] 私はカーレースにあまり詳しくないので詳細は分からないが、ドライバーにとっては利点だった。この改造は当初許容されたが、他チームから苦情が出たため、のちに禁止となっている。

2010年、同じマクラーレンが可動の空力機器を禁じるルールをハッキングする。コックピットに穴を開け、ドライバーが足でその穴をふさぐことで自由にオン・オフできるようにしたのだ。[11] 穴だけで可動部品はないのだから、ルールには触れないという理屈だった。だがドライバーの足が同じ機能を果たすということで、この操作法はすぐに禁止されている。

2014年には、メルセデスがF1エンジンのターボチャージャーを設計し直し、タービンとコンプレッサーを切り離して、エンジンの両端に配置した。[12] この設計調整は規定違反とされなかったため、このエンジンを使ってメルセデス・チームはその後6年間、F1レースで優位を保った。

そのメルセデスが、2020年にはハンドルにある機能を追加する。[13] ステアリングコラムを押したり引いたりして前輪のアライメントを変えるしくみだ。ハンドルにはどんな機能を追加しても違反になる。このときのハックを違反とするかどうかは、「ハンドル」の厳密な定義にかかっており、この機能をステアリング補助装置とみなすか、サスペンション装置とみなすかが問われることになった。翌2021年、FIAはこの抜け穴をふさいでいる。

最後にもうひとつ、本書の別の箇所でも触れているが、アイスホッケーの例をあげておく。アイスホッケーで使うスティックは、当初まっすぐだった。ところが、先端を曲げると打球のスピードがそれまでになく上がると気づく者が現れた。今や先端の曲がったスティックは標準であり、先端の曲率は厳密に制限されている。1993年の選手権大会で、ロサンゼルス・キングス所属のマーティ・マクソーリー選手が使うスティックが違反とされたのは有名だ。[14]

10章　ハックは寄生する

新型コロナウイルス（SARS－CoV－2）のビリオン（ウイルス粒子）は、直径約80ナノメートルだ。ACE2というタンパク質と結合し、それが心臓、腸、肺、鼻孔など人間のさまざまな細胞の表面で発生する。通常、ACE2は血圧を調節する機能を担っており、炎症やケガの治癒などにも関わっている。だが、新型コロナウイルスはACE2と結合する突起をもっており、細胞とウイルスの周りにある膜を融合して、ウイルスのRNAを細胞内に放出する。次に、ウイルスは宿主細胞のタンパク質合成を阻害し、そのプロセスを乗っ取って自身の新しい複製を作り出す。それが他の細胞にも感染していく。ウイルスのRNAには別種のタンパク質を作り出す機能もあり、そのタンパク質が宿主細胞に残りつづける。ひとつは宿主細胞が攻撃されているという信号を免疫系に伝達するのを妨げる。もうひとつは、新たに作り出されたビリオンを宿主細胞が放出するよう促す。さらにもう一種は、宿主細胞がもつ本来の免疫機能を阻害する。以上の結果として発症するのが、2020年以来、私たちの生活を大きく変えてしまった疾病、COVID－19である。

COVID－19は一種のハッカーだ。あらゆるウイルスと同様、SARS－CoV－2も私たちの身体の免疫系を巧みに悪用して、免疫系の通常の機能を阻害する。その結果として、広く私たちの健康を損ね、全世界で600万人以上の命を奪った。HIV（ヒト免疫不全ウイルス）もやはりハッカーだ。人体で白血球のヘルパーT細胞に感染し、T細胞の本来のDNAに自身のDNAを注入してそこで増殖する。最後には、感染した細胞がさらにHIVを血流中に放出して、増殖を続けていく。

ハッキングは、概して寄生的だ。HIVとSARS－CoV－2は、どちらも寄生する。つまり、他の生物を宿主にしてその関係から利益を受け、たいていは宿主が犠牲を払うということだ。システムとは、一連の目標を推進するために存在するもので、その目標は通常、システムの設計者が定める。ハッカーは、同じシステムを別の目標のために乗っ取り、その目標は当初の目標と正反対のこともある。

これは、ATM、カジノのゲーム、マイレージのような消費者向け特典プログラム、長距離電話などに対するハックを見ても分かる。ATMの管理者が意図しているのは、口座の持ち主に現金を支払い、相応の金額を同じ口座から差し引くことだ。ハッカーは、自分の口座の残高を減らすことなく（いや、口座を持っていなくても）現金を引き出そうとする。同じように、カジノが考えるのは公正さだ（といっても、プレイヤー間で勝率が平等ということであって、プレイヤーとカジノが平等ということではない）。ハッカーは、自分に有利になるようにそのバランスを崩そうとする。

スポーツやオンラインゲームとなると、これより分かりにくくなる。各種スポーツの連盟組織の目的は、儲けを出すこと、ファンを楽しませ満足させること、人間どうしの競技を盛り上げること、一定の意味で公正たらんとすること、いろいろな意味で「いい試合」を見せることにある。選手は、フェアプレイとは言いつつも、個人あるいはチームとして試合に勝とうとするし、たぶん年俸も上げたいと考える。

クラブペンギンの狙いは、ユーザーに安全な環境で楽しんでもらうこと、準拠法をすべて守ること、ディズニー社の収支に貢献することだった。クラブペンギンを利用するハッカーが意図したのは、他のユーザーともっと自由にコミュニケーションを交わすことで、その点は会話したがっていた6歳児でも、子どもを狙う輩《やから》でも変わらなかった。どちらも、種類が極端に違うとはいえ、システムに寄生していたことになる。

スパムは、メールに対するハックだ。インターネットのプロトコルとメールシステムを考案する時点では、誰ひとりとしてスパムを想定したり、ましてそれを禁止したりしなかった（もっとも、電子メール以前にもゴミ郵便物はアメリカで昔から続いているが）。大量送信メール、特に広告メールを送りつけるという行為が、それ以前にはなかったからだ。概念としてスパムが出現したのは1990年代のことで、メールと、当時よく使われていた電子会議システムUsenetで広まり、2000年代はじめには深刻な問題になった。その頃には全メールの90%がスパムだったのである。これは、コミュニケーションシステムに寄生するハックだ。

寄生的な関係が、どれもすべて宿主に犠牲を強いるわけではないし、ハッカーが残らずすべて悪質なわけでもない。たいていは、自身の利益になるように、合理的に行動している。ハッカーの行動を支えているのは、利己的な金銭欲だろうし、そこは本書で語るどの例でもおおむね同じだ。だが、感情や道徳倫理、政治的な動機で動いている可能性もある。ハッキングによって世界を良くしたいと考えているのかもしれないのだ。ときには、ただチャンスを狙っているだけのこともある。

システムが自分たちに不利になった場合には、やむをえず、生き残るために行動することもある。自身や家族のために薬や食料を手に入れようとする人々を考えてみるといい。

どんな寄生虫でも同じだが、ハッキングも狙ったシステムに対して強すぎてはいけない。ハッキングが成立するにはシステムが存続しなければならないからだ。ATMのハッキングは犯罪者にとって儲けの大きい行為だが、その行為はATMがなければ始まらない。ATMに対するハッキングが成功しすぎたら、銀行はこんなに便利な現金引き出し機械を設置するのをやめるだろう。クラブペンギンをハッキングして、子どもの安全に関する法律に違反するような会話を交わす人が多くなりすぎたら、ディズニーはもっと早くにサービスを終了していただろう。スパム対策プログラムがなかったら、電子メールは崩壊していたかもしれない。効果的すぎるハックは、ハックの成立に必要なシステムを破壊して、結局は自身を廃れさせかねないのである。

11章　ハッキングへの対策

スペクター（Spectre）とメルトダウン（Meltdown）は、インテルなどのマイクロプロセッサーに存在する2つの脆弱性で、2017年に発見され、2018年に発表された。基本的には、長年にわたって採用されてきたパフォーマンス最適化機能の一部にセキュリティ上の脆弱性が存在すると判明したケースである。ソフトウェアではなくハードウェアに存在する脆弱性だったため、対策は難航した。パフォーマンスをそれなりに犠牲にしつつも、脆弱性の一部を修正する目的でソフトウェアパッチは開発されていたが、ハードウェアは手つかずだった。脆弱なシステムを交換するという選択肢はない。問題のマイクロプロセッサーが搭載されているコンピューターはざっと1億台あるからだ。これ以降に製造されるマイクロプロセッサーなら、そういった脆弱性を排除して設計できるが、すでに出回っているマイクロプロセッサーを今から修復することはできない。最大の防御策になっていたのは、この脆弱性は悪用が難しいという点だった。脆弱なコンピューターは多いものの、ハッカーにとって見るからに都合がいいというわけではなかったのである。

ハックへの対策は困難な場合がある。対策はパッチの公開からセキュアシステムデザインまでさまざまで、それぞれを順に説明していこう。

私の分類が厳密でないことは、自分でも承知している。ブラックジャックにおけるカードカウンティングを非合法とする法律が可決したら、その手口は無効になるが、捕まらなければ問題はない。この場合、脆弱性は除去されるのか、それともハックの有効性が下がるだけなのか。あるいは、高価な衣料品に防犯インクタグを付けると、盗んだ衣料品の価値が下がる（攻撃する意味が半減する）ともいえるし、盗難の確率が下がる（窃盗の動機を鈍らせる）ともいえる。このくらいの曖昧さは問題ない。総じて、私が関心をもっているのは、対策の厳密な分類というより、ハックやハッカーに対してとれる各種の対策について実用的な知識を固めることだからである。

何よりも明らかな第一の対策は、原因になっている脆弱性をなくすことだ。コンピューターの世界なら、ハッキングに対する最優先の対策はパッチの公開ということになる。技術としては分かりやすい。コンピューターコードを更新して、脆弱性を除去するのである。脆弱性なければエクスプロイトなし、エクスプロイトなければハッキングなしというわけだ。パッチの実際の有効性は、問題になっているシステムの種類によってだいぶ異なる。ひとつの企業が所有または管理しているシステムは、その気があれば——つまりは経済的に見合えば、ということだ——ハッキング発生後すぐにパッチが公開される。

パッチの公開は、プロセスの第一歩にすぎない。次に、脆弱なシステムにパッチをインストールする必要がある。これまでの例を見ると、パッチを発行する企業とそれをインストールするユーザーとのあいだには深い断絶がある。ソフトウェアベンダーが発行したパッチをユーザーはインストールする場合もしない場合もあり、実際にインストールするとしてもその機会がやってくるまでには数週間、ときには数か月かかることもあるのだ。こうしてパッチを適用されないシステムは、言うまでもなく脆弱なままになる。

ここでは、システムを所有しているひとつの企業に、パッチを開発する能力とその意思が十分にあり、システムのパッチが可能だという前提に立っている。その企業にパッチを開発する技術者が十分にいて、かつ新しいソフトウェアを各ユーザーにただちに配信するアップデートシステムも備わっていれば、パッチの公開はきわめて有効なセキュリティ対策となる。この条件の一方でも欠けていると、そうはならない(コードがファームウェアに書き込まれていてパッチを適用できないIoT機器がたくさんあることを思い出してほしい)。これだけハッキングに満ちていてもコンピューターとスマートフォンの安全性が保たれているのは、両方の条件がそろっているからだ。脆弱性があっても家庭用ルーターのパッチがめったに公開されないのは、条件が欠けているからなのである。

よく知られているハックの多くは、パッチを適用していなかったシステムで起こっている。2017年、信用情報会社エクィファクス(Equifax)が中国の国内からハッキングを受けたときに利用されたのは、ウェブアプリケーションソフトウェアであるアパッチ・ストラッツ(Apache Struts)の脆弱性だった。3月にはパッチが公開されていたが、エクィファクス社はアップデートを先延ばしにしていたため、5月に攻撃を受ける結果となった。

同じ2017年には、ワナクライ(WannaCry)というワームが世界で20万台以上のコンピューターに感染し、40億ドルもの被害を出したが、これもやはりマイクロソフト・ウィンドウズの脆弱性に対するパッチをインストールしていなかったネットワークが原因だった。

ここに、パッチという対策の大きな弱点が表れている。事後の対策ということだ。脆弱性はあらかじめシステムに存在している。パッチが公開される時点で、ハッカーは盛んに悪用しているかもしれない。していない場合でも、パッチの公開それ自体が脆弱性の存在を知らしめ、パッチを適用していないシステムはすべて無防備な状態になるのである。

コンピューターやモバイルデバイスを個人で使っている分には、たいてい自動的にパッチが適用される。ウィンドウズコンピューターなら、1か月に一度、第二火曜日に自動更新されるよう設定されている場合が多い。いわゆるパッチ・チューズデイ（Patch Tuesday）で、毎月100種類以上の脆弱性に対するパッチが公開される。アイフォンは、パッチをインストールしないでいると推奨メッセージがだんだん強くなっていく（もし、更新の習慣がまだ身についていないとしたら、あらためて言っておきたい。コンピューターでもスマートフォンでも、自動更新は必ずオンにしよう。そのほかも、公開されたパッチはすべて適用すること。必ずだ）。

大規模な組織のネットワークとなると、ゆっくり慎重にパッチを扱わなければならない。パッチで失敗すると、他の重要ソフトウェアとの連携もあってあらゆる面で問題が生じかねないので、パッチのインストールは組織的に慎重に扱われるのが普通だ。つまり、インストールが遅れるか、あるいはまったく進まないということになる。エクィファクスがアパッチ・ストラッツのパッチを適用していなかった点は問題かもしれないが、ストラッツはパッチにバグが多く、周辺ソフトウェアとの相性が悪いというのが定評だった。そうしたパッチの適用に、組織の多くは慎重になるものなのだ。

社会システムに対するパッチは、技術システムの場合とはたらきが異なる。技術システムの場合、パッチは新しいハックを不可能にする。これは、ソフトウェアの場合に明白だが、それ以外の技術システムでも同様だ。ATMメーカーは、ジャックポッティングのハックが通用しないように装置にパッチを適用する、つまり改良する。カジノはブラックジャックの手札を配るとき、6組のカードを混ぜたうえで何度もシャッフルする。金融取引所は、取引の間隔を10秒に制限することで、高頻度取引（19章で述べる）のようなハックをできなくする。こうしたことが可能なのは、技術が事実上システムのアフォーダンスを決めるからである。

それに対して、直接コンピューターを扱うわけではない社会、経済、政治といったシステムになると、そう単純にはいかない。税制やゲームのルールに対する「パッチ」という話をするとき、そこで意味しているのは特定の攻撃を許さないように、システムの決まりやルールを変えることだ。したがって、コンピューターを使ってルーレットの動きを予測したり、アイスホッケーのスティックの先端を4分の3インチより大きく湾曲させたりすることが引き続き可能だとしても、そこを見とがめられれば、相応の反応が待っている。必要な「インストール」に当たるのは教育だけだ。カジノならテーブルごとの責任者が、アイスホッケーなら審判員が、新しいルールを知ったうえで不正を見つけ、相応に罰すればいい。同じように、合法的だった節税対策は違法な脱税となり、発覚すれば処罰の対象になる（はずだと期待されている）。

ここから、もうひとつの問題が導き出される。不正はなかなか見抜けないということだ。ルーレットは、ベットのしかたを変えてハックを無効にするまで、脆弱性があった。この問題は、本書の中でも至るところに繰り返して出現する。コンピューターコードを更新すれば、それまでのハックは不可能になる。税制を改正しても、ハックは依然として可能なままで、合法的な抜け穴ではなくなるだけだ（私の定義では、その時点でハックとはいえなくなるのだが）。つまり、検出システムも改めなければ、非合法になった不正を見つけて罰するに至らないのである。

運営当事者の対応が遅い場合、あるいはパッチの必要性について運営側の見解が統一されていない場合も、パッチの効果はあまり期待できない。システムに明確な目標がない場合ということだ。たとえば、税制に対する「パッチ」とはどういう意味なのか。たいていは、もともとの法律にあった脆弱性を埋める新しい法律を可決することになるだろう。その法律が成立するまでには、何年もかかることがある。税制というのは政治の範疇で作られるもので、政治といえば政策で実現すべきことをめぐって見解がぶつかり合うと相場が決まっているからだ。そして、そもそも脆弱性につけ込んでいる当の本人が、その抜け穴の存続を狙って法制度をハッキングしようとする。ブラックジャックでカードカウンティングを利用している本人が、カジノのルールを仕切っているようなものだ。節税が賢い対策として歓迎されるように、カードカウンティングも公正にゲームに勝つ賢い方法だと称賛されるだろう。

法律上のパッチが公開されない場合には、裁判所が実質的なパッチといえる裁定を下すことがある。コンピューターの世界でこれに当たるのが、いわゆるホットフィックス、つまり個々のバグや脆弱性を修正するために緊急リリースされるソフトウェア更新だ。もともとは、稼働したままのシステムに更新を適用するという意味で「ホット」という名前が付けられた。パッチより危険性が高く、ソフトウェアがクラッシュするなど、どんな問題が発生したとしてもおかしくなかった。今では、ホットフィックスは当たり前になっている。ＯＳのアップデートは、ＯＳを実行したまま適用されるし、クラウドでもたくさんのホットフィックスが動いている。だが、この用語が作られた当時、その適用のしかたは当たり前ではなかったのである。

12章　さらに微妙なハッキング対策

ハックの効果を下げるのが、第二の対策だ。

ビジネスメール詐欺（ＢＥＣ）は、ソーシャルエンジニアリング攻撃の一種で、技術上の脆弱性ではなく、人間の中にある脆弱性が悪用される。標的となった人は、ふだん信頼している人からのメールを受け取る。いつもどおりの文面だが、依頼内容がふだんとは違い、決まった手続きに沿っていないことも多い。経理担当者にメールが届いたが、ベンダーがいつもとは違う銀行口座への入金を依頼している。住宅の購入を決めたところ、不動産会社からメールがあり、頭金の送金方法が指定される。企業の財務担当が最高経営責任者（ＣＥＯ）からのメールを受け取ると、そこには特定の口座に相当額の資金を送金するようにと指示が書かれている。受取口座の所有者は詐欺師で、被害者にそのお金が戻ってくることはまずない。こうした詐欺の被害額は数十億ドルに及んでいる。

ときには、正規のベンダーのメールアカウントがハッキングされてＢＥＣに利用されることもあり、そうなると被害者が送信元を信用してしまう可能性が高くなる。もっと多いのは、詐欺メールが正規のアドレスをわずかに変えたアドレスを使っている場合だ。本物が person@companyname.com だとして、person@c0mpanyname.com のようなアドレスを使う（違いが分からない人、あるいはオーディオブックでお聞きの人のために付け加えておくと、companynameの「o《オー》」が「0《ゼロ》」になっている）。

脆弱性にパッチを当てられない理由はさまざまだ。政治の世界では、脆弱性に対するパッチに必要な法制化が機能しない場合がある。あるいは、パッチを求める統括機関が存在しないこともある。ソーシャルエンジニアリングを使うBECの場合、このハックが狙っているのは人間の脳のはたらきだ。それにパッチを当てようと思ったら、ヒトの進化を待つしかない。

脆弱性に対してパッチを適用できないとき、選択肢は3つある。

一つ目は、システムを設計し直してハッキングを極端に難しくする、コストをつり上げる、儲からないようにする、全体的に被害を小さくすることだ。ハックを非合法化するだけでは足りず、実行を難しくしたいときにも効果がある。

二つ目は予知だ。ビジネスメール詐欺とそのしくみについてあらかじめ分かっていれば実際に狙われたとき気づきやすくなり、うまくいけば犠牲になる確率が低くて済む。自動フィルターをすり抜けてメールやスマートフォンに届く詐欺メールなら、これが対策になる。効果的な「認知ハック」、つまり不安とか権威主義といった人間に共通するバイアスを利用するハックに対抗することもできるだろう。

三つ目が、脆弱なシステムをとりあえず保護する別のしくみを導入するという選択肢だ。ビジネスメール詐欺の場合なら、額の大きい送金は二人が承認するという規定を社内で決めるという方法がある。これなら、ハックが成功して従業員の一人が引っかかったとしても、ハッカーがそれだけで利益をあげることはできない。この選択肢は、ＩｏＴ機器のセキュリティが低いという問題への対策としても検討されることが多い。あと何年かすると、ありとあらゆる脆弱なＩｏＴ機器が私たちの家庭に、そしてネットワーク上に定着しそうで、これを保護する手だてはないと懸念されるからである。これに対しては、ＩｏＴ機器の存在を検出し、ハッキングの脅威が減るように機器の動作を制限するシステムをネットワークに備えるという解決策がある。たとえるなら、家庭用ルーターが今よりスマートになったところを想像すればいい。ＩｏＴ機器を認識し、想定されている以外の動作が試みられたら、たとえば冷蔵庫がスパムメールの送信や暗号資産のマイニングを始めたり、サービス拒否（ＤｏＳ）攻撃に関与したりしたら、ブロックするのである。

第三のハッキング対策が、事後にハッキングを検出して、そこから復旧することだ。

２０２０年、ロシアのＳＶＲ（対外情報庁）が、ソーラーウィンズ（SolarWinds）というネットワークソフトウェアメーカーの所有するアップデートサーバーをハッキングした。ソーラーウィンズ社は全世界で30万以上の顧客を抱え、そのなかにはフォーチュン５００企業や、アメリカ政府の機関も数多く含まれていた。ＳＶＲは、同社製品のひとつオリオン（Orion）に対するアップデートにバックドアをしかけていたのである。

ここで思い出してほしいのだが、コンピューター業界でハッキングへの第一の対策はパッチだと、ほんの数ページ前に書いたばかりだ。ＳＶＲは、ソーラーウィンズ社のパッチ公開プロセスをハッキングし、製品のアップデートデータにバックドアを忍び込ませたのである。オリオンを使っていた1万７０００以上の顧客が、ハッキングされたアップデートをダウンロードしてインストールしたため、SVRがシステムにアクセスするのを許してしまった。国際的な非難には至らなかったが、これではまるで、戦時中に赤十字の車両に戦闘部隊を隠しておくようなものだ（国際法で禁じられている）。

このハックは、NSAでも、政府機関のいずれでも発見されなかった。セキュリティ企業ファイア・アイ（FireEye）が自社システムを詳細に監査していたときに発見されている。

ソーラーウィンズに対するハッキングが判明すると、この作戦の影響がどれほど深刻だったか（逆の立場でいえば、どれほど成功したか）がたちまち明らかになった。国務省、財務省、国土安全保障省、ロスアラモス国立研究所とサンディア国立研究所、国立衛生研究所がロシアによる侵入を受け、また企業でもマイクロソフト、インテル、シスコが被害を受けている。国で見ると、カナダ、メキシコ、ベルギー、スペイン、イギリス、イスラエル、アラブ首長国連邦などもネットワークに侵入を受けた。

こうしたシステムへの侵入を果たしたSVRのエージェントは、ソーラーウィンズ社の脆弱性とは無関係にアクセスを広げる手段を確保する。そのため、標的となった企業がソフトウェアにパッチを適用し、そもそもロシアによって脆弱性が持ち込まれるのを許してしまったアップデートプロセスの問題を修復したとしても、ひとたび侵入されたネットワークは依然として、おそらくさまざまな形で脆弱なままだった。完全にセキュリティを回復するには、ハードウェアとソフトウェアをすべて破棄してゼロからやり直すしかない。そこまでした組織は皆無だったから、そこのネットワークは今でもモスクワからの不正操作が可能なままなのではないかという疑いがある。

この話には、いくつもの教訓がある。まず、検出は難しい場合があるということ。実行されている最中にハックを検出できることもあるが、実際には事後になってから、たとえば監査などの時点で見つかる場合がほとんどだ。次は、ハックの影響が甚大すぎて、どんな対応でも間に合わない場合があること。最後は、復旧が不可能なハックもあるということで、その場合の対策は主に、次のハックからシステムを守ることになる。

最終的な防衛策となるのが、悪用されないうちに脆弱性を発見することだ。

自身のシステムにハッキングをしかけることを、「レッドチーム演習」という。この手の解析を専門としている企業もあるし、開発部門が品質管理工程の一環として実施する場合もある。「レッドチーム」が、外部のハッカーになり切ってシステムを攻撃するのである。こうすると、山のような脆弱性が見つかる。コンピューターの世界では当然のことで、その脆弱性に対して、ソフトウェアのリリース前にパッチを適用する。

もともとは、軍隊で使われる考え方で、レッドチームは軍事演習で仮想敵を演じる。[1] その用語をサイバーセキュリティ業界が一般化し、敵と同じように発想してシステムの脆弱性を見つけるよう訓練されたグループを指すようになった。こうして広くなった定義が、今度は軍事計画に採用され、今では軍事的な戦略構想とシステム設計に組み込まれている。アメリカ国防総省（ＤｏＤ）、特に国家安全保障の部門では、レッドチーム演習がだいぶ前から計画プロセスに取り入れられている。国防科学委員会の報告書には、次のような記載がある。[2]

> レッドチーム演習は、ＤｏＤにとってひときわ重要になりつつあると考える。（中略）実際の敵より早く弱点を見いだすために、攻撃性の高いレッドチームが新しい運用概念に挑む必要がある。

レッドチーム演習を実行しないとしたら、敵にシステムの脆弱性を発見されるまで、手をこまねいているしかない。他者に脆弱性を発見された場合、それが悪用されずに修正される保証はどこにもない。コンピューターの世界で、ハッカーが自分たちの努力の成果を使うことを自制させる手段があるとすれば、その最たるものはコンピューターに対するハッキングを犯罪とすることだ。ハッカーが新しい脆弱性を発見したとして、それを使うのは自由だが、懲役刑を覚悟してもらうことになる。ただし、それをブラックマーケットやグレーマーケットで別の犯罪者に売りつけるという手段は残ることになる。

　抑止要因になるのが脆弱性報奨金《バグバウンティ》制度で、自社製品の脆弱性を発見した人にソフトウェアメーカーが報酬を支払う。その目的は、研究者に脆弱性を発見して連絡してもらい、それを受けてメーカーがパッチを公開することだ。この制度がうまく機能することもあるが、ハッカーの儲けに利用される場合も多い。普及率の高いコンピューターシステムで見つけた脆弱性を、犯罪者に売る一方、ソフトウェアメーカーに通報することもあるからだ。

　いずれにしても、新しい脆弱性を見つけるのは、システムに精通しているほど容易になる。特に、コンピューターが読み込むオブジェクトコードではなく人間が判読できるソースコードの形で閲覧できると有利になる。それと同じように、ルールブックに存在する脆弱性も、ルールについての情報だけではなく、ルールブックを手元に持っているほうが見つけやすい。

13章　設計段階でハックの可能性を取り除く

オートラン（AutoRun）は、ウィンドウズ95で導入された機能だ。それ以前には、CD－ROMに入ったソフトウェアを購入したら、手作業でインストールスクリプトを実行してパソコンに導入する必要があった。オートランが導入されてからは、CD－ROMをコンピューターに入れるだけで、自動的にインストールスクリプトが検索されて実行されるようになった。技術に詳しくない一般ユーザーにも、ソフトウェアのインストールがこれでずっと簡単になったのである。

あいにく、この機能は不正ソフトをシステムにインストールする目的で、ウイルスの作者によっても利用された。無害なCD－ROMに、のちにはUSBメモリーにウイルスが仕込まれ、何も知らないユーザーがそれをコンピューターに入れたとたん、自動的に実行される。USBメモリーを差し込んだとき、セキュリティ警告のメッセージが表示されていたのは、これが理由だ。

注意したいのは、この脆弱性の原因がエラーではないことだ。セキュリティと操作性のバランスをとろうとした結果であり、設計上のトレードオフだった。それが1995年当時には妥当だったが、10年後にはそうではなくなったのだ。オートランによって引き起こされる不正な動作が次々と報告されるのを受けて、マイクロソフトはようやく2011年のウィンドウズ・ビスタで設計を見直し、USBメモリーやネットワークドライブなどのメディアでオートランを無効にし、DVDのように使用頻度が減りつつあったメディアでのみ使用を続けることにした。

ここで重要なのは、設計プロセスで完全にハックを防ぐことはできないということだ。その理由は2つ、(1) システム設計で最適化を図る必要があるのは、セキュリティだけではないからであり、(2) ハッカーが使う手法とその目的や動機は、社会や技術の変化に伴って絶えず移り変わっているからである。設計者は、システムの構成と動作について基本的な前提を確かめなければならない。ある時点で優良だった設計も、次の日には問題が見つかり、ハッカーはいつでも、問題のある設計を悪用する隙を見つけるのだ。

ハッキングされる前にシステムの脆弱性を見つけるより望ましいと考えて、私たちはシステムの開発時点で脆弱性を少なくしようとする。つまり、脆弱性がそもそも存在しないよう心がける。コンピューターセキュリティの場合、こうした考え方はセキュアシステムデザイン、あるいはセキュリティ・バイ・デザインと呼ばれている。

そう呼ばれてはいるものの、実践するのはそう容易ではない。コンピューターコードは複雑であり、そこに潜んでいる脆弱性を残らず見つけることは不可能だ。神ならぬ身には、バグのない、さらには脆弱性のないソフトウェアなど作れるはずもない。セキュアなソフトウェアデザインの理論を私たちは持ち合わせていないし、ましてやセキュアデザインの方法論は確立していないのである。だが、現状で不備が多い最大の理由は、安全で信頼性の高いコードを書こうとすると難解で時間も費用もかかるため、たいていは経済的な動機が乏しいことにある。飛行機やスペースシャトルのような航空電子工学の分野など顕著な例外を別にすると、ソフトウェアの大半は急いで開発され、完成度は高くない。それでも、脆弱性の数とエクスプロイトの可能性を最小限に抑える設計上の原則はある。

単純化――システムが複雑になるほど、脆弱性も増えてくる。その理由は無数にあるが、原則的には、複雑なシステムになると不具合を起こす箇所が多くなる。たとえば、脆弱性が存在する可能性は、一戸建ての一般住宅より大型のオフィスビルディングのほうが高くなる。その傾向に対抗できるのが、単純化だ。もちろん、自ずと複雑になるシステムも多いのだが、システムの設計が単純になれば、それだけセキュリティは高くなるはずである。

多重防御――この考え方の基本は、脆弱性があっても、それだけでシステム全体が損なわれないようにするという発想である。コンピューターシステムの場合、この発想が特に顕著に表れているのが、多要素認証だ。ユーザー名とパスワードだけでは、それが破られたら終わりなので、複数の認証方法を採用する。たとえば私のメールは、グーグル・オーセンティケーター（Google Authenticator）というアプリで二重に保護されている。そのアプリがインストールされているのは、私がいつどこにでも持ち歩いているもの、つまりスマートフォンだ。メールアカウントを利用するには、スマートフォンのロックを解除してこのアプリを開き、一定時間で変わるコードを入力しなければならない。このほかの多要素認証としては、指紋などによる生体認証もあるし、小型のＵＳＢデバイスをコンピューターに差し込む場合もある。

コンピューター以外のシステムでも、ひとつの脆弱性だけでハックが成り立つのを防ぐしくみとして多重防御がある。

コンパートメント化（隔離、職掌分散）――抜け目ないテロリスト集団は、自分たちを個々に独立した下部組織《セル》に分割している。どのセルも別のセルについては限られた情報しかもっていないので、あるセルが危険に陥っても、他のセルの安全は確保される。これをコンパートメント化といい、なんらかの攻撃があったとしてもその影響が抑えられる。オフィスごとに鍵を変えるのも、アカウントごとにパスワードを変えるのも、土台となる考え方は同じだ。「最小権限の原則」と呼ぶこともある。各人にはそれぞれの職務遂行に必要なアクセス権や特権のみを付与するのである。ひとつのビルの全オフィスに使えるマスターキーを個人が持たされないのも、これが理由だ。

コンピューターネットワークの場合、これを「セグメント化」という。ネットワークを独立した区分に分割するので、そのうちのひとつがハッキングされても、ネットワーク全体がハッキングされることはない。テロリスト集団のセルと同じ防衛対策だ。ネットワークへの侵入を果たした攻撃者も、最初にセグメント化を破ろうとする。たとえば、ロシアのSVRがソーラーウィンズに対して実行したハックでも、セグメント化が十全であれば、最初のアクセスが成功したのちにネットワークの他の部分にまでアクセスされてマルウェアやバックドアをしかけられることはなかっただろうといわれている。

この概念は、社会システムにも容易に拡大できる。政府の規制当事者は、取締の対象である業界に、どんな形でも金銭的な利害関係をもってはならない（政府と業界のあいだでこの原理をないがしろにしているのが、天下りだ）。あるいは、選挙で選ばれる公職者が選挙区を決めてはならず、それをやって有利になろうとするのが、いわゆるゲリマンダーだ。

フェイルセーフ、フェイルセキュア――事故、過失、攻撃などの理由にかかわらず、あらゆるシステムは機能停止を起こす。であれば、できるだけ安全無事に機能停止することが望ましい。分かりやすいのが、列車に搭載されているデッドマン装置だ。運転手が急病などで動けなくなった場合に、列車は加速をやめ、最終的に停止するまで惰性走行する。複合的なケースもある。核ミサイル発射施設には、核弾頭が誤って発射されることが万一にもないように、ありとあらゆるフェイルセーフ機構が設けられている。

社会システムにもフェイルセーフはある。法律の多くには、その機構が備わっている。殺人は、手段にかかわらず非合法なので、システムをハッキングして殺人を成しとげる巧妙な方法を思いつくかどうかという話にはならない。アメリカの代替ミニマム税（ＡＭＴ）も、一種のフェイルセーフとして考案された制度だ。市民が支払う最小限の税金のことで、どんな抜け穴をいくつ見つけていても適用される。そのＡＭＴが意図したとおりに機能しなかったのは、これがいかに難しいかという証左になっている。

当然、このような対策のいずれもハックの有効性を引き下げる。

ここまでの何章かで書いてきたことに、目新しい点はない。この分野の多くは、２０００年の著書[1]『暗号の秘密とウソ』で取り上げている。私の前にも後にも、書いた人がいる。だが、ハッキングの有効性に歯止めをかけるには、セキュアデザインという原理を理解することが欠かせない。基本的なセキュリティの原則をシステムに盛り込めば盛り込むほど、ハッキングに対する備えは強固になる。

各企業がこうした手法を使うかどうかは、その業界の経済によって違ってくる。アップルやマイクロソフトのような企業が、スマートフォンゲームを作っているメーカーと比べてはるかに多額の予算をソフトウェアのセキュリティにかけていることは、想像に難くないだろう。同じように、航空機や車、医療器械のソフトウェアを開発している企業のほうが、プログラミング玩具のソフトウェアメーカーをはるかに上回る予算と労力をつぎ込んでいるはずだ。例外はあるものの、その直観はおおむね正しいのである。

14章　セキュリティ対策の経済学

1971年、「ダン・クーパー」という名で航空券を購入した人物が搭乗便のボーイング727をハイジャックするという事件が起きた。クーパーは、経由地で要求額どおりの20万ドルを手にしたのち、再び離陸した機体から、予想外の鮮やかな方法で脱出する。尾部の昇降用階段を開き、パラシュートを使って機外に飛び出したのである。この事件は、今日に至るまで解決していない。次々と模倣犯が現れたため、ボーイング社はついに727の設計を見直し、尾翼の下部にあった昇降用階段を撤去して、飛行中の商用航空機から飛び降りることを不可能にした。脆弱性のパッチとしては効果的だったが、高くついたことになる。それにしても、なぜこの脆弱性はそもそも存在したのか。ボーイング社がこの脅威を予期していなかった可能性もあるし、予期していながら、現実離れしすぎていて対策をとらなかったのかもしれない。

脅威のモデル化とは、システムに対するあらゆる脅威を列挙することを表すシステム設計用語だ。[1] システムが自分の家であれば、家庭内にある貴重品すべてをリストアップすることから始めることも考えられる。高価な家電製品、先祖代々の家宝、本物のピカソ、そこに住む自分たちだ。次に、予想される侵入経路をすべて洗い出す。鍵のかからないドア、開いている窓、いや閉じている窓でも同じだ。侵入しそうな部外者もすべて考えておきたい。強盗、隣家の子ども、ストーカー、連続殺人犯……。わざわざ侵入するまでもない人からの脅威もあるかもしれない。家庭内暴力がいい例だ。そして最後に、こうした情報すべてをもとにして、詳しいモデルを作成する。警戒すべき脅威がどれで、無視できる脅威がどれか、特定の脅威を緩和する手間がどのくらいかかるか、そういったことを組み込むのである。本物のピカソを所有しているのなら、ホームセキュリティは美術品窃盗という脅威に特化したものになるだろう。国家元首ともなれば、まったく違った形になる。治安の悪い地域だったら、また違うものになるはずだ。

ハッキングへの備えについての考え方を理解するには、このように経済面を検討することが欠かせない。ハックのコストを見極め、個々の対策のコストと効果を決める。そのうえで、費用便益分析を実行して、その対策が費用に見合うかどうかを判断する。ときには、見合わない場合もある。たとえばATMの場合、ハッキングや詐欺を減らせる対策の多くが導入されていないのは、一般の利用客に不便を強いるからだ。指紋読み取りを義務化したり、顔認証システムを導入したりできるかもしれないが、利用客の多くはそれをプライバシーの侵害と考えるかもしれない。ATM利用率がかなり下がってしまうような対策だとしたら、セキュリティは上がるかもしれないが収益にマイナスになる可能性もある。

ハッキングとその対策について理解が欠かせないもうひとつの経済学的な概念が、「外部性」である。経済学で外部性とは、ある行為の実行を主体が決定し、その主体の関わらないところでその行為の影響が生じることをいう。たとえば、ある工場の経営者が汚染物質を川に排出することを決定したとする。下流の住民が病気になるかもしれないが、経営者は下流に住んでいるわけではないので、頓着しない。もちろん、実際にはそんなことにはならない。下流には、経営者の従業員が住んでいるかもしれないし、顧客が住んでいるかもしれない。環境活動家が汚染を暴露するだろうし、報道機関も批判記事を書いて、世論も逆風になるだろう。それでも、現代のシステム的な考え方では、川の汚染は工場の外部性ということになる。

ハッキングは外部性を引き起こす。コストは発生するが、そのコストは社会の他の成員が負担する。万引ともよく似ており、損失額を埋め合わせる、あるいは店舗での盗難防止対策の費用を負担することになって、価格上昇という形ではね返ってくる。外部性に起因する問題の解決方法は分かっている。システムを所有し意思決定を下している当事者にはね返ってくる問題に置き換えればいいのである。そのために、システムの外から規則を課し、システム内部でコストを発生させる。

理想化された世界でなら、これは機能する。現実的には、実施のしかたと罰則に左右され、法律的な解釈や訴訟の結果によって変わってくる。規制当局の対応によっても違い、その対応を形づくるのは責任者、規制緩和を狙うロビイスト、政治献金者とそれらの意図だ。あるいは、業界や学会が資金を提供する研究の結果によっても異なり、それが政策をめぐる議論をゆがめることもある。コストが発生することを市民が知り、それを負担すべき当事者と実際に負担させる手段も知っていれば、その場合も差が出てくる。

技術システムは、脅威モデルが変わるとセキュリティが下がる。基本的にシステムは、時代の要請に従って設計され、使われているうちに、ある時点で何かが変わるからだ。理由はさまざまだが、セキュリティに関してそれまでの前提が通用しなくなって、システムはいつしか安全ではなくなる。該当するケースがなく重大ではなかった脆弱性が、あるとき緊急《クリティカル》の扱いになる。かつて緊急扱いだった脆弱性の重大度が下がる。ハックの難易度が変化して、収益性も頻度も変わる。

おそらく、特にこれが顕著に表れているのが、インターネットそのものだろう。今から振り返ると信じられないかもしれないが、インターネットの設計時に、セキュリティはまったく考慮されていなかった。今は昔の1970〜80年代、インターネットは今日のような目的にはまったく使われていなかったし、アクセスするには研究機関に所属している必要があったからだ。しかも、インターネットに接続するメインフレームコンピューターはマルチユーザーだったため、それぞれでセキュリティが確保されていた。そうした理由から、インターネットを設計する当初の段階では、プロトコル設計をシンプルにすることを優先し、セキュリティへの配慮は意図的に見送って端末に委ねたのである。

その後の経緯は、皆さんも知ってのとおりだ。状況は大きく変わった。具体的にいうと、シングルユーザーでセキュリティ皆無のパーソナルコンピューターがインターネットに接続しはじめたのだ。だが、ネットワーク設計者のあいだでは、パソコンにも従来のメインフレームと同じレベルのセキュリティが確保されているものと想定されていた。間もなく、インターネットの使い方はがらっと変わる。スピードが変わり、規模も変わった。範囲が変わり、集中度が変わった。以前は一顧だにされなかったハックが、にわかに重大な脅威となり、脅威モデルが変わった。つまりは、費用便益分析も変わったということだ。

コンピューターセキュリティの現場なら、目まぐるしい環境の変化はよく理解されている。変化は数年ごとに起こるように感じられ、それに応じてセキュリティも変わらなければならない。スパムメールは、郵便時代のゴミメールとは異質の問題だ。両者では経済が違い、郵便物より電子メールを送りつけるほうが、はるかに安上がりだからだ。

これほど変化する環境でセキュリティを維持するには、ハッカーの先手を取らなくてはならない。だからこそ私たちは、各種のカンファレンス、機関誌、大学院の課程、ハッキング大会などを通じてコンピューターセキュリティの研究を続けているのである。ハッカーの動向と、それに備える最善の手法について情報を交換している。新しい脆弱性がどこで発生しそうか、ハッカーがどう対応するかを、実際の出現より前に把握しようとしている。

法律でハッカーに対抗しようとするなら、新たなハックを禁止して新手のハッカーを罰することができるように、規制には柔軟性をもたせる必要がある。1986年にコンピューター詐欺・不正利用防止法（CFAA）が可決されたのは、従来の法律で網羅できる範囲が狭く、コンピューター関連の犯罪すべてには対応しきれなかったからだ。たとえば、同法ではとりわけ、許可なく他人のコンピューターにアクセスすること、許可されている範囲を超えてアクセスすることを違法としている。その条文はコンピューター関連のハックを広範囲で網羅しているが、いささか広すぎたため、最高裁が2021年、その解釈を制限するほどだった。それでも、この法律の真髄としては、こんな告発も可能だ。「そう、システムでは許可されていた。だが、システムでは許可されていたかもしれないが、意図されていなかったことも明らかであり、被告は不正だと理解していた。よってこれは違法である」

社会システムの多くは、システムにパッチを当てる機能も、一般的な規則も備えている。ただし範囲は限られていて、未解決の問題がある。コンピューター以外のシステムのライフサイクル管理はどう実施するか。民主主義的な制度のようなものを見直し、今なお目的に合致しているかどうかを確認する頻度はどのくらいか。目的に合致していなかったら、どう対処するのか、そういった問題だ。私たちは、何年かおきにパソコンやスマートフォンを買い換えており、そのたびにセキュリティは向上している。社会システムも同じようにするには、どうすればいいのだろうか。

15章　回復力《レジリエンス》

規範の体系は、規則の体系とは違う。規範をハッキングしてはいけないというのは規範の本質であり、規範をハッキングするというのは規範を犯すことにほかならない。一方、規範は非公式なものであって成文化はされていないので、解釈の余地が多くなる。ということは、動機をもった人が規範の境界線を拡張する、あるいは特定の結果が出るようにその行動を最適化する可能性も増えることになる。そして、規範の体系を攻撃から守るには人が対応しなければならないから、規範が進化してハックを許すことは容易に起こるのである。

近年の政治では、ドナルド・トランプが社会と政治の規範をまんまと押し広げた例を見るとよく分かる。ただでさえ政治的に批判が多いので、本書でトランプを引き合いに出すのは避けているのだが、それでもここで例に出すのは、あまりにも端的で無視しがたいからだ。社会には、規範に対するゆるやかな違反を是正するメカニズムがある。公開の指弾《パブリックシェイミング》、政治的な対抗、ジャーナリズム、透明性の要求などであり、どれもおおむね機能する。トランプは、こうしたメカニズムさえ押しつぶしてしまった。あまりに多くのスキャンダルが、驚くほど短期間に噴出した。公人の言動に関する規範を補強するはずだったメカニズムも、トランプのような候補者の前では無力だった。規範は、違反があったときに当然の結果が伴って初めて成り立つものであり、トランプの猛攻撃には社会が抗しきれなかったのである。それゆえ、トランプは多方面にわたって境界線をすぐに広げることができた。その多くで、根底にある規範が破壊されている。

一方、規範の体系は課題に直面することで回復力《レジリエンス》を身につけるともいえる。規範は、隠れていて柔軟性が高いため、変更が特に容易だ。規範の体系に異議を唱えてそれを変えようとするとき、法律の知識や技術、資金は、あれば役に立つが、必須ではない。私たちの社会的な言動や暗黙の要求に対しては、異論があって、それを発する場があれば誰でも反論できる。そうした反論を糧として、規範は破綻するかわりに、しなやかに進歩するのである。

「回復力」は、人間の身体から地球の生態系まで、また組織のシステムからコンピューターシステムまで、あらゆることに当てはまる重要な概念だ。システムが変動したとき、たとえばハッキングを受けたときにそこから立ち直る能力のことをいう。

つり橋を建設するとき、剛棒ではなく、撚《よ》り合わせたストランドケーブルを使うのも、回復力が理由だ。剛棒は唐突に破断して被害も甚大になるが、ストランドケーブルはゆっくりと音を立てて破断する。私たちの脳と身体が人の住むさまざまな環境に多様に適応しているのも、タクシーの運転手が主要なランドマークへの順路を何通りか知っているのも、理由は同じである。また、カリフォルニア州のオレンジ郡が、1997年に財政破綻したあとでも郡として行政を成り立たせているのもそうだ。

セキュリティ業界の場合、「回復力」はシステムに関して新しく出てきた特性で、侵入不能性、恒常性《ホメオスタシス》、冗長性、俊敏性《アジリティ》、緩和対策、復旧といった多相の特性を組み合わせた意味をもつことがある。回復力のあるシステムは、脆《もろ》いシステムよりセキュリティが高くなる。ひとつ前までの何章かで取り上げてきたセキュリティ対策の多くは、ハッキングを受けてからのシステムの回復力を高めることが目的だった。

もうひとつ、指摘しておきたい点がある。ここまでに話してきたハッキング対策は、おおむね抽象的なものだった。だが、対策を議論するときには、個々の問いについて考えなければならない。誰が誰に対して防御するのか、ハックが有益かどうかということを、誰が判断することになるのか。そして何よりも、対策の責任者は誰で、どのくらいの対策なら手間と費用に見合うのか――

これまでに紹介してきたのは、わりと分かりやすい事例だった。システムの責任を預かる人や組織が存在し、その人や組織が防御対策も担当する。たとえばマイクロソフトの経営陣は、ウィンドウズに対する特定のハックが問題かどうか、緩和策をどうするかを判定するようになっている。ほとんどの場合、パッチを公開する。パッチが簡単でない場合は、当面のあいだその脆弱性と共存する（オートランのときがそうだった）。ハックに対しては、すぐにパッチが公開される例もあれば、パッチがまったく公開されない例もある。また、対策にコストがかかりすぎるという理由でハックの存続が許容される例もある。不正による損害が、パッチに必要なコストより低ければ、クレジットカード会社は不正の存続を非公式なものであって許すだろう。小売店が万引をだまって見逃すことも多い。店員が万引を止めようとしてケガを負うかもしれないし、万引と誤認してしまった場合には巨額の訴訟にもなりかねないからである。

ハックに対して自衛できる社会システムや政治システムを作ろうとするときには、議員による法律の制定と、規制当局によるその実施とのあいだのバランスを考えるべきだ。たしかに、規制当局が議員と同じように国民に対して直接の責任を負うことはない。だがその一方で、可決する前の段階から、法律の実施に関する細目までをすべて議員が検討するというのは願い下げだ。議会が法律の実施を規制当局に委ねる部分が多くなるほど、できあがるシステムはハックに対して俊敏に反応するようになり、ひいては回復力も高くなる。

社会のシステムをハッキングから守ることは、あるシステムの設計者にとっての問題にとどまらない。社会自体にとっての問題であり、社会の変化と発展を広く気にかける全員にとっての問題なのである。

第3部

金融システムのハッキング

16章　天国をハッキングする

中世カトリック教会で教義の中心になっていたのは、告解と救済だった。罪を犯した人も、罪を償えばゆるしを得られるという考え方だ。罪が大きくなると、ただ罪を悔いるだけでは足りず、告解としてもっと大きな行為が必要となり、多くの人にとって手の届くものではなくなる。一生分の罪を償う唯一の方法となると、エルサレムへの巡礼ということになり、大半の人は赦免を受けられない。そうなると、次に論理的に導き出されるのが、お金を払って代行してもらうという発想だった。手頃な妥協策であり、キリスト教会が慈善として寄付を募るにも都合がよかった。そこで、たとえば町の教会で屋根の修繕が必要になれば、裕福な信徒に屋根の修繕費用を告解として支払うよう道を説くことができた。それと引き換えに、信徒は「免罪符」という形でゆるしを得る。罪が赦免されたことを神と人の前で証明する文書、それが免罪符だ。ここまではよかった。

この制度の脆弱性は、免罪符がいくらでも発行される量産品《コモディティ》になるという事実にあった。教会の聖職者が、その量産品を通貨として使いはじめたのである。制度は全体的に規制がゆるく、誰も免罪符の売り方を実効的に制限できなかった。教会は、売りさばけるだけいくつでも免罪符を発行できたし、富裕層は必要なだけいくらでもゆるしを買い取れることに気づく。斡旋業者が現れ、世俗化した司教に対価を支払って免罪符を再販する権利を手に入れる。救済のシステムとして始まったものが[1]、利益と権力の装置になったのだ。1517年には、免罪符の売買というこの習慣が引き金となって、マルティン・ルターがいわゆる「95か条の論題」を、ドイツのヴィッテンベルク城教会の門扉に貼り出した。免罪符の効力を問うた文書で、これが宗教改革の発端となって、一世紀に及ぶ宗教戦争が始まることになる。

金儲けがあるところには必ずハッキングが生まれる。儲かるハックを考えついた者は、大金を稼ぐことができる。したがって、金融システムはハッキングの対象として類を見ないほど最適で、つまりは儲かることになる。16世紀はじめのドミニコ会修道士ヨハン・テッツェル[2]は、免罪符として画期的な商品を2つ発明している。まず、亡くなった友人の分の免罪符[3]も購入できるというアイデアを広めた。故人の死後の位階を、煉獄から天国へと引き上げられると謳ったのである。次に、過去の罪だけでなく、未来の罪も赦免されるという免罪符を売り出した。いわば、「自由に地獄から抜け出せる[4]」カードだ。

カトリック教会の神学者からも、ルターのような改革派からも相当の抗議があったにもかかわらず、ローマ教会はこの慣習に歯止めをかけられなかった。免罪符の販売と再販から得られる莫大な利益に教会も依存するようになっており、いかなる対応もできなくなっていたのだ。テッツェルの免罪符の売上は、たとえばサンピエトロ大聖堂にとってもかなりの資金源になっていた。

これまでに見てきたハックの多くは、そのシステムの管理者によって無効にされている。航空会社は、マイレージプログラムの規則を改正したし、スポーツ界は試合のルールを更新した。だが、ときには統括するシステムによってハックが許容されることも、さらには合法的と宣告されることもある。アイスホッケーは、スティックの湾曲を認めて試合がおもしろくなった。巧妙なカードカウンティングは回避したいものの、カードカウンティングという誘惑がカジノ側に利益をもたらしている。

ハックがこうして標準として常態化するのは、金融の世界ではごく普通だ。新しいハックは、規制当局によって停止されることもある一方、多くは許容される。事後に法律に組み込まれることさえある。これこそ、金融システムで変革が起こるメカニズムのひとつだ。新しい概念が、新たに許可されるという形で規制当局から出てくるのではなく、ハックという形で実際のユーザーのあいだから生まれてくるのである。

明白な解決策がシステムのパッチであることは確かだが、政治的にそれが不可能なことも多い。権力と資金は、すなわちロビイストの原動力であり、それが決定を左右する。金融システムのハックに対するパッチが皆無ということではなく、時間がかかることがあるのだ。金融取引を伴う免罪符の発行の認可は、1567年になってようやく、ローマ教皇ピウス五世によって取り消されている。システムにパッチを当て、ハックを排除したことになる。

富裕層は権力をもつハッカーであり、利益はハッキングを、そしてハッキングの常態化をもたらす強力な動機なのである。

17章　銀行をハッキングする

今では銀行業務で当たり前と思われている手続きの多くも、ハックに端を発している。権力を握る関係者が、自分たちの行動とその利益にとって足枷となる規制を回避しようとした結果だ。それを非難しているわけではない。ハッキングは、政府が新たな規制を見直し、改正するようはたらきかける筋道のひとつだということである。

20世紀のあいだほぼずっと、アメリカの銀行業は「レギュレーションQ」という預金金利の上限規則を通じて連邦準備制度の規制を受けていた。レギュレーションQは、大恐慌後の１９３３年に制定され、各種銀行口座の金利や、個人顧客と法人顧客に対する金利を規定していた。

レギュレーションQは、セキュリティ対策のひとつだ。[1] これが制定されるまで、銀行は顧客の預金に対する金利の高さを競い合っていた。その競争のために、各銀行は謳っている金利を実現しようとして、リスクの高い行動をとりがちになった。そういう銀行業全体のリスクを緩和するために、レギュレーションQが考案されたのである。

これは、40年以上にもわたって機能した。１９７０年代になって金利が高騰すると、銀行は金利を引き上げて他行との差別化を図ろうと、躍起になってレギュレーションQを回避しようとした。

70年代はじめに現れたハックのひとつが、NOW勘定だ。NOWは「Negotiable Order of Withdrawal（譲渡可能払い戻し指図書）」の略で、要求払い預金口座と定期預金口座の違いを利用する商品だ。要求払い預金では、口座名義人が自由に預金を払い戻すことができ、定期預金では預金が一定のあいだ固定される。NOW勘定は、有利子の要求払い預金でありながら定期預金の性質もあわせもつような商品をめざすものだった。

NOW勘定は、考案したハッカーの名前も分かっている。マサチューセッツ州ウスターのコンシューマーセービングズ銀行の頭取だった、ロナルド・ハーゼルトンという人物だ。ハーゼルトンは、ある顧客が自分の定期預金口座からはなぜ小切手を払い出せないのかと苦情を述べているのを耳にしたのだという。自身も同じ疑問を抱いていたハーゼルトンは、レギュレーションQをハッキングして、事実上初めて有利子の当座預金口座を生み出したのである。

現在の譲渡可能定期預金証書、つまりCDも、画期的な銀行業ハックの一例として知られている。証券ディーラーを雇ってCDの第二市場を作り、法人顧客にとっての魅力をつり上げようとするハックだ。このしくみを思いついたハッカーは、ファーストナショナル・シティバンク（現シティコープ）の従業員だった。1961年、同行は譲渡可能な定期預金証書を導入する。通常の有利子口座で認められているより高い金利を設定した商品であり、その5年後にはロンドンの証券取引市場に導入されている。その後まもなく、ファーストナショナル・シティバンクは、高い金利でCDを発行することを禁じる銀行規制を避けるために、持株会社として再編成された。議会は、1956年の銀行持株会社法を修正してこのハックを是正し、連邦準備制度理事会が銀行持株会社の監督と規制に当たることになった。

20世紀なかばの銀行ハックとしては、マネーマーケットファンドとユーロダラー建て口座もある。どちらも、従来の口座に設定されている金利の規制制限を回避することを狙ったものだ。

こうしたハックはすべて常態化している。規制当局が、利用された抜け穴を放置すると決定した場合もあれば、規制当局からの不満が募りはじめたのを受けて議会が合法と判断した場合もある。たとえばNOW勘定は、最初にマサチューセッツ州とニューハンプシャー州で、次いでニューイングランド諸州で原則的に、最終的には1980年に全国的に合法化された。[2] 銀行持株会社法のもとで課せられていた他の制限も、1994年のリーグル・ニール州際銀行業務効率化法が可決されると、その多くが撤廃されている。いずれも、銀行に関する規制緩和という大きな波の一環であり、その勢いは2000年代に入っても続いた。

これは典型的なモデルで、これから何度となく繰り返し登場する。[3] 政府は銀行が経済に及ぼすダメージを抑えるべく、規制を通じて銀行家を縛る。そうした規制は実現できる収益をも制限することになるので、銀行家は歯がゆい思いを味わう。そこで、規制では想定されていなかったため特に禁止もされていない方法で規制をハッキングし、儲かるしくみを作り上げる。そのうえで、あらゆる手段を講じて規制当局に、ひいては政府に圧力をかけ、規制にパッチを当てるのではなくハックを許容して常態化するよう求めるのである。副作用として金融危機を誘発し、それに費用がかかるとしたら、そのあおりを受けるのは一般大衆だ。

このようなハッキングは、今も後を絶たない。2010年のドッド・フランク・ウォール街改革・消費者保護法は、2008年の世界金融危機の余波のなかで成立した。金融規制システムを全面的に分解点検することが狙いだった。同法には、透明性を引き上げ、システミックリスクを緩和して、金融危機の再発を防ぐ目的で、銀行に対するさまざまな規制が盛り込まれていた。なかでも規制対象となったのがデリバティブだ。悪用が多発し、２００８年の金融危機の要因としても大きかったからである。

ドッド・フランク法は、脆弱性だらけだった。銀行はただちに、同法の意図をかいくぐるハックを見つけ出すよう、顧問弁護士に指示を出す。経済へのリスクなど知ったことか、である。最初に目をつけたのは、海外での事業活動をめぐる例外措置の文言で、アメリカ国内での「事業活動またはその通商に直接かつ重大な関係」をもたない場合というくだりだった。その脆弱性がふさがれると、今度は海外「支店（branch）」と海外「系列会社（affiliate）」の定義という些末な違いを探し出す。これも長くは続かなかった。最後に狙いを定めたのは、「保証」という言葉だ。基本的に、海外デリバティブはすべて、アメリカの親会社によって保証されており、海外系列会社で何か問題が起こった場合には親会社が損失を補塡することになっていた。この「保証」という言葉とそれに等しい言葉を契約から除くと、規制を回避できたのである。

２０１４年末までに、各銀行はスワップ取引の95％を海外へ、つまり規制のゆるい管轄へ移動し終えていた。これもドッド・フランク法による規制を免れるハックのひとつだった。２０１６年には、商品先物取引委員会（Commodities Futures Trading Commission、ＣＦＴＣ）が、この抜け穴を埋めようと試みている。ドッド・フランク法を回避するためにスワップを海外に移すことを禁止するとともに、親会社によって保証されるスワップも保証されないスワップも対象とするものだ。だが、この新法が可決される前にトランプ政権が発足し、トランプ新大統領に任命されたＣＦＴＣ

議長によってこの法案は一蹴されている。

そのほか、ボルカー・ルールをめぐるハックもあった。ボルカー・ルールは、ドッド・フランク法の一部で、銀行が自己勘定で投資活動を行うことを禁止し、同時にヘッジファンドやプライベートエクイティへの出資も制限する規定だ。銀行は、資金の出どころが自己勘定でなければこの規則はあっさり無視できることに気づく。要するに、各種の提携関係を結び、それを通じて投資すればいいのである。ボルカー・ルールはトランプ政権時代に撤廃されたため、ハックの多くも不要になった。そして、最終的に銀行は、「流動性管理」が目的であると主張すれば、ドッド・フランク法のうち商品勘定に関わる規定をすべて回避できると認識するに至った。

銀行に対するハックもやはり、これから繰り返し見ていくことになる典型のひとつだ。銀行と規制当局は、果てしないいたちごっこを繰り広げている。規制当局には、無責任で強引な行動を、あるいは不正な行為を制限する義務がある。かたや銀行は、できるだけ多く収益をあげようとする。両者の目的は相反するものなので、銀行は隙さえあればいつでもどこでも規制システムをハッキングする。その道をとらない銀行は、ハッキングを選んだ銀行に追い越されるのである。

一目瞭然の対策はパッチだが、これは常態化を求める業界からの強引な圧力に妨げられる。その圧力をかけるのが、ロビー活動と「規制の虜《とりこ》」だ。「規制の虜」とは、規制当局が、規制対象である業界に支配されて、公共の利益よりも業界の便宜を図るように機能しはじめる傾向をいう。立法プロセス自体のハッキングも、こうした圧力に利用される。金融サービス業界が1998年から2016年の間にロビー活動にかけた費用は74億ドルに達し、[5] 銀行だけでもその額は12億ドルに及んでいる。

パッチが実際の解決策にならないとしたら、脆弱性を事前に発見するしかない。ハッキングされる前に、そして何よりも、基盤となるシステムにハッキングが根を下ろさないうちに、ロビイストが常態化に向けて動き出さないうちに発見する必要がある。金融システムの場合は、政府各機関が会計官と弁護士を雇い入れてレッドチーム活動に当たることもできるだろう。すでに動いているシステムの研究と、草案段階の規制の改善に当たらせるのだ。

規制案に関するパブリックコメントを受け付けるなど、すでにこうした取り組みを進めている国もあり[6]、アメリカでも、少なくともある時点で一部の機関はそうだった。ルールをハッキングできるどんな手法があるか、あるいは短期的な技術発展によってルールのハッキング方法を変えるどんな手段があるかを追究し、ただちに文言にパッチを適用しようとするのである。それでも、「規制の虜」問題や立法をめぐるロビー活動を完全に排除できるわけではなく、少なくとも抜け穴がふさがれたとき、強大なハッカーが何かを失うことはない。

一方、ロビイストはパブリックコメントを濫用して、抜け穴を残すように、それどころか、これまでなかった抜け穴を新たに作り出すように、規制当局に圧力をかけることもある。パブリックコメントのような統括システムを構築しても、ハッカーの意識が標的そのものから標的の統括システムに移るだけなので、統括システムは攻撃者が狙う新しい弱点にならないように、周到で迅速に動くものでなければならない。

18章　金融取引所をハッキングする

株式市場や商品取引所などの金融取引システムも、ハッキングで満ちている。システムが登場した当初からそうだったが、コンピューター化と自動化が進むにつれて、その傾向はさらに強まっている。

この分野のハッカーが狙うのは、情報だ。金融取引所が正常に機能している場合、少しでも確実な情報をもっている業者ほど得をする。安く買って高く売れるからだ。このメカニズムの裏をかくハックは基本的に二種類ある。ひとつは、まだ公開されていない情報を利用して誰よりも早く有利な取引を進める方法であり、もうひとつは虚偽の情報を流して市場を動かし、虚偽だったことが広く知られる前に儲かる取引を行う方法だ。どちらのハックも、市場の公平性を損ねることになる。投資家が市場に関する情報を知る機会は等しいというのが市場の前提だからである。

第一のタイプのハックとして特に知られているのはインサイダー取引だが、これはかなり以前から非合法であって、もはやハックとは呼べない。一般的なインサイダー取引では、公開されていない情報に基づいて証券を売買する。取り引きするのは、自社の売上高を公開前から知っている最高財務責任者（ＣＦＯ）の場合もあれば、財務報告書を作成する広報担当者、あるいはその報告書を発行前に読むことのできる印刷業者の場合もある。インサイダー取引は二重の意味で損害をもたらす。つまり、（１）決定的な情報をもたない一般人に負担を強いるものであり、（２）市場システムの公平性についての一般的な不信につながるということだ。

アメリカの場合、インサイダー取引は１９３４年の証券取引法で非合法とされ、その後も長い年月を経るなかで、最高裁の判決によって再確認と改正が続いている。２０２１年には、ロングアイランドアイスティーという会社の株式購入をめぐるインサイダー取引で３人が告発された。[1]社名をロングブロックチェーンという名前に変える直前のことだったが、社名変更の理由は当時すでにはやっていたブロックチェーンの人気にあやかろうとしたにすぎない。ひとつの規則がこれほど長く続いているというのは、システムのパッチが成功しているという明確な一例だろう。

実際、こうした禁止条項が90年近くものあいだハッキングも規制の緩慢さも乗り越えてきたというのは、希有なことだ。ここから、原則的な教訓が得られるかもしれない。規則が広範であるほど、適応性と回復力の高い強固な規制制度が実現するということだ。規則が単純であれば、法律を構想する段階で脆弱性は最小限になる（ドッド・フランク法が、複雑なゆえにどれほど脆弱だったかは、すでに見たとおりだ）。証券取引委員会（ＳＥＣ）のアーサー・レビット元委員長によると、「具体性が高いほど、法律関係者はさまざまな手だてでその具体的な規則をすり抜けようとする。「ＳＥＣと司法省が」こうした法律をあえて曖昧にしているのは、[2]訴訟という段になったとき、最大限の影響力を行使できるようにするためだ」という。インサイダー取引に関する規則は、そこからさらにハッキングの試みが広がるのを防ぐために、意図的に広くなっているのである。

非公開情報を利用するもうひとつのハックとして、先回り売買《フロントランニング》がある。ブローカーは、大きな取引があるという情報をつかんだ時点で、ひとあし先にそれより規模の小さな取引を自身で成立させる。そのうえで、クライアントの取引を実行する。こうすると、市場が動き、自身がただちに利益をあげられるのである。インサイダー取引と同様、これも非合法とされている。

金融市場とネットワークに対するハッキングのなかには、そのネットワークに関する情報システムを狙うものもある。たとえば２０１５年には、ＳＥＣが二人のウクライナ人ハッカーを起訴している。[3] ビジネスワイヤとＰＲニュースワイヤ両社のネットワークに侵入し、上場企業に関する公開前のプレスリリース10万点以上を盗み出した罪だった。その後、盗み出されたプレスリリースはトレーダーのネットワークに拡散され、トレーダーは事前情報をもとに該当する企業の株式を売買して利益をあげた。インサイダー取引とよく似た手口である。

第二のタイプのハックは、情報の捏造を利用する。古くからある例が、虚偽情報による株価の操作《パンプ＆ダンプ》だ。犯人は、株式、できれば無名の株式を購入する（低位株《ペニー》市場で不正な株価操作が横行していることは広く知られている）。次に、その会社の株を人にすすめるのだが、このとき虚偽の表現を使って誘導し、儲かりそうだと思い込ませる。この手口に乗った人たちがその株式を購入して株価が高騰したところで、犯人は売り抜けるのである。従来、この手口で見込みのありそうな投資家を勧誘するときには電話が使われていた。今では、トレーダー向けのオンライン掲示板、ＳＮＳのグループ、スパムメールなどの利用が増えている。首謀者が、レディット（Reddit）の金融コミュニティ「r/WallStreetBets」で一般投資家をあおり、ゲームストップ（GameStop）社の株価を「月に届く」ほど高騰させたこともある。イーロン・マスクが、ビットコインを購入したことを一億人以上のフォロワーに向けてツイートすると、一部の投資家たちはオンラインの会話を通じて投資家の期待を操作し、資産バブルを生み出して前例のない速さと規模で利益をあげた（ほかの投資家は損失を計上した）。ほとんどの場合、不正な株価操作は違法で、摘発されれば罰金は相当の額になる。にもかかわらず、告訴には至らないこともある。イーロン・マスクも、2021年のゲームストップ社の株価騒動に関与した者も、いまだに起訴はされていない。

見せ玉《スプーフィング》も、虚偽情報の拡散を伴うハックのひとつだ。この場合、トレーダーは数百万ドル分を注文し、他のトレーダーに気づかれたあとでその注文を取り消す。これも違法で、実際に何人かが訴えられている。

フェイクニュース、つまりジャーナリズムを装った意図的な虚偽の報道も、虚偽情報による市場のハッキングに使われる手段として頻度が増えている。このハックは、企業の評価を不当に伝えることで、ハッカーが株価の急激な上下を狙って儲けるために使われる場合がほとんどだ。たとえば2015年には、ブルームバーグ（Bloomberg.com）の偽サイトが出現し、ツイッター（現X）に対して310億ドルの買収が提案されているというニュースが拡散されたことがある。そのため、一時ツイッターの株価が急騰し、その内情に詳しいハッカーは意図的につり上げられた株価でツイッター株を売却した。偽サイトは、本物のサイトBloomberg.comに似たデザインで、URLも似ていた。偽のプレスリリース、偽のレポーター、偽ツイート、はてはSECの偽書類まで使われて、同じように成功を収めたケースがある。SECはこうした行為をすべて違法とみなしている。

ここであらためて考えてみると、虚偽情報は金融ネットワークを狙うハックというより、むしろ他のトレーダーに対するハックだ。人の行動に影響を及ぼそうと試みている。実際には、人間の認知システムへのハックというべきだろう。

そのほか、金融取引に対するハックとしては、リスクを引き下げる新たな方法を見つける場合もあり、これには、特に金融規制における抜け穴を伴うものが多い。ヘッジファンドは、1960年代に誕生して以来、最初はリスクを相互に「ヘッジ」つまり相殺することで、次には多様な投資戦略を駆使することで、最近ではコンピューター支援の取引を進めることでそれを続けてきた。

そもそも、ヘッジファンドの存在それ自体が、金融規制システムのハッキングを利用している。誕生以来、ヘッジファンドはSECの監督を免除される法律上の数々の抜け穴によって保護されてきたからだ。顧客になるのは純資産の多い機関投資家だけなので、ヘッジファンドは1993年の証券法で定められた監督を免れている。同法は、市場の個人投資家を守るための法律なのだ。1940年の投資会社法によると、登録されている投資会社には投資手法に関する禁止事項が適用されるが、ヘッジファンドはその例外扱いになる。その最たる点が短期取引の場合だ。2010年、ドッド・フランク法によってヘッジファンドもSECの監督下に入ったが、大部分はいまだに規制されていない。ヘッジファンドは、金融システムの正常な一部になっているということだ。

数十年間にわたり、ヘッジファンドは次から次へと法律上の抜け穴を利用してきた。なかには、発見者が大きな利益をあげたあとでふさがれた抜け穴もある。規則が変わって合法になったハックもある。ほとんどのハックは、ただ利用されるだけで、そのまま当たり前に受け入れられる。ヘッジファンドを運用している人が、必ずしもその他の人より賢いということではない。単にシステムを人よりよく理解していて、脆弱性を見つけてはそれをうまく利用するエクスプロイトを作り出せるにすぎない。システムを熟知している人ほどハックで利益をあげられるからこそ、パッチがすぐに適用される可能性は低いのである。

この章で紹介したのは、いずれも比較的複雑なハッキングだった。相手が、複数レベルの範疇で複数のシステムにわたるからである。なかには、技術のレベルで使われるハックもある。スプーフィングとフロントランニングは、コンピューターの速度と自動化を活用するハックだ。金融市場で使われるハックもあるし、法律で使われるハックもある。証券法の脆弱性を狙うケースがそれに当たる。すべて、これから続いて紹介するハックの縮図といえるだろう。

19章　コンピューター化された金融取引所をハッキングする

　今では、金融取引がすべてコンピューター化されて、[1]次々と新種のハックが出現するようになった。たとえば、フロントランニングは実行がはるかに容易になり、発見がますます難しくなっている。「センチメント分析」に応じて取引を自動化する、つまり、ある株がインターネット上で話題になったら買いに動き、まずい報道が広がったら売りに動くよう試みれば、不正な株価の操作も、ネガティブキャンペーンも、儲けがずっと大きくなる。だが、取引所に関わる現在のハックのなかでもとりわけ強力なのは、超高速取引（ＨＦＴ。高頻度取引ともいう）だ。非公開の正しい情報を利用したり、虚偽情報を拡散したりするかわりに、ＨＦＴは公開情報を、ただし瞬時のうちに利用する。

　ＨＦＴは、アルゴリズム取引の一種で、大規模な注文があったときに生じる価格差を狙う。年金基金や保険の会社が利用することも多く、こうした大量注文は株価に大きく影響することもある。

ＨＦＴのアルゴリズムは、このような大量注文など、株価に影響しそうな事象を検出して、そこから利益を得ようとする。微小な価格変動のタイミングを狙って「安く買い、高く売る」、それを超高速で実行することから超高速取引という名前が付いた。取引はミリ秒あるいはマイクロ秒のうちに成立することが多く、インターネットを最速の環境で使うために、取引所に物理的に近い場所にサーバーを確保することを各社は競う。イヌが人間には聞き取れない高い周波数を聞き取れるように、ＨＦＴのアルゴリズムは人間にはとても感知できない瞬時のパターンをとらえて反応できるのである。

これはハックだ。売り手と買い手がお互いに利益になるとみなす価格でお金と商品を交換することが市場の意図であるなら、ＨＦＴはこの意図に対するハックといえる。市場の関係者は全員平等に市場情報にアクセスでき、そこから投資についての意思決定を下せるべきだと考えるのであれば、これはまぎれもなくハックだ。ＨＦＴは基本的に、超人的な反射神経を使って、システムのランダムな変動をもとにごくわずかな額の利益をあげる。取引を円滑に進めるためのコンピューターシステムから生まれた副産物であり、市場の設計時点で意図も予期もされていなかったことは間違いない。個人の利益を目的にシステムの目的を損ねることは確実だ。寄生的であることも確かである。

本質的に不公正という問題に加えて、ＨＦＴはシステムに新たなリスクと不安定性をもたらす。２０１０年、アメリカで株式市場が急落し、持ち直すまでのわずか36分のあいだに数兆ドルが消し飛んだ。原因は明らかになっていないが、急落を悪化させた一因はＨＦＴにあった。２０１２年には、ナイト・キャピタル・グループが、ＨＦＴを管理する新しいソフトウェアに存在する欠陥のために４億４０００万ドルを失っている。こうした事例でも分かるとおり、ＨＦＴや自律取引システムは、人間のトレーダーが行う通常の取引よりはるかにリスクが高いことがある。ひとえに、その速度と規模のためだ。そして、アルゴリズム取引のシステムを利用できない人がＨＦＴによって不利になることも明らかである。

本章で取り上げている他のハックと違い、しかも不公平が明らかであるにもかかわらず、ＨＦＴは常態化している。アメリカでは、金融業規制機構（ＦＩＮＲＡ）がアルゴリズム取引を支える手法の開示を促す基本的な規制を定めており、ＥＵにも同じような規則がある。どちらも、この手法を鈍らせる動きには出ていない。最高を記録した２００９〜２０１０年には、アメリカでの全取引量のうち60〜70％がＨＦＴによるものだった。個人がＨＦＴブローカーと契約し、独自のコンピューターアルゴリズムを代行で実行してもらうことは可能だが、プロのＨＦＴトレーダーのほうが処理は高速かつ的確で、それが他のトレーダーには不利をもたらす。ＨＦＴを使える企業は、追加料金を払えば、市場より何分の一秒か前に保留中の注文を確認することもでき、これも不公平の原因につながる。

誤入力を利用するのも、コンピューターの速度で稼働する市場ハックのひとつだ。コンピューター化した取引システムでも、誤入力は珍しいことでない。報道されるほど大規模な例もあり、たとえば日本のみずほ証券は、従業員が「数字の打ち間違い」で２億２５００万ドルの損失を計上したことがある。「1株で61万円」と書くべきところで「1円で61万株」と打ってしまったのだ。ドイツ銀行では、若手行員が誤って60億ドルのヘッジファンドを送金したケースがあり、これは「ファットフィンガーエラー」、つまり指が太いためのエラーと呼ばれている。東京証券取引所でも、誤ったボタンを押したために42件の取引が同時に取り消され、6170億ドル分の株式を失っている。これもやはりファットフィンガーエラーだった。

これらのいずれもハックではなく、ただの間違いだ。これがハックとして成立するとしたら、事務的なエラーから利益を得ようとして、意図的に尋常ではない売りと買いの注文を出すからである。値を付けるだけならコストはまったくかからないので、ハックによって市場システムには非現実的な値があふれつづけることがある。その大半は成立せずに立ち消えになるが、ごくまれに、それが誰かの誤操作と結びつけば、巨額の利益につながるのだ。

さて、そうなると対策はどうなるのか。金融規則は柔軟なので、パッチが現実的な解決策となる。これは、金融規則があえて広く作られていて、実施の際の裁量の余地が大きいからだ。裁判所と規制当局は、従来の法律について解釈の見直しや明確化を進めるだけで、速やかに新たな手法を禁じたり規制したりできる。それでもやはり、ハッキングの手口が常態化するとなると、パッチの効力は制限されてしまう。

おそらく、こういうときこそ、セキュアシステムデザインを導入するといいのだろう。金融システムは、設計しだいでHFTに起因する不安定性を減らすことができる。すでに市場の多くでは、株価が一定以上の比率で変動する場合には自動的に取引を一時停止するしくみ、「サーキットブレーカー」を導入している。ほかにも対応できることは多い。たとえば、あらゆる取引は1秒に1回、あるいは10秒に1回、しかもすべて同時に実行すると義務化することもできるだろう。あるいは、危険なHFT取引を自動的に検知し、その実行を遅らせるか、完全に取り消すこともできるだろう。しかし、どんな設計変更であろうと、規制当局は有力な投資家が望むことに抗《あらが》わなければならない。

マルティン・ルターが「95か条の論題」を発表してから、ローマ教皇が免罪符を見直すまでには、実に50年もかかっている。いくらなんでも、そこまで待たされることはないだろう。

20章　高級住宅をハッキングする

ロンドンやニューヨーク、バンクーバーなど、世界中の多くの都市で、高級住宅の様子が以前とは様変わりしている。富裕層が住まいとして、あるいは別宅として購入するのではない。マネーロンダリングの装置になっているのである。

ハックのしくみはこうだ。今、膨大な資金をドルで（円でも何でも）保有しているが、表には出せない資金なので、当座預金口座にも投資口座にも預けることができないとする。そのような口座の場合、政府の定めにより相当数の確認事項があり、回答が要領を得ない場合には疑わしい活動に関する報告書を提出しなければならないからだ。だが、そこには脆弱性があり、それが不動産なのである。多くの国で、不動産の購入に関する規制は、銀行や金融市場に対する規制よりはるかに面倒が少ない。銀行では、詐欺やマネーロンダリングを防ぐために顧客の審査が義務付けられているが、不動産取引に関わっている海外のペーパーカンパニーには、この規則が適用されない。政府が要求していない以上、仲介業者も売り手も怪しい資金について何も問わない。いったんこの脆弱性に気づいたら、ハックは明白だ。

　まず、住むつもりのない町で超高級な分譲住宅を購入する。自分自身が関わっていることをぼかすために、購入はペーパーカンパニー経由で行う（専門的には、これを「受益所有権」という）。次に、その物件を担保にして銀行融資を受ける資格を得る。そこで借り入れた資金は公正なものなので、株式市場などどこにでも普通に投資することができ、金融システムに関わる規制には抵触しない。目的が違うので、購入した住宅の価値が上がるかどうはどうでもよい。それでも、担保価値が上がるので、価値の高騰はプラスになる。物件を賃貸に出すことはない。入居者がどんなに善い人でも、物件の価値が下がるからだ。

　アンドレイ・ボロディンという人物が、自分の銀行に対する詐欺行為の罪を問われてロシアから亡命してきたのち、ロンドンで1億4000万ポンドのマンションを所有するようになったのも、このケースだ。ボロディンだけではない。トランスペアレンシー・インターナショナルによる2015年のレポートによると、[1]イギリスで160の物件が確認されており、その価値は総額で44億ポンドに及んだ。いずれも、同レポートのいう「汚職リスクの高い個人」が所有者だった。ニューヨークやマイアミなどの都市は入居者のいない高級住宅であふれている。ある高級高層マンションをニューヨーク・タイムズが調べた結果、[2]2014年には部屋の80％がペーパーカンパニーの持ち物だったという。

　これと同じ手口はマネーロンダリング以外の目的にも、同じように十全にとはいかないかもしれないが、通用する。なんといっても不動産は、資金を預けておいて担保を確保するには優れた手段であり、不動産価値が上がれば所有者の借入能力が上がるからだ。

こうして見てくると、高級住宅市場に一見して奇妙な傾向があることにも説明がつく。物件を売り出すことなく、また妥当な市場水準にまで提示価格を引き下げもしない所有者が、なぜこれほど多いのか？　値下げした価格で実際に売買が成立するまで、資産の価値は下げる必要がない。それこそが、高級住宅に関わる誰もが希望する結果なのである。

こうした行為がまかりとおっている地域に住みたいと考えている人から見れば、これは不動産市場に直接的な損害を与えている。住民が減っていくので、その地域の不動産市場も破壊していることになる。ロンドンのメイフェアなどでは、小売店がダメージを受けている。海外でのマネーロンダリングの影響で住宅の30％が空き家になっているからだ。

脆弱性が明白なだけに、対策は明らかだ。不動産も他の金融システムと並ぶくらい規制を改めればよい。２０１６年、アメリカの財務省は有限会社に対して、設立時の受益所有者を明らかにするよう義務付けるパイロットプログラムを12の都市で実施した（「地理限定命令」と呼ばれる）。その結果、有限会社による不動産の現金購入は70％も下がっている。この義務化を恒常化し、全国に拡大することはできそうだ。実際、この地理限定命令は最近になって改正され[3]、新しい不動産市場まで拡大されている。銀行業には、ＫＹＣ規則つまり「顧客を知る」規則があり、連邦政府はそれをペーパーカンパニーの受益所有者にまで拡大できる可能性がある。それができれば、不動産に関する詳細な顧客審査に対する「一時的免除」も撤廃できるかもしれない[4]。２００１年の愛国者法で、ロビイストがねじ込むことに成功した例外規定だ。

一方、政治面では、こうした規制を変えようという機運が生まれていないのだが、ロシアによるウクライナ侵攻が、イギリスでは状況を変える可能性がある。この問題に関して動きが不活発な理由は、権力だ。高級住宅の売買を規制しないほうが有利な業界が、不動産開発や建設をはじめとして、無数にあるのである。一方、権力者のなかに規制が変わって得をする者はほとんどいない。税収が増える、住宅事情が改善される、既設住宅の在庫が増える、マネーロンダリングがしにくくなる——利はあるはずだが、どれも自分たち以外が望むものなのだ。

今では、不動産を利用したマネーロンダリングはほとんど日常業務になっていて、もはやハックとはいえなくなっている。似たような状況は、高価な美術品を扱う市場にも存在する。美術作品を安く購入し、その評価額を極端につり上げてから、税控除付きで美術館に寄付する。このとき、社会は税収減という損害を被っているのである。

21章　社会的なハックの多くは常態化する

ハックの話となると、システムの設計者によってすぐに防止される、つまりパッチが当てられると考える。コンピューターに対するハックなら、たいていはそうなる。本稿を執筆しているのは2022年3月で、最近の例としては次の3件の脆弱性が報じられている。

・シスコが、同社のエンタープライズNFVインフラストラクチャソフトウェアに存在する複数の脆弱性を発表した。[1] なかには、攻撃者がゲスト仮想マシンからひと息にホストマシンに移動し、そこからホストネットワーク全体を攻撃対象にできたケースもある。
・クラウドセキュリティ企業のF5が、同社の4製品に影響する43件の脆弱性があると顧客に警告。[2] そのうちのひとつは「認証されていない攻撃者がネットワークアクセス権を取得したうえで、管理ポートや自己IPアドレスを介して同社のBIG-IPシステムにアクセスし、任意のシステムコマンドを実行してファイルを作成あるいは削除したり、サービスを無効化したりできる」とした。
・AVG社は、同社のウイルス対策製品に重大度の高い2つの脆弱性が存在するとしてその詳細を発表した。[3] 2012年からコードに潜んでいた脆弱性で、どちらも攻撃者が悪用すると、セキュリティソフトウェアを無効化できる、あるいはクライアントのOSを改変できるおそれがあった。

どちらのケースでも、脆弱性は研究者またはメーカー自身によって発見され、社内でシステム設計者に開示されて設計者によってパッチが開発されている。その後ようやく、システムの脆弱性は解消されたという報告とともに発表されるのである。

コンピューターセキュリティの場合はこれに名前があって、「責任ある開示」と呼ばれている。この反対が「ゼロデイ脆弱性」だ。最初は犯罪者や政府の手で、あるいは犯罪者や政府に情報を売りつけるハッカーによって発見され、システムの責任を負う組織は実際にそれが悪用されるまで知ることがない。事前には誰も警告を受けないのである。

前章までにあげてきたハックを含め、本書に登場するどのハックも責任ある開示は伴っていなかった。コンピューター以外のシステムの場合は、そのほうが普通なのである。ヘッジファンドマネージャーが、ある金融システムで儲かるハックを発見しても、規制当局に通報して修正を待つようなことはしない。行政機関によって禁じられるまでは、自分の利益になるように脆弱性を利用する。

このほうが、事態の推移としては一般的だ。まず脆弱性が発見され、システムへのハッキングに悪用される。やがて広く知られるようになる。その進み方は遅いことも早いこともあり、ハックとそのしくみ、収益の大きさによって違ってくる。ハッキングを受けるシステムの普及度や、ハックに関する情報が伝わる速さなどによっても差が出てくる。ある時点で、システムの統括機関がハックの存在を知る。当事者の対応はふたつにひとつだ。一つ目は、システムの規則を変更してハックを防ぎ、システムにパッチを当てること。二つ目は、ハックをシステムに取り込み、標準として常態化することだ。常態化を経ると、誰もがそれを実行するようになって優位が失われ、ハックは自然死を迎える。

金融に対するハックの歴史は、常態化の歴史だ。[4]誰かがハックを思いつき、巨額の利益を得る。別の誰かがそれを模倣して、棚ぼた式に儲ける。そこで規制当局が気づき、介入する。当局は規制を違法と断定して、ハッカーを処断することもある。だがほとんどの場合、さかのぼってハックを是認する。その時点で、ハックはもはやハックではなくなり、単に通常の金融システムの一部になるのである。こうした常態化のプロセスが常に意図的に起こるとは限らない。ヘッジファンドのように、何も手を打たずに放置され、受動的に常態化するハックもある。

こうした過程が建設的な場合があって、NOW勘定やCDのように、一部のハックは金融におけるイノベーションになる。ただし、そこにはコストが発生する。前章までに紹介したハックの多くは、情報、選択肢、主体性を狙って市場の公平性をくつがえす。革新的というより、破壊的だ。そうしたハックが常態化するというのは、裕福な個人の権力が、他者を犠牲にしながら無理を押し通すという図式にほかならない。

常態化は新しい現象ではないし、[5]ハッカーと規制当局のいたちごっこも今に始まったわけではない。中世ヨーロッパでは、カトリック教会も世俗の権力者も、利子の付く融資を罪深いものとみなし、厳重に制限していた。職業としての銀行業が発達すると、裕福な銀行家は次々と手法をこらしてこの制限を回避するようになる。帳簿をごまかす、禁止されている高利の融資をさも認められた制度であるかのようにミスリードする、融資に対する金利を借り手からの贈答だと偽るといった手口があった。そんなハックのひとつが「dry sea loan」で、禁止されている融資を、任意の航海と関連付けることで、合法的な「海運融資（sea loan）」に変えるものだった。

中世の高利貸しハックへの対策は、この章の多くの点とも共通している。12世紀から14世紀にかけて、カトリック教会は dry sea loan のような金融上のイノベーションに対抗するために、高利貸しに対する規制を見直し、さらに複雑な実施のしくみを作って、有罪の場合の高利貸しに対する罰則規定も強化した。裕福なギルドは、人材と知識を駆使して、教会による審査をうまく回避するような金融商品を作った。そして、一種の「規制の虜」状態が発生する。教会は高利貸し規則に違反した者から寄付金と賠償金を受け取り、条件付きで高利貸しを認めることを奨励したのである。実質的に現在の銀行業が誕生したのは、1517年の第5ラテラノ公会議のときで、これも利益を生むハックが常態化した一例だ。住宅ローンを組んで住宅を購入する、学費を借り入れる、融資を受けて事業を始めるといった経験があるなら、それはこのときの常態化のおかげといえる（この公会議では、質屋も合法化された。こちらもお世話になった人がいるかもしれない）。常態化は、今日も普通に起こっていると思われる。超高速取引ハックの大半は、100年前に考案されていたら非合法と判断されていたに違いない。インサイダー取引も、最近の何十年かに発明されていたら、やはり間違いなく今ごろは合法だったはずだ。

22章　マーケティングをハッキングする

２０１０年から２０１４年まで、ゴールドマン・サックスはデトロイト近郊に、27棟の倉庫を有するアルミニウム保管会社を保有していたことがある。一日に数回、トラックが倉庫間で７００キログラム近いアルミニウムを移し換えていた。[1] 一か所の倉庫で積み込んでは、別の倉庫で降ろす。それを毎日繰り返していたのである。

もちろん、これはハックの一種だった。アルミニウムのスポット価格は、顧客が購入してから配達まで待たされる時間によって決まる部分があった。このように移し換えをひっきりなしに繰り返しているとスポット価格に影響し、しかもこの27棟の倉庫にはアメリカ国内のアルミニウム需要の4分の1以上が蓄えられていたため、ゴールドマン・サックスは法律の網の目を縫って、都合のいいように価格を操作できたのである。

ハックといっても、ゴールドマン・サックスほどの富をもたない者には真似ようのないハックだ。市場経済にハッキングを呼び込むのは財力であり、それで利益を得るのは富裕層なのである。

市場のハックは、商品やサービスの売買プロセスに存在する脆弱性を利用する。つまり、需要と供給という通常の論理に脆弱性があり、消費者の選択や、企業の市場参入と撤退、そもそも売買される商品の種類などにも脆弱性がある。

市場資本主義、すなわち自由市場は、それ以前に存在した商業システムにはない独自の利点をもつ経済システムだ。共産主義のように一極管理される経済と違って、市場資本主義は単一の実体によって管理されていない。個々人がそれぞれ最大の利益を求めて個々の決定を下し、資本は最も有益に使われるところへ流れていって、こうした混沌のなかから効率的な市場が生まれる。少なくとも、理想はそういうことになっている。

こうしたすべてを根底で支えているのが、競合する売り手のなかで、利己的に考える買い手が理性的に意思決定を下すというメカニズムだ。市場の規則は、その基本的なメカニズムを機能させ、システムで大きな損害が発生しないように意図されている。不正な取引や危険な職場環境を規制するといった当然の法律もあれば、契約の履行、各国の通貨、紛争解決のための民事裁判など、すぐには想定されにくい法律もある。

市場の成功に必要なのは3つの要素、情報と選択肢と主体性である。買い手は、理性的に購入を決定するために商品やサービスに関する「情報」を必要とする。商品やサービスの長所と短所、価格、仕様などだ。複数の売り手から選択できる、つまり「選択肢」もなくてはならない。選択の余地がなかったら、競争がなくなって、価格は統制されずイノベーションも進まなくなってしまう。そして、複数の売り手についての知識を動員するには買い手に「主体性」が必要である。こうした3つの市場要素のいずれも、以下のように巧みにハッキングされてきた。

・商品の示し方を複雑にして、「情報」を不明瞭にする。ためしに、たとえば各種スマートフォン契約プランの価格、クレジットカード、株式の目論見書などを比べてみるといい。情報が不明瞭で分かりにくく、買い手は選択肢を理性的に選ぶどころではない。たしかに、現代ハイテク社会の避けがたい複雑さが原因になっているという面もあるが、いくぶんかはユーザーが正確な情報を利用するのを阻害しようとする故意のハックなのである。

・独占によって、「選択肢」をなくす。独占は目新しいものではなく、資本主義以前にはハックでさえなかった。だが、市場システムとは売り手が買い手をめぐって競い合うものであり、独占はその市場メカニズムをくつがえす。これについては、アダム・スミスも1776年に書いている。[2]経営者の経済的利益は、公共の利益と一致しないことが多いという趣旨だ。経営者の目標――つまりは言うまでもなく企業の目標でもある――は最大限の利益を得ることにある。一方、公共の目標は、商品の数量、品質、多様性、革新性を（多かれ少なかれ）最大限に確保することだ。競争がなくなれば、売り手は買い手を失う不安がなくなり、公共が望むものを提供するという動機がなくなってしまう。

・ロックインによって、競合する商品のなかから自由に選択できる「主体性」を制限する。今日コークを飲んだ人が、気に入らなければ、明日はペプシを飲むかもしれない。だが、同じ人が今日スマートフォンの契約プランやメールプロバイダー、クレジットカードに関して不便を感じたとしても、おそらく明日も同じ契約プラン、メールプロバイダー、クレジットカードを使いつづけるだろう。費用や時間、手間、覚え直しなど、どれをとっても乗り換えるほうがコストは高くつくからだ。これがロックインである。そして、あれやこれやの手段を使ってロックインを強いるところに、ハックが成立する。ファイル形式が企業に固有《プロプライエタリ》だと、オーディオプレイヤーにしても電子書籍リーダーにしても、乗り換えるほうが割高になる。カスタマイズを重ねていると、業務用アプリケーションを乗り換えるのは難しくなる。ＳＮＳサイトでは、自分のアカウントを削除したら友人のアカウントもフォローできなくなるし、アプリの使用をやめたら、とたんにデータは利用できなくなる。そういったことだ。

結果的には、市場システムのハックを通じて企業の利益が増え、私たちは犠牲を強いられることになる。

このような市場の機能不全を抑えるために、規制が存在する。規制緩和とは、要するに行動が阻害される要因を取り除くことだ。そうすると、ハックの存在や影響が明らかにならないうちに認められるので、ハックは増える結果になる。このことに、良い面も悪い面もあるのは言うまでもない。良い面でいえば、イノベーションが短時間で形になる。悪い面を見ると、都合のいい悪用も同じくらい短期間で実行できるのである。

歴史上、少なくともアメリカでは、イノベーションを第一に考え、その実現に向けて規制枠が最小限に抑えられてきた。これはおおむね功を奏してきたが、それは単に悪いハックの及ぼす害が歯止めのきく範囲だったからにすぎない。

だが、テクノロジーが強大になり、経済がグローバル性を帯びた今となっては、もう同じようにはいかない。貪欲と利己心に根ざした経済システムが通用するには、そうした性質が足元のシステムを破壊しないという条件が必要だ。「迅速に行動し、破壊せよ」——マーク・ザッカーバーグがフェイスブックで掲げた有名なモットーだが、これはもはや、自分のものをリスクにさらす場合を除いて通用しなくなった。他人《ひと》のものが関わるときには、立ち止まって考え直すべきだ。そのまま突っ走れば、破壊したものの修復を要求される羽目に陥るだろう。

23章 「大きすぎてつぶせない」というハック

「大きすぎてつぶせない」――現在の市場経済に存在する致命的な脆弱性をとらえた言葉だ。破綻すれば経済のあらゆるところにリスクが及ぶというくらい巨大になれば、破綻するわけにはいかない。それが分かっているから、いくらでも大きなリスクを冒せる、そういう意味だ。石油王ジャン・ポール・ゲティの言葉とされている古い引用から広まった。「銀行から100ドル借りているとしたら、それは当人の問題だ。1億ドル借りているとしたら、それは銀行の問題だ」（もっとも、同じようなことをジョン・メイナード・ケインズのほうが先に言っていそうだ）。簡単にいえば、これが「大きすぎてつぶせない」ということである。

もう少し詳しく説明しよう。今の経済を動かすうえで大きな存在になりすぎて、破綻が許されない企業がある。あまりにも大きく、不可欠になっているので、収益が極端に下がった場合には、そのまま破綻させるより政府が救済したほうが安上がりなのである。

先にも書いたように、市場を支配しているメカニズムは、買い手をめぐる売り手どうしの競争である。成功した売り手が勝ち残り、失敗した売り手は消えてゆく。一般の経営者や企業がリスクを判断するところを想像してみよう。成功したときの利益と、失敗したときのコストをはかりにかけ、最終的な決定ではどちらも検討するはずだ。それに対して、必要度が高すぎて破綻させられないとみなされている大企業の経営陣は、誤った判断を下した結果、避けようのないコストが発生したとしても、そのコストは納税者によって、つまりは社会全体によってまかなわれると分かっている。これは、リスクの高い意思決定を助長しかねないモラルハザードだ。うまくいけば、そうした大企業は得をする。うまくいかなったとしても、損はしないよう保護されている。「大きすぎてつぶせない」は、賭けに負けたときの保険なのである。市場システムを乱すことは間違いない。金と権力が生むひずみ。そして、ハックである。

2008年の世界金融危機の直後、アメリカ政府はウォールストリートを代表する大手銀行などの金融機関を救済した。どの機関も、長年にわたってビジネス上の失策を重ねてきたにもかかわらず、である。このとき使われたのが不良資産救済プログラム（TARP）で、経営難にあえぐ企業の資産や株式を購入する権限を政府に与える制度だった。不動産担保証券も該当していた。アメリカ経済を総括的に保護するには、7000億ドル規模の救済が不可欠だと考えられたのだった。救済しなければ、アメリカ経済は完全に崩壊する。そうなっていたら、政府による救済プログラムに要する費用は、景気後退の深刻度しだいで7000億ドルを大幅に上回っていただろう（景気が後退しているあいだは、国民の所得が下がって税収も下がるので歳入が落ち込む一方、失業保険などで国の支出は増える。要するに、景気後退は深刻になればなるほどコストがかさむのである）。

アメリカ政府が、「大きすぎてつぶせない」企業を救済したのは、このときが初めてではない。連邦預金保険公社が設立されたのは1930年代、ばたばたと銀行の破綻が続いたのを受けてのことで、銀行を監督し消費者の預金を保護することが目的だった。１９７９年には、クライスラーが救済されている。救済の規模こそ小さく、たかだか15億ドルにすぎなかったが、正当化の名分は似たようなものだった。国家の安全保障が引き合いに出された。クライスラー社は、いまだ冷戦が続いていた頃に、Ｍ１エイブラムス戦車を製造していたからだ。経済的な大義もあった。デトロイトなどで70万人の雇用を守らなければならなかったのだ。そのうえ、アメリカは日本との経済戦争のまっただ中でもあった。救済は功を奏し、クライスラーは利子を付けて早期に融資を完済した。

「大きすぎてつぶせない」、このハックはそもそも、脅威モデルの変化をきっかけに生まれている。市場経済のメカニズムが作り出された当初は、破綻しそうなときに政府の介入を必要とするほど経済全体にとって重みのある企業は存在していなかった。規模が違うという理由もあったが、重大な社会機能が今ほど民営化されていなかったという面もある。たしかに、企業の成長は見込まれていたが、それほどの規模になるとは予想されていなかった。今のような規模になるには、現代のテクノロジーが必要なのである。

超大規模な企業を規制しようという試みは、よくて生ぬるい程度でしかない。そうした企業のロビー活動が強力で、大概は取締が行き届かないからだ。２０１０年のドッド・フランク法による銀行改革も、「大きすぎてつぶせない」機関の脅威を緩和する狙いだったが、法案が議会で審議を経るなかでその多くが無力化されるか、それ以降の税制改革法で骨抜きになっている。

「大きすぎてつぶせない」というハックを防ぐには、メガ企業を直接的には救済しない方法がある。２００８年のときも、アメリカ政府にはほかに２つの選択肢があった。住宅ローンを組み直して、当時ひっきりなしに続いていた債務不履行を止めるという措置を救済の条件にすることはできただろう。あるいは、救済資金の一部を債務者に還元するという条件を付けることもできたはずだ。そのどちらも、国家経済会議のローレンス・サマーズ委員長に却下されている。このときの銀行救済も、富裕層が使うハックを財力が守るという図式の一例になったのである。

「大きすぎてつぶせない」大企業から経済システムを守るうえで特に効果的なのは、そもそもそういう企業が出現しないようにすることだろう。2009年、社会学者のダンカン・ワッツは『大きすぎてつぶせないというより、ありえないほど大きすぎるのでは？』と題する評論を発表している。このなかでワッツは、一部の強大な企業について論じている。そうした企業は、リスクの高いビジネス上の判断を下すとき、政府を事実上の保険代わりに利用し、国民にばかり負担を押し付けている――

このようなハックは、3つの特性を実証するもので、それについては本書であらためて触れることになる。第一に、「大きすぎてつぶせない」は一般化できる。大手銀行や不動産業など、経済に「欠かせない」業種は、「大きすぎてつぶせない」ハックを利用できるとよく分かっている。そのため、市場経済は全体的に、持続可能性のない拡張を続ける企業に対して脆弱になるのだ。第二に、ハックは体系化されると意思決定の形を変える力をもつ。2008年の救済では、「大きすぎてつぶせない」が法律として体系化された。連邦政府には、銀行や不動産業、自動車業界を積極的に救済する意思があるということを実例で示したため、議会は大型金融業の一部としてこのハックを常態化したのである。第三に、「大きすぎてつぶせない」という、まさにその概念が巨大企業を規制しようとする動機を変質させ、ひいては巨大企業そのものを変質させる。

今や、企業が「大きすぎてつぶせない」という理由の救済を究極の保険とみなしていることは間違いない。実際、ドッド・フランク法によって救済が明白に保証された少数の企業、すなわちシティグループ、JPモルガン・チェース、バンク・オブ・アメリカ、ゴールドマン・サックスは、必要になればまた政府が救済してくれる[1]と分かっている。市場経済にとって著しい害であるにもかかわらず、これは常態化したハックなのだ。

24章　ベンチャーキャピタルとプライベートエクイティ

フードデリバリーアプリは、持続可能性のないビジネスモデルの上に成り立っている。2020年、コロナ禍で外出自粛《ステイホーム》が当たり前になったとき、ドアダッシュ（DoorDash）は1億3900万ドル、グラブハブ（Grubhub）は1億5600万ドルの損失を計上した。ウーバーイーツ（Uber Eats）のデータはなかなか見つからないが、ウーバー自体の損失額は68億ドルに及んでおり、それでも85億ドルの損失を記録した2019年よりましだった。そして、これは個人投資家にとっても耐えがたい。フードデリバリーでは誰も得をしないからだ。ドライバーは、雇用保障も福利厚生もないギグワーカーで、給与は高くない。レストランにとっても害が大きく、儲けにならない理由はいくらでもある。売上の足しにはならず、配達でトラブルが起これば評判が下がるのはレストランのほうだ。利用客から歓迎されない点もある。サービス料が加わって価格が上がるし、配達時には問題の種が尽きない。この市場がそれでも存続しているのは、ソフトバンクのようなベンチャーキャピタル企業が何百億ドルという資金を進んでつぎ込んでいるからだ。いずれはレストラン業界の利益を確保して自分たちも収益をあげられると期待しているからだ。この投資戦略はハックだ。市場資本主義は、買い手それぞれの知恵が意図せず集まって売り手に影響を及ぼすという前提で動いている。ベンチャーキャピタル資金は、その前提を妨げる。買い手の主体性を抑制するからである。

ベンチャーキャピタル（ＶＣ）という資金調達モデルは、起源をたどれば数百年前から存在するが、現実的に機能するようになったのは１９８０年代に入ってからだ。ハイテク企業が生まれた黎明期や、ドットコムバブルが膨張し２００１年にはじけたときに重要な役割を果たした。それ以来、ＶＣは確実な成長を続けている。２０１０年、全世界のベンチャーキャピタル市場は５００億ドルだった。２０１９年には２９５０億ドルにまでふくらんでいる。かく言う私もベンチャーキャピタルで利益をあげている。最初は、ＶＣ資金で立ち上げた自分の会社を２００６年にブリティッシュテレコムに売却したとき、二度目は２０１６年、ＩＢＭに売却したときだ。

ベンチャーキャピタルそのものはハックではない。ハックとして成立するのは、利益をあげていない企業がＶＣ資金を使って市場経済のダイナミクスを無視するときだ。どの企業が存続してどの企業が事業を停止するか、それを一極管理で決められるのはごめんだと私たちは考える。[1]だが、それこそがベンチャーキャピタルの関与で起こることなのだ。ＶＣ資金を調達できれば、企業は従来の形で競争せずに済むし、需要と供給の一般的な法則も気にしなくてよいことになる。普通なら正気でないと思われるようなことができる。商品をただで配布する、度を超えた給与を支払う、巨額の損失を出しつづける、実際には害のあるサービスを提供するといったことで、それができるのも外部に資金源があるおかげだ。これを一極集中的に計画しているのがエリート投資家たちであり、政府が同じことをやったら共産主義と呼ばれているだろう。

ウーバーは、2009年の創業以来、VC資金で255億ドルを調達してきた。今のところ、黒字になった年はひとつもない。2019年には、損失額が全世界で85億ドルにのぼり、52億回の配送で毎回58セントずつの損失を重ねていたことになる。それでもなおウーバーが存続しているのは、ひとえに、この金食い虫企業に資金を投入しようという投資家が今でもいるからだ。おそらくは、自動運転車の技術が熟して全ドライバーを解雇し、全車両を完全自律型で運用できる日を待ちつづけているのだろう。

ウィーワーク（WeWork）も黒字化しておらず、過去3年間で100億ドル以上の損失を記録している。2019年、新規株式公開（IPO）を試みて失敗し、VC資金バブルがはじけたのである。コロナ禍で在宅勤務が定着したことも同社の勝機に災いし、同社の共同創業者は理事会によってCEOの座を追われた。ウィーワークがここまで成長した理由は、2010年の創業から2019年の夏までに128億ドルのVC資金を調達し、その後は債務免除でさらに数十億ドルを確保したという一点だけだ。

以上の例は、不良投資とか、まして詐欺的な不良投資と同じではない。クイビ（Quibi）は、VC資金を使って創業した企業で、準備段階から17億5000万ドル以上を調達していた。10分以下の動画コンテンツというコンセプトを謳ったが、ほとんど普及しないままわずか半年で閉鎖に至っている。ベンチャーキャピタルでセラノス（Theranos）を創業したエリザベス・ホームズは、何の商品化も実現しないまま、結局は数年間にわたって投資家から大枚10億ドルをむしり取っただけだった。この2つはどちらも、市場が正常に機能した例だ。ただ、買い手が、つまりこの場合は投資家が買いの判断を誤った、さらにセラノスの場合は純然たる詐欺だったということである。

総じて、VCシステムはさまざまな意味で市場資本主義を阻害している。商品の真のコストや価値が反映されていない価格設定を許してしまうという点で、市場をゆがめる。収益の出ていない企業や、持続可能性のないビジネスモデルが成功し拡大するのを助長することになる。人材市場、つまり従業員にも、特にテクノロジー分野ではひずみが及ぶ。そして結局は、市場のカテゴリもまるごといびつにする。運輸、住宅供給、メディアなどがそうだ。ウーバーとリフト（Lyft）は、無理があるほど低い料金を設定してタクシー業界に先行きの不透明な市場を作り出した。ここでも、ドライバーの労働の対価が価格に正当に反映されていない。

VCによる資金提供は、イノベーションに対するハックでもある。実質のある商品の改良よりも経済的な見返りを優先することで、特定のイノベーションを大事にする一方、それ以外はないがしろにするからだ。VC資金を受けた企業にとっては、投資回収率がすべてだ。したがって、市場経済の目標のひとつがイノベーションを刺激することだとすると、VC資金提供はこの目標をひっくり返すことになる。VC投資家は、投資を10年以内に回収することを目論んでいるから、それに沿って企業を動かすのである。

同じように、VC文化では桁違いに収益率の高い事業しか報われない。投資家は、発想もビジネスモデルも異なる何百もの企業に投資するが、そのほとんどが失敗に終わると分かっている。ごく少数が大ヒットを飛ばせば、それ以外を埋め合わせてお釣りが来るのだ。だから、VC資金を調達した経営者は持続可能性がある長期的なビジネスではなく、「大ヒットを狙って大振り」しようという意識で動く。こうして、ＶＣ資金を受けた企業は、膨大な損失を出しながら、社会に対してあらん限りのダメージをもたらす。その損失を埋めるのが、ＶＣ界でいうところの「ユニコーン企業」なのだ。

プライベートエクイティにも、ハックが存在する。負債金融、つまり借入による資金調達だ。プライベートエクイティ企業は、株式の過半数を取得して企業を買収するとき、手持ちの資産をあまり使わず借入でまかなうことができる。被買収企業の資産を担保にして資金を引き出すので、被買収企業の負債を増やし、その後さらに利益をかさ増しして売却できるのである。負債者には何も残らない。２０２１年、グリーンシルキャピタル（Greensill Capital）が経営破綻して話題になった[2]。サプライチェーンファイナンスのスタートアップとして始まったが、10年間にわたって国際的な仲介業にまで手を広げ、債務負担が数十億ドル規模に至って破綻したのだが、それを助長したのがソフトバンクによる投資と融資だった。会計の雲行きが怪しくなっていったにもかかわらず、相当額を都合していたのである。

ここに、非合法な点はひとつもない。ベンチャーキャピタルとプライベートエクイティは、今どきの経済では当たり前の一部になっていて、むしろハックと呼ぶほうが奇異に感じられるかもしれない。だが、まぎれもないハックだ。市場の望ましい姿に対するハックなのだ。ただ、誰もハックとは呼ばず、「破壊的《ディスラプティブ》」とか「革新的《イノベーティブ》」と呼んでいる。そのくらい合法的なものとして受け入れられているが、どんな行動が許容されるか、誰がそのチャンスをつかむかをお金と権力が決めているという事実は決して変わらないのだ。

25章　ハッキングと財力

プロスポーツの世界では、資本力のあるチームが不当に有利にならないように、選手の報酬に上限を設けることでリーグの戦力バランスを保っている。原則としては、選手に支払う最大総額に全チームが合意する。この合意がハッキングされることは言うまでもない。スポーツの種類と具体的なルールによって違うが、各チームとも報奨金を契約金の金額のなかに隠したり、支払い額を複数年にわたって分散したりしている。チームのスポンサーや関連会社で選手を起用する、選手の配偶者を雇用する、関連するマイナーリーグのチーム予算に選手の給料をまぎれ込ませるといった手もある。プロスポーツ界にはなにかと金銭がからんでくるもので、チームはルールの裏をかくためなら何でもするのである。

ここまでに銀行や金融システムに関して見てきたハックは、富裕層がさらに富を蓄えようとして手がける場合が大半だ。コンピューターに対するいわゆるハッキングとは事情がだいぶ違う。ハッキングと聞いてすぐに思い浮かぶのは、反体制的な行動、つまり行く手をさえぎる権力機構に対して弱者がしかけるものだろう。ハッカー集団「アノニマス」は、その手のハッキングの代表例として知られている。だが、富裕層が、金銭にしろ権力にしろ自らの優位のためにハッキングをしかけるほうが、実は一般的なのである。

富裕層には、ハックを見つけやすく利用しやすいという有利な点がある。まず、自分たちがハッカーとして実際に優れている必要がない。ハッキングを成しとげる、つまり脆弱性を見つけて、エクスプロイトを作成し、ハックを実行するのに必要な専門知識をほかから借用できるくらい資金が潤沢だからである。次に、政治では財力が物を言うため、富裕層はハックの常態化もお手のものだ。つまり、権力を駆使してハックを法的に認めさせることができる。２００９年にゼネラルモーターズ（ＧＭ）が倒産したとき、旧ＧＭの株は無価値になり、新ＧＭが新たに株を発行して資金を調達した。経営陣と裕福な投資家は利益を得たが、一般の株主はまんまと出し抜かれた。その多くは従業員や元従業員だ。儲けの大きいハックだったが、恩恵があったのはすでに裕福な層だけだったのである。

ここで分かるのは、またしても、富裕層がハッキングを得意とするということだ。人でも組織でも、リソースが集中しているほどハックを発見して実行するのがうまい。そして、そのハックを合法化して常態化するのも巧みだ。

２０２０年、株取引に関わる税制の新しいハックが話題になりはじめた。それがＣｕｍ－Ｅｘ取引だ。[1] ラテン語で、Ｃｕｍは「あり（with）」を、Ｅｘは「なし（without）」を意味する。ニューヨーク・タイムズの記事ではこう説明されている。「Ｃｕｍ－Ｅｘ取引では、絶妙のタイミングで10種類以上の取引を調整して、一連の株に対して支払われる配当税の還付を二重に求められる」。

一つ目の還付は合法だが、二つ目は合法ではなかった。

これがハックであることは明らかだ。一人の個人や団体が一回で二重の還付を受け取ることは、予期も意図もされていなかった。だがシステム上それが許容され、２００６年から２０１１年までに銀行、弁護士、投資家がこのハックを利用してＥＵ各国で６００億ドルを詐取している。

ドイツでは先日、Ｃｕｍ－Ｅｘをめぐる疑惑でクリスチャン・Ｓという銀行家が10年の禁固刑を宣告された。[2] ただしこの判決は最終ではなく、上告審が決まっている。ロンドンでは、２０２０年にＣｕｍ－Ｅｘ取引を行ったとして二人の銀行家が執行猶予と１４００万ポンドの罰金を言い渡された。[3] ドイツのある市中銀行は、税務当局に１億７６６０万ユーロを支払うよう命じられた。同じくドイツでは、Ｃｕｍ－Ｅｘ疑惑が報じられて２０１２年にスイスに逃亡していた元税務査察官がようやく送還され、その疑惑に関与した銀行家に助言し顧問料を受け取っていたとして有罪になっている。[4] モルガン・スタンレー銀行のフランクフルト支店には最近、Ｃｕｍ－Ｅｘ捜査の一環として捜索の手が入った。[5] 係争中の告発はほかにもある。ドイツだけでも、弁護士と銀行家１０００人以上について、Ｃｕｍ－Ｅｘ取引に関わったとして捜査が進行中だ。

ここでは、ハッキングと合法性と倫理の相互関係が如実に分かる。大統領候補だった当時のドナルド・トランプが、自身の租税回避について尋ねられたとき、[6]「それだけ私が賢いってことだ(That makes me smart)」と返したのは有名だ。だからといって、倫理に反していないことにはならない。悪用したのが法律上の抜け穴だけであればそうだったかもしれないが、[7] 税制上の抜け穴を埋めるべきではないという意味にはならないのだ。

Ｃｕｍ－Ｅｘ取引によって、ヨーロッパの各国とその市民には、６００億ドル以上の負担がかかっており、しかもその大半は決して賠償されない。ハッキングは寄生的であり、ほとんどが権力のある富裕層によって実行され、それ以外の全員を犠牲にして成り立っているのである。

第４部

法システムの
ハッキング

26章　法律をハッキングする

税金のハックは、建築・建設の現場で驚くほど頻繁に見られる。天井の高いマンサード屋根は、ナポレオン三世時代のフランスで流行した。当時の住宅は階層数が課税の基準だったが、この部分は屋根という建前だったので、課税対象とならずに部屋数を増やすことができたのである。ギャンブレル屋根も、アメリカで連邦直接税に関する1798年の法律を回避するために階層を隠したものだ。ペルーなどでは、壁や屋根から鉄筋が何本も飛び出し、まわりにも瓦礫が積まれたままという住宅を見かける。未完成だと固定資産税が安くなるからだ。

この辺でもう一度、ハックといえるもの、いえないものを思い出しておくとよさそうだ。1696年から1851年まで、イギリスでは住宅の窓に税金がかかっていたため、節税対策として持ち家の窓をふさいでしまう人がいた。窓が住宅の大きさの尺度代わりになっていたので、窓をふさげば課税を免れることができる。これはハックだった。住宅の大きさが直接、課税の基準になっているからといって、持ち主がそれを忌避して建物を取り壊したら、それはハックどころではない。費用を回避しようとしてシステムの利用をやめたり、システムの一部を破壊したりするのは、ハッキングとはいえない。ハッキングとは、システムの規則を見つけて隙を突き、自らに有利にしたうえでなおそのシステムに参加しつづけることなのである。

政府の対策は言葉の形をとり、その言葉が世の中のあり方を変えることがある。議会が法案を可決する。大統領が大統領令に署名する。各機関が規則を定める。このどれも、執行権力に伴って発せられる言葉でしかない。言葉は、一種のコードだ。コンピューターコードと同じように、そこにはバグも脆弱性もある。法律文の起草者は完璧でも無謬《むびゅう》でもない。だから、法律はハッキングされる。起草者が、過失であれ故意であれ、法律に脆弱性を残すと、ハッカーに発見されるのは避けられない。そして、そこには常に法律をハッキングするという意図がはたらく。

贅沢と浪費に規制をかける、奢侈《しゃし》禁止令という決まりがあった。歴史上の例を見ると、たいていは貴族階級がパーティーや晩餐会、祝宴、式典などで競い合うように贅を尽くそうとするのを防ぐために可決されてきた。なかには、平民が貴族を真似して行きすぎるのを防ぐために定められたものもある。どちらの場合も、この禁止令を歓迎しない層がハッキングを試みてきた。

たとえば晩餐会については、食卓に並べるコース料理の品数や肉の種類を制限するのが常だった。一例として、フィレンツェでは１３５６年の法律で、結婚式のときのコース料理は三点までと上限が設けられた。ただし、「コース料理」の定義にフルーツ、野菜、チーズは含まれていなかったので、主催者はその抜け穴を利用して品数を増やしていた。「ロースト肉」が一品と定められたら、一種類の肉の中に複数種類の肉を詰めればいい。そう、ターダッキン[1]、つまりターキーにダックとチキンを詰めて焼く料理は、もともと奢侈禁令に対するハックだったのだ。これを見ても、富裕層が法律を字義どおりには守っていながら、その精神をまったくないがしろにしていることが分かる。

法律の体系とは、とりもなおさず規則の体系であり、ハッキングに対して脆弱だ。ある意味では、ハッキングされるように設計されているとすらいえる。法律に書かれている一文字一文字はほぼ遂行されるが、法律の精神は置き去りになる。もしハックが、つまり法律の字義には従いながらその精神に反するような手段が発見されたとして、法律の文面に不備があるのは発見者のせいではない――租税回避が肯定的に語られるとき、必ず耳にする論法だ。

そして、法律は至るところでハッキングされる。２０２０年にアメリカでは、連邦準備制度のもとで、新型コロナウイルス感染症の大流行の影響を受けた企業に対して緊急融資プログラム[2]が実施された。正式に申請できるのはアメリカ国内の企業だけだったが、国外企業もアメリカ企業になりおおせる方策を考え出してこの規制をハッキングしている。パシフィック・インベストメント・マネジメント・カンパニーは、カリフォルニア州ニューポートビーチに本拠を置く資産運用会社で、ケイマン諸島で登録されたヘッジファンドを運用してアメリカ国内での課税を免れている。しかし、デラウエア州のある企業に投資し、その会社をカリフォルニアの親会社に結び付けることで、ヘッジファンドは民間融資を利用して証券を購入できた。そのうえで、今度は政府の緊急融資プログラムから１３１０万ドルを借り入れ、最後にはその融資を使って当初の、もっと高額だった証券融資を完済したのである。完璧に合法的な、あっという間の利益で、その犠牲を被るのはアメリカの市民だった。反社会的ではあるが、創造性は見事だったというしかない。

決まり事に対するハッキングと私がいうとき、念頭にあるのは制定法のことだけではない。どんな規則もハッキングの対象になる。カトリック教会には小斎《しょうさい》という習慣があり、その規則は歴史を通じて大きく変化しているが、たいていは肉食を断つことになっている。断食とも呼ばれたが、ユダヤ教の贖罪の日《ヨムキプル》やイスラム教の断食月《ラマダン》と比べればゆるやかなものだ。それでも、やはり人間の性《さが》なのか、中世の大部分では、何が「肉」か「肉でない」かをめぐる議論が尽きなかった。まして、四旬節《レント》と待降節《アドベント》で１か月かそれ以上も断食が続くとなると、問題は重大だった。魚は肉ではないとされた。カオジロガンも、脚が鱗に覆われていて水かきもあり、水中で生まれる（と思われていた）という理由で、肉として扱われなかった。ビーバーも、同じ理屈で肉ではないと分類されている（ちなみに、これは歴史上の珍しい例というわけではない。今日でも、デトロイト州のカトリック教徒は、１７００年代に宣教師が決めた規則に基づいて、小斎の日でもビーバーに近いマスクラットなら食べることが認められている）。フランスでは、ウサギの胎児を食卓に供する修道院があった。羊水のなかに浮いているから肉ではないという根拠だった（実話だ。断じて私の作り話ではない）。聖トマス・アクィナスも、ニワトリは水中由来――真意は不明――だから肉ではないと断定していた。さらに過激に走った司教もいて、四本足ではないから家禽類はすべて、いわば格好の獲物だとまで言い切っていた。

　断食の規則に対するごく最近のハックは、サウジアラビアの裕福な一族の例だ。日中の飲食を禁止するラマダンを、１か月に及ぶパーティーという扱いにして、夜通し起きていて昼間は寝るという生活を繰り返している。

　どんな法律も、ハッキングの「格好の獲物」だ。法律の意図をくじこうとする者がいるかぎり、そこにはハッキングが生まれる。

27章　法律上の抜け穴

イエローストーン国立公園にある「ゾーン・オブ・デス」[1]は、アメリカの憲法に生じた不可解な脆弱性だ。州と地方自治体の間で、法の執行をめぐる管轄の規則に矛盾があることが原因になっている。合衆国憲法の第3章第2条では、「弾劾事件を除き、すべての犯罪の裁判は、陪審によって行われなければならない。裁判は、当該犯罪がなされた州で行われなければならない」という条項がある（裁判地に関する条項）。一方、憲法修正第6条の条項はこうなっている。「すべての刑事上の訴追において、被告人は、犯罪が行われた州の陪審であって、あらかじめ法律で定めた地区の公平な陪審による迅速かつ公開の裁判を受ける権利を有する」（近隣性に関する条項）。

イエローストーン国立公園は、その全域がワイオミング州の連邦地方裁判所の管轄だが、一部はモンタナ州とアイダホ州にもかかっている。さて、このイエローストーン国立公園のうちアイダホ州に属する地域で殺人を犯し、逮捕されたらどうなるか。管轄はワイオミング州ということになるが、そこでは裁判にならない。憲法第3章に従えば、裁判はアイダホ州で行う必要があるからだ。一方の修正第6条によると、陪審員は犯罪があった州（つまりアイダホ州）であり、かつ定められた地区（つまりワイオミング州）に居住していなければならない。つまり、陪審はイエローストーン国立公園のアイダホ地区の住民で構成される必要があるのだが、実はそこには住民がいないのである。原理的には、この被告を殺人で有罪とは判決できないことになる。今のところ、このハックを利用して殺人罪を免れたケースはないが、密漁の弁護に使われたことはある。2007年、モンタナ州に属する地域でエルク（アカシカの一種）を撃った密猟者がいた。男は起訴されたが、弁護士が抗弁でこのハックを利用したのである。[2] 裁判所はこの主張を退けており、ゾーン・オブ・デスの存在を肯定することになるのを避けるためだったと考えられている。そうすることで、裁定という手段でハックを無効化したわけである。

同じようなハックが、インディアン（ネイティブアメリカン）居留地ではもっと非道な形でまかり通っている。[3] ネイティブアメリカンではない個人が居留地で犯罪を犯しても、部族裁判所では裁くことができないのである。その司法権は連邦側にしかなく、呆れるほど多くのケースが罪を問われていない。つまり、ネイティブアメリカンではないアメリカ人は、居留地でほしいままにネイティブアメリカンの女性を襲うことができ、しかもほとんど何のおとがめもなしということだ。ネイティブアメリカン女性が性的暴行を受けた被害の実に80％は、ネイティブアメリカンではない男性によるものだという報告もある。

最後に紹介するハックは、アメリカにおける連邦飛び地だ。州の中にありながら、連邦政府が所有する土地のことで、長年にわたってアメリカの法体系に脆弱性として残りつづけている。連邦飛び地には、軍事基地、連邦裁判所、連邦刑務所といった連邦政府の施設、国有林や国立公園などがある。該当する州が基本的には所有権を連邦政府に譲渡しており、州や地方自治体の法律が適用されないため、こうした飛び地の法的な資格は特殊だ。

これまでにも、この脆弱性にパッチを当てようという試みはあった。1937年、連邦最高裁判所の判決によって、連邦飛び地にも州税が課されるようになった。[4] 1970年には、「エバンス対コーンマン」の裁判で、連邦飛び地の住民（たとえば、国立公園の地域内にある個人宅の住民）は、州の選挙で投票できると最高裁で判決された。ほかにも、小さなパッチは裁判を通じて実施されたが、連邦飛び地は多くの州法、たとえば刑法、差別反対の法律、労働保護法から除外されている。

連邦飛び地の住民は、フォアグラ禁止令の規制を受けない。[5] フォアグラとはアヒルやガチョウの肝臓で、飼育するときに強制給餌という方法がとられる。一日に二～三回、数週間にわたって強制的に餌を与え、肝臓を通常の10倍ほどに膨らませてから調理するのである。動物保護団体がこの飼育法に反対する運動を続けており、2004年にはカリフォルニア州がフォアグラの販売と製造を禁止した。その後の数年にわたって、この禁止令は何度も裁判所で争われている。2014年には、サンフランシスコにあるプレシディオ・ソーシャルクラブというレストランのオーナーが、連邦飛び地に位置しているからカリフォルニア州の禁止令は適用されないと主張。[6] しかし、判決が出る前にこの争いは終結する。動物保護を主張する反対派がレストラン前で抗議運動を展開し、オーナーがその妨害に屈してフォアグラをメニューから取り下げたからである。

こうしたエピソードのいずれでも、真のパッチは議会が法律に立ち返って抜け穴を修正することだ。議会は、アイダホ州の連邦地方裁判所の管内にゾーン・オブ・デスを指定する必要がある。居留地に住むネイティブアメリカンの女性や少女が保護と支援を受けられるように、管轄権とインフラをネイティブアメリカンに提供しなければならない。２０１３年の「女性に対する暴力防止法」によってこの脆弱性は部分的にふさがれたが、２０１９年の再承認では、銃擁護派《ガンロビー》によって本来の目的からそれてしまった[7]。ネイティブアメリカンに関わる規定とはまったく関係のない理由だった。

28章　お役所仕事をハッキングする

ひとどおりの規則を決めたとき、遵守すべき立場にいる人がその規則の達成を目的化するあまり、過剰な最適化に走ることは珍しくない。[1] その言動が最終的には、規則にはっきりと定められている目標に反する結果になったとしても、である。害虫駆除業者が、受注を増やすために害虫の群れを放つとか、教師が生徒の得点を伸ばすために授業ではテスト対策ばかりするといった例がある。経済学では、「グッドハートの法則」という名前が付けられている。「評価の基準は、目標になったとたん、適切な基準ではなくなる」ということだ。その意味で、お役所仕事的な規則は、守りたがらない人々によって、いつの世でもハッキングされている。

お役所仕事は下から、つまりその縛りを受ける人々によって、縛られながらも目的を果たすためにハッキングされる。1990年代、NASA（アメリカ航空宇宙局）のダニエル・ゴールディン長官は、平素から停滞気味な同局のお役所仕事をハッキングしている。適用される規制の抜け穴を見つけて、マーズ・パスファインダーなどの宇宙探査計画を、低予算で数多く推進したのである。[2] アメリカの18FやデジタルサービスUSDS）のような新設機関は、技術革新をインターネットなみの速さで進めるために、緩慢で複雑な政府の雇用・契約・調達などのプロセスをハッキングした。イギリスとカナダでも、政府の科学技術者はそれぞれの国で同じように行動している。

お役所仕事は、それに抵抗する人々からもハッキングされる。順法闘争といって、ストライキ未満の労働争議戦術がある。悪意を込めて規則を遵守する、つまり規則を厳密に守ることで逆に業務を立ちゆかなくさせる手段だ。想像に難くないだろう。認められている休憩時間を残らず使い、業務は退社時刻を厳守して切り上げるのである。看護師なら、職務内容に含まれていないとして電話に出ないという手もある。この戦術は、何十年も前から有効性が実証されていて、1920年代チェコの作家ヤロスラフ・ハシェクが第一次世界大戦中の出来事を描き、1920年代に出版された未完の風刺小説『兵士シュヴェイクの冒険』にも登場する。

順法闘争の一部は、まぎれもないハックだ。なにごとも公式な手順で実施すると主張する、もっともらしい理由をつけて書類仕事を何倍にも増やす、あらゆる規則を厳守する……。言うまでもなく、規則の体系を自己矛盾に追い込むことが狙いだ。1980年代、マレーシアにはセワ・パディ(sewa padi)という小作料の制度があった。原則として、地代は収穫後に徴収され[3]、作物の品質によって異なっていた。そうなると小作農は、監督がゆるければ、正式な収穫が始まらないうちから夜間にこっそりと収穫しておき、実際の収穫期には穀物の一部を除外することができた。あるいは、脱穀を雑にやって、穂に残った米をあとから回収し、作物被害を過剰に申告することでその差を埋めることもあった。大部分は不正に当たるが、なかにはハッキングとみなせる戦術もある。政府は、この脆弱性を埋めるためにセワ・トゥナイ(sewa tunai)という新しい制度を制定。地代は固定額になり、徴収も植え付け前に改められた。

これと同様のハックはありふれている。１９０２年、当時フランス領インドシナの中心地だったハノイで、ネズミを撲滅しようとしてそのしっぽに報奨金を支払ったことがある。[4] 人々はすぐに抜け目ない策を思いつく。ネズミを捕らえたらしっぽだけを切り落として逃がし、もっと繁殖させてまた捕らえることにしたのだ。１９８９年には、メキシコシティーが空気汚染対策として、ナンバープレートの奇数と偶数で車を二分し、一日交替で走らせようとした。[5] ２台目の車を購入する人が続出し、その多くは中古車で汚染の原因を増やすだけだった。さらに最近の例としては、ナイロビでウーバーのドライバーたちが、会社に手数料を支払わずに済ませるハックを考案している。[6] 乗客がＵｂｅｒ《ウーバー》アプリでドライバーを予約すると、その時点で走行料金が設定される。呼び出し場所に車が着くと、ドライバーと乗客は示し合わせて「カルーラまで」という符丁で動きはじめる。乗客は乗車予約をキャンセルし、料金の全額を現金でドライバーに支払うのである。

ボーイング７３７ＭＡＸで起こった大惨事は、規制当局と規制産業との癒着がもたらした規制上の過失としては、特に顕著な事例だ。ボーイング社が７３７ＭＡＸ機に導入していた操縦特性補助システム（ＭＣＡＳ）に対して、連邦航空局（ＦＡＡ）が実施した検査が十分ではなかったのである。この過失が原因で、７３７ＭＡＸはインドネシア（２０１８年）とエチオピア（２０１９年）で立て続けに墜落事故を起こし、あわせて３４６名が犠牲になった。

ここでのハックをありのままにお伝えしよう。規制官庁は、平均的な市民の利害を代理する専門家でなければならない。私は航空機の安全性に関しては門外漢だ（安全性ということなら自動車や食品についても同じだし、薬効についても詳しくない。銀行がどうやってバランスシートを管理して経済を安定させているのかも知らない）。そういう専門知識を政府が規制官庁という形で提供し、規制官庁が私に代わって私を守る。こうした監督機構が、ここでは阻害されているのである。

　事故の分析によって、規制上の瑕疵《かし》が明らかになっている。ＦＡＡはＭＣＡＳを独自には検査せず、ボーイング側のシステム評価に頼っていたのである。ＦＡＡには専門知識がなく、その安全監督部門は作業の大半をボーイング社に委託していた。機体の検査に当たった技師が点検作業を自分で保証することも認められていた。技師から安全上の変更を求められたとき、ＦＡＡの部局長がボーイング社の側につくこともあった。[7] そのうえＦＡＡは、ボーイング社が認可手続きを短縮して機体の販売を急げるように、規制の免除まで行っていたのである。[8] こうした事実を総合すると、この事故で浮き彫りになった全貌が見えてくる。ＦＡＡの規制プロセスが航空業界によってハッキングされ、その結果として規制の虜、ゆがんだ動機、倫理的ジレンマ、安全管理上の危険な過失などが蔓延する環境が作り出されたのである。

　２０２１年、司法省は二度の墜落事故に関連する刑事責任をめぐってボーイング社と和解する。罰金は25億ドルだった。相当の金額に思えるかもしれないが、ボーイング社から見れば軽微な罰だ。ＦＡＡ側の罰金は2億４３３０万ドルで、市場アナリストによれば些少の額にすぎない。しかも、安全上の問題に関わる組織ぐるみの過失について信用できる報告があったにもかかわらず、ボーイング社は刑事責任を問われることもなく、過失を認める必要さえなかったのである。

　ボーイング社と規制官庁の間のこうしたなれ合いを見ても、規制当局と規制産業の間では職務の分散が必要であることが分かる。なんといっても、規制産業において責任ある行動と成果を保証する責務は規制官庁にあり、産業側の自己証明に依存しすぎてしまえば、長期的に利害の対立を生み、政府の監督能力の低下を招くことになる。それだけでなく、規制官が業界で職を得る場合には十分な冷却期間を置くようにして、規制官個人の職掌をさらに制限する必要もある。規制官が公職を離れ、規制される側の企業で職に就くとなると、ゆがんだ動機の発生を許し、公益とは相反する利己的な規制につながるからである。

29章　ハッキングと権力

ハッキングは、権力を行使する方法のひとつだ。ハックは、それを使うハッカーに力をもたらし、あるシステムにおける他者に犠牲を強いる。他の全員が犠牲を強いられることも多い。ハッキングを動かすのは、ハッカー自身の目的であり、規則などクソくらえである（ティーンエイジャーのコンピューターハッカーが自分の好奇心を満たそうとする典型的な場合でも、本質は同じだ。好奇心はおおむね無害なものだが、プライバシーの目的を損ねていいわけではない）。

力のない者がハッキングするのは、目の前の権力構造をくつがえすためだ。お役所仕事の網をくぐるため、あるいは個人的な利益を得るためである。世の人の大半は、自分たちの暮らしに影響するグローバルなシステムについて何の発言権ももたない。だから、やむを得ずシステムをハッキングする。至るところで、人は厄介の原因になるシステムをハッキングする。こうしたハッキングは、行政からの負担となるような、エリートや国によるハックに対する当然の反応ともいえるのだ。

そういうと、ハッキングとは以前からの権力に対して優位に立とうとして敗者の側がしかけるものと考えがちだ。だが、権力者が自らの優位をさらに強化しようとして手がけるほうが、実はずっと多い。

先に述べたように、アメリカの銀行は専門の法務チームを組んでドッド・フランク法の抜け穴を突き止め、その隙を突いたうえ、3年間にわたって多額をつぎ込んでロビー活動を展開した末に、それを常態化した。巨大な規模と財力のおかげで、銀行はこうした脆弱性を狙えたのであり、その財力で手にした権力のおかげで抜け穴は合法化したのである。

しかも、弱者と権力者とでは、ハッキングのしかたに違いがある。犯罪者、反対派、組織化されていない市民——つまり主流を外れた人々のほうが動きは速い。新しいシステムを短時間でハッキングでき、そこから集団としての力を拡大しやすい。しかし、体制側が自分たちを縛るシステムをハッキングする手段を見つけたら、そのほうが行動の実効性は高い。そもそも実力が大きいので、ハックで得られるものも大きい。政府でも大企業でもその点は同じだ。

ハッキングに力関係《パワーダイナミクス》があるように、ハックを常態化する段階にも力関係がある。権力者（たいていは富裕層とイコールだ）のほうが、自分たちのハックを長続きさせる態勢が整っていて、後ろ暗い行為を常態の一部へと移行するのが得意だ。ヘッジファンドやベンチャーキャピタル資金など、ありとあらゆる節税対策は、そう考えることができる。

これには、構造的な理由がある。第一に、税制の抜け穴を巧妙に利用するには、好待遇の弁護士と会計士が必要になる。第二に、裕福な人や組織ほど隠しておきたい資金が多いので、抜け穴を見つけて悪用する動機が大きい。第三に、税制の抜け穴は法的にグレーな部分で運用されることが多い。財力で劣る層には、税務当局に対抗するだけの資金力がないのである。そして第四に、運用がゆるいと富裕層の租税回避が責任を問われにくい。

ここから一般論が導き出される。ハッキングに成功するには、特殊な専門知識が必要になることが多い。そうでなければ、同じ専門知識をもつ人を雇えるだけの資金か、専門知識をもつ人がハッキングできるようにシステムの形を変えられる資金が必要だ。いずれの場合も、権力をもつ裕福な人や組織のほうが有利であり、大規模にハッキングをしかけて定着させる態勢を整えやすい。

ここには、社会的な力関係もはたらいている。主流を外れ軽視されている層や、力の弱い階級、人種、性別に属する人々はハッキングを実行しにくく、仮に実行したとしても逃れにくい。犯罪を犯すかもしれないが、それは同じことではない。女性は柔順に規則に従うよう教育され、白人男性は可能なら規則を破るよう教わって育つ。ハッキングと権力について考えるとき、これは考えなければならない重要な点だ。

権力者は、弱者によるハッキングを阻止しやすい立場でもある。順法闘争などの労働運動戦術は、今日あまり一般的ではなくなったが、その背景には権力者が労働組合の力を徐々に削《そ》ぎ取ってきたという経緯もある。経営者全般が、労働組合の組織化に難色を示し、労働組合に反対する法律や判決を支持するようになっている。そのあおりで、多くの従業員が不当に解雇されるおそれもある。順法闘争を展開するには、労働組合に所属しているか、不当解雇から保護されていなければならないので、順法闘争のような戦術は時代とともに廃れていったのである。

ジョージタウン大学のジュリー・コーエン法学教授が、「権力者は規制を害とみなし、それを回避する」と書いている。[1] 言わんとしているのは、権力者は規則を迂回できる資金力をもっているということだ。ひとたびシステムを、つまりは、望んだとおりにふるまうのを妨げられる規制プロセスをハッキングしなければならないと理解すると、権力者はそのための適性を伸ばしてきた。銀行業でも金融市場でも、そして高級不動産でも見られたことだ。

２０１６年、オバマ大統領がメリック・ガーランドを連邦最高裁判所陪席判事に指名したものの、上院がその投票すら拒否した例を思い出そう。これは、上院の承認プロセスをくつがえしたハックだ。私が興味深く思うのは、このハックが常態化されたかどうか分かっていないことだ。分かっているのは、その4年後、エイミー・コニー・バレットが最高裁判所陪席判事に指名されたときには、共和党多数の上院が迅速にバレットを承認し、しかもそれが問題視されなかったことである。大統領の属する政党と上院で多数の政党が一致していない、いわゆるねじれ議会の状況で、次に最高裁判事の空席ができたとき、どんな判断が下されるかはまだ分からない。共和党多数の上院が、はたして同じことを繰り返すのか。そうなったとき、民主党に対抗する余地はあるのか。そのいずれかの答えがイエスだとしたら、ねじれ議会の状況が発生していないときにしか最高裁判所の判事は任命できないことになる。この経緯で分かるように、上院は最高裁の承認システムをハッキングできる力を持っているからである。

力を持たない弱者、つまり低所得者や障害者、独裁的な国における政治上の反対派などの手によるハッキングが成り立ちにくい理由は、まさにここにある。ハッキングは違法と判定され、ハックは不正になる。かつて低所得者が利用した税制の抜け穴は、日本の国税庁にあたる内国歳入庁（ＩＲＳ）によってふさがれている。座り込み《シットイン》や怠業《サボタージュ》といったストライキ戦術は、１９３０年代に一般的だったが、今では連邦法で保証されていない。ハックともみなされなくなっている。だからといって、弱者はハッキングが不得手だという意味ではない。ただ、常態化までもっていけるほどハックが効力を発揮しないのである。

システムを調べるときには、その利益を誰が受けるか、誰が受けないかに注目するといい。なんらかの形で不利益を被る人々が、そのシステムをハッキングする。それは権力者と弱者の双方だ。そして、どちらもハッキングによって制約を逃れようとするものの、実行に長けているのは、そして狙いどおり制約を免れるのは、権力者のほうなのである。

30章　規制を蝕《むしば》む行為

利用者の立場からすると、ウーバーはタクシー会社だ。[1] タクシー会社のように見える。タクシー会社のように動いている。だが、ウーバーに、あるいは同業他社に訊いてみれば、タクシー会社でも同業組合でもないという答えが返ってくる。あくまでも、車を運転する人と車で移動したい人とを結ぶインターネットサービス企業なのである。登録しているドライバーは個々に契約した個人事業主であって従業員ではないことになっている。ウーバーも、ドライバーは管理していないと主張する。ドライバーのスケジュール調整とタクシー料金の処理はウーバーが担っているが、それは便宜以上のものではない。ウーバーの言い分によると、少なくとも政府の各種規制が及ぶ範囲では、同社は車といっさい関係ないのである。

ライドシェア（配車）アプリは、タクシー業界に対するハックであり、ひいては社会として短距離輸送の需要に対応しようとする試みに対するハックだ。[2] そのビジネスモデルのもとでは、免許制のタクシーおよびリムジンを規制している何十という法律、たとえば労働者保護や安全性に関する法律、消費者保護法、認可や料金についての規定、公共財をめぐる法律などを回避することができる。タクシードライバーは、身元調査が義務付けられている。ウーバーとリフトのドライバーにその規定はない（もっとも、最近になってしぶしぶ規定を設けている）。タクシー会社は最低賃金を払わねばならず、市域全体で同時期に運行できる車の台数にも上限が設けられている。ウーバーとリフトはその規制を受けない。同様の話はいくらでも続く。

すべては、2012年に始まった。以来、ウーバーは、[3]従来のタクシー会社に対する優位を確保しつつ市場を圧倒しつづけている。2021年の時点では、72か国の1万を超える都市で営業しており、一日あたりの利用回数は1900万回に達する。登録ドライバーの数は350万、[4]毎月のアクティブユーザーは9300万に及ぶ。それでも、いまだに黒字転換していない。

世界中の地方自治体が、ウーバーのタクシー市場に対するハッキングに利用されている脆弱性を埋めようと試みており、一部には成功した例もある。2017年、欧州連合（EU）の司法裁判所はウーバーを運輸業と規定し、同社が運輸上の規制を逃れる根拠としているテクノロジー企業という主張を否定した。翌2018年には、イギリスの控訴院がウーバーのドライバーは従業員であり、同社の言うような個人事業主ではないという決定を下す。またフランスの破棄院でも、2020年に同様の判決が下されている。アメリカでは、2019年にカリフォルニア州で、ウーバーや同様の企業が労働者を従業員として扱うよう定められた。訴訟が次々と起こり、今もなお続いている。他の市や州も同様に取り組んでいるが、この問題に関しては各地の規則より州の定めが優先されているケースがほとんどだ。

ホテル業界で成功している類似のハックが、エアビーアンドビー（Airbnb）だ。[5]エアビーアンドビーの宿泊施設は、ホテルとは違うものの、短期宿泊という目的は同じである。だが、実際にはホテル会社ではないので、エアビーアンドビーの客室には従来のホテルに課されている法律や規制が適用されず、したがって宿泊税の対象にもならないと同社は主張している。施設を所有しているわけではないので、あくまでもテクノロジー企業だというのだ。実際の施設を所有しているのは契約先の個人事業主であり、税金を負担するのも地域の規制に従うのも、所有者の義務となる。その義務が履行されない場合が多いことは言うまでもない。

地方自治体は、エアビーアンドビーが宿泊税を負担しない状態をなし崩しに認めている場合も、抗議している場合もある。なかには、規制を通じて同社の営業拡大を制限している自治体もあって、エアビーアンドビー側はそれに対して訴えを起こしており（営業は続けたままで）、法廷の争いは長期化している。しかも、エアビーアンドビーは宿泊施設の所有者を草の根ロビー活動に駆り出すことも多い。各所有者に宛てて檄を飛ばし、地方自治体が営業の機会を阻害していると訴えたり、具体的に会合の情報を送って参加を促したりしているのだ。

以上は、いわゆる「ギグエコノミー」のほんの二例にすぎない。労働法や消費者保護法といった法律や規制のハッキングを狙うのがギグエコノミーの特徴だ。タスクラビット（TaskRabbit）、ハンディ（Handy）、ドアダッシュはいずれも同じハックを採用している。アマゾンもそうで、配送に使っているのは基本的にウーバーと同じように個人所有の車だ。やはりドライバーは個別契約なので、従来の配送ドライバーに適用される法律はことごとく無視されている。

企業が規制をハッキングすること自体は、今さら驚くには当たらない。ここで重要なのは、特にライドシェア、短期レンタル、短期融資といった企業になると、規制のすり抜けがビジネスモデルの根幹になっているという点だ。「破壊的《ディスラプティブ》」といわれるギグエコノミー企業の多くは、競合相手である「普通」の企業と同じ規制の遵守を迫られれば、まったく立ちゆかなくなるのである。その結果、こうした企業も、必然的にベンチャーキャピタルの出資者たちも、その規制と争うために信じられないほどの多額を積極的に投じている。ここからは、2つの影響がある。ひとつは自明だ。規制を遵守している競合他社がその分だけ不利になる。そしてもうひとつ、このような企業は、今のまま規制の回避を続けられる（つまりは、ギグワーカーを低い給与水準のまま搾取しつづけられる）、あるいはギグワーカーを丸ごと機械に置き換えられるということを長期的な収益の前提と考えている。

ギグエコノミー企業が頼みの綱としている脆弱性に、州政府や地方自治体はパッチを当てようと試みているが、それに対する各社の対応を見ると、今後の動きも予想できそうだ。2018年のカリフォルニア州最高裁判所の判決と、前述した2019年の州法を受けて、ギグエコノミー企業数社は共同で住民投票の実施を提議する（プロポジション22）。従業員の分類、最低賃金、失業保険、健康保険など、数々の従業員保護関連法からギグワーカーを除外するよう求めるものだった。ウーバー、リフト、ドアダッシュを中心とするギグエコノミー各社は、2億ドルを費やしてこの住民投票を支持し、賛同したほうが得だとして住民を説得する。住民投票は2020年に可決され、労働者保護に動いたカリフォルニア州の取り組みは後退することになったのである。闘いはまだ終わっておらず、本書が刊行される頃には、さらに進展していることだろう。

企業と業界が、その利益を制限される規制をどうハッキングしているか、語り出せば本を丸一冊使っても足りないくらいだろう。そこで、ここではあと2つ例を出すにとどめよう。アメリカには、低所得者を対象にした「ペイデイローン」という短期融資の制度がある。[6] たいていは、小額を驚くほど高い利息で貸し出している。この制度を利用した債務者の5分の4は、期間延長や借り換えを繰り返しており、元本・利息・手数料という悪循環に陥っているため、平均すると年利は400％を超え、そこに手数料も加わる。各州はペイデイローン業界の規制に乗り出しており、利息も下げてきているが、業界の各企業は終始、その規制を迂回する方法を見つけつづけている。たとえば、事業を多角化し、次の給料日には完済しなければならないローンに代わって、分割返済方式のローンを打ち出す。こうすれば、厳密にはペイデイローンに該当しないからである。あるいは、ローン仲介業も展開する。[7] 仲介業者になれば、手数料が規制の対象にならないのだ。モンタナ州では、この業界の悪しき習慣をほとんど制限できるはずだった新しい規制が、トランプ政権時代の消費者金融保護局（CFPB）によって一蹴されている。[8]

もうひとつあげるのは、コロナ禍の事例だ。パンデミックの発生に伴い、アメリカとカナダは必要不可欠な移動を除いて両国間の国境を封鎖。空路は利用できたが、陸路については細かい規制が実施された。これで困ったのが、カナダ在住で冬になるとアメリカに移動する「避寒者《スノーバード》」たちだったが、抜け穴もあった。[9] 貨物は例外だったのだ。この貨物の抜け穴を利用して、オンタリオ州ハミルトンのとある運送会社は、顧客の車をアメリカまで運ぶサービスを開始する。車はバッファロー・ナイアガラ国際空港まで輸送し、客はヘリコプターで運んで空港で車を拾ってもらうのだ。このサービスを使える余裕がある人は、国境封鎖を完全に逃れていたのである。

規制があれば必ず、その制約を受ける人がいる。通常なら、規制は有益な目的で機能するのだが、ときには旧態依然としたかつてのイノベーションに有利な、時代後れの発想が反映された規制もある。新しい企業は、そうした規制に存在する脆弱性を見つけようという動機から、規制の一字一句を守りながらもその精神には真っ向から反するハックを生み出す。どんな規制も必ず不完全だったり矛盾があったりするものなので、そうしたハックに対しては脆弱性を露呈するのである。

以上のことから、大きな疑問がひとつ浮上する。資金力と高度な技術力をもち、政治的にも老獪《ろうかい》で、はなから規制のハッキングを前提として存続しているような企業を相手に、そのハックをどうやって防げばいいのか。この場合に、賢明で回復力もあるソリューションとはどんなものなのだろうか。

セキュリティ対策としてひとつ考えられるのが、実施に先立って新しい規制のレッドチーム演習を行うことだ。フィラデルフィア在住の弁護士で、ペイデイローンの債権者に助言も行っているジェレミー・ローゼンブラムによると、業界は常に規制介入より早く新しい金融商品を開発しつづける必要があるのだという[10]。「この市場で事業を営んでいくなら、CFPBが規制を作る場合に備えて代替戦略も考慮しておく必要がある」。これは、この第4部で取り上げてきたどの企業とも共通する哲学だ。それに対抗するには、規制の取り組みを積極的に進め、想定される脆弱性と業界の対応をあらかじめ検討しなければならない。そうすれば、規制当局は十分に備えたうえで、社会にとって有害な業界の動きや金融上のイノベーションを抑えることができる。

もうひとつの対策が、反復と瞬発力だ。こうしたハックを事前に防ぐための規制が実施されるだろうと想定するのも、ときには確信するのもけっこうだが、社会に有害なイノベーションが不意に登場することにも規制当局は備えなければならない。そのためには、規制対象の当事者を監視しておき、規制後に出現する新しい商品を取り締まるべく迅速に対応する必要がある。最初のうちはうまく回らないこともあると考えておくべきで、いざ出現したときには、できるだけ速やかに脆弱性すべてにパッチを当てる必要がある。

31章　管轄権の相互関係

「ダブルアイリッシュ・ダッチ・サンド」は、シスコ、ファイザー、メルク、コカコーラ、フェイスブック（現メタ）といった企業が国税を免れる目的で使っていた税制上の抜け穴だ。原因は、国境をまたぐ関係で存在する法律の限界にあった。海外の子会社を巧みに利用し、その間で権利と収入のどちらも移動することによって、アメリカの大企業は国際的な収入に対する税金を逃れることができる（アメリカでも、個人の場合は収入を得た国に関係なく総収入が課税対象となるので、この抜け穴を使えるのは法人だけである）。

これは、世界中に存在するタックスヘイブンに関係する数々のハックのひとつにすぎない。世界各地での租税回避によってアメリカが被っている損失額は毎年２０００億ドル近くに達し、これはＧＤＰの１・１％に当たる。[1] 全世界の税収における損害は、見積もりによって異なるが５０００〜６０００億ドルと言われている。[2] こうしたハックで注目に値するのは、複数の国の法律に存在する一連の脆弱性の相互関係が利用されている点だ。

これに対しては、明解かつ透明をめざすことが解決策となる。アメリカでは、28の州とコロンビア特別区が、州の法人税について合算申告制度[3]を採用しており、これが国内で複数の管轄にまたがる利益の移動を防いでいる。この制度のもとでは、企業とその子会社が利益の総額（この場合は、「国内」利益の総額）と、各管轄（つまり州）で営まれた全事業の比率を申告しなければならない。各管轄は次に、申告された比率に比例して配分した利益に対して課税する。こうすれば、管轄権の相互関係と利益の移動を通じて納税義務を回避するのを防ぐことができる。このアプローチで、以前は国内のタックスヘイブン状態によって消えていた税収が10億ドル以上の単位で戻ってきている。

だが、この改革でも広く他国にまたがる利益移動と租税回避は解決されていない。第一に、合算申告制度を採用している州のほとんどが（例外として目立つのがモンタナ州だ）、海外での利益の開示は義務付けていない。そのため、国内で得た収入を海外に移動していれば、その分は課税対象にならないのである。第二に、前述したようにアメリカの法人税は海外で得た利益を対象としていないため、連邦全体としては租税回避と海外への利益移動を助長する結果になっている。

２０１７年税制改革法で、この問題へのおざなりな対策として定められたのが国外軽課税無形資産所得という規定だ。海外タックスヘイブンにおける非課税の利益について、10・５％の表面税率で支払いを求めている。だが、これも多国間での利益移動を止めることにはほとんど成功していない。

今のところ、この問題の解決策として最善と思われるアイデアも、やはり明解かつ透明をめざすものだ。国際合算申告義務（ＭＷＣＲ）と呼ばれており、はなはだしく複雑な管轄間の課税問題を解決する、いたって単純な考え方だ。国内の合算申告制度と同じように、企業とその子会社は全世界での総収入と、管轄ごとの全事業の比率（売上額で表される場合が多い）を申告するよう求められる。各管轄は次に、申告された比率に比例して配分した利益に対して課税する。

本書の執筆時点で、バイデン政権とOECD（金持ちな先進国の集まりだ）はどちらも、MWCRのような制度の実現をめざしていた。OECDの発表によると、企業が「本国」でしか課税されない現在の制度を改め、多国籍の大手法人に対してそれぞれの地域で得た利益の15％以上を課税するという案に、2021年の段階で130の国と管轄が合意している。バイデン大統領の提案もこれと似ているが、適用される営利団体の範囲をさらに広げている点が異なる。これらの案がどう進展するか、それを各企業が従来と同じようにどうハッキングしようとするか、今後の動向が注目される。

なかには、このように管轄の違いを利用する一種の裁定取引《アービトラージ》を歓迎するために、自国の法律を曲げてグローバルな顧客層を呼び寄せる国もある。たとえば、「便宜置籍船《べんぎちせきせん》」と呼ばれる船舶登録制度がある。船舶の所有者が、船の保守に関する規則を回避し、労働法を無視して、石油流出などの環境破壊についても責を免れられるようなしくみだ。歴史的に、船は自国の旗を掲げると、その国（旗国）の政府から保護を受けると同時に、その国の法律に従うとされていた。20世紀はじめ、パナマは料金を支払って同国の旗を掲げることを万人に認める。これがリベリアやシンガポールなどの他国にもすぐに広まり、バヌアツ共和国など天然資源に乏しい小国にとっては奇貨となった。こうした国では、法律がほとんどないか手ぬるいので、船舶の所有者にとっても好都合のハックだった。1950年代から2010年代までに、このような「便宜置籍」は4％から60％にまでふくらんでいる。1994年の国連海洋法条約では、「旗国と船舶との間に真正な関係」が必要であると定められた。にもかかわらず、それから25年たった今日でもなお、この規定の解釈については議論が続いている。

企業がデラウエア州で法人を立ち上げようとするのも、似たような理由だ。デラウエア州は19世紀の終わり頃から税法の方向修正を始め、ニューヨーク州のようにもっと大きい、繁栄した州から企業を誘致できるように変えていった。やがて、アメリカ企業にとっての「国内」タックスヘイブンになったのだが、それは事業を展開しやすいだけではなく、いわゆる「デラウエアの抜け穴」[4]があったからだ。デラウエアの親会社が所有している無形資産については、まったく税金が徴収されない。そのため、ロイヤルティーのような収益であれば、実際に事業を営んでいる州から、親会社のあるデラウエアに移してしまえば[5]、税金がかからないのである。もちろん、実際に事業が営まれている州にとっては相当額の損失となる。この抜け穴によって、残り49州の損失額は毎年およそ10億ドルにのぼっている[6]。

ここで使われているハックは、企業が船をパナマに登録したり、デラウエア州で創業したりすることではない。そのような管轄地域が、特異性をことさら訴えるために、管轄権に関する規則を都合よく利用している点こそがハックなのである。他の州に対抗するという形で、デラウエア州は連邦が定める州間通商規則の意図を妨げている。同じように、便宜置籍も国連海洋法条約の意図にそむいているからだ。

以上の例はいずれも、規制する側より大きい組織によって可能になったハックだ。企業は、デラウエアの州内だけでなく州外でも事業を展開するのが普通だ。海運企業の事業もグローバルで、パナマ一国よりはるかに大きい。今では、同じことが技術系の大手《ビッグテック》にも見られる。ビッグテックに拮抗できるだけの取締範囲をもつ公的機関はひとつとして存在しない。フェイスブックのような企業はグローバルで、にもかかわらずそれを取り締まる規制は国内にしか及ばない。情報時代に適した規制の構造がまだ存在せず、そのために企業は管轄の隙を突いたアービトラージで利益をあげられるのである。

32章　行政的負担

ときには、ハックが必要性の産物として、逆境と、適応を迫られる状況から生まれることもある。ひとつの戦術がうまくいかなったら、次を試す。「行政的負担」もこうして生まれた。政策に対するハッキングの一手法だ。具体的にいうと、失業保険や、政治的に紛糾しやすいアメリカのメディケイドのような社会福祉制度に対するハッキングである。こうした政策の反対派は、まず全面的な禁止をめざす。だがそれができない場合もある。賛同を得られなかったり、憲法上の煩雑な規定が立ちふさがったりするからだ。

そうなると、人は創造性を発揮する。政策実施の担当者であれば、従うのが困難をきわめるくらい法律を難解にすることもできる。言葉を換えるなら、政策と、その政策を利用しようとする人をお役所主義的なハードルによって身動きできないようにするということだ。待ち時間の引き伸ばしや膨大な数の書類に始まり、めんどうくさい申請システム、頻繁な個別面談、お粗末なウェブサイトなど戦術はさまざまだが、狙いは共通している。極端に面倒な負担を強いて、本来ならその給付を受ける資格のある人が乗り越えられないほどにするのである。負担を強いられる人の多くは、貧困や健康不安、低学歴、不安定な住宅事情といった問題に苦しんでいる。この現象を、公共政策の専門家であるパメラ・ハードとドナルド・モイニハンは「行政的負担」と命名した。[1]政治上のハックのひとつである。

その格好の例になっているのが、フロリダ州の失業保険制度だ。[2]デサンティス知事の顧問のひとりによると、この制度は意図的に「給付を受けるのも資格を維持するのも難しく」してあるという。申請のプロセスは全面的にオンラインに移行したが、そのシステムがほとんどまともに機能していない。2019年の監査でも、このシステムは「頻繁に誤ったエラーメッセージを表示」し、申請書類をまったく提出できないことも多いと指摘された。[3]書式からして複数ページにまたがっており、氏名や生年月日など情報の一部を入力したら次のページに進む必要がある。ところが、このときウェブサイトが落ちることが多く、手続きは振り出しに戻ってしまう。しかも、ウェブサイトにアクセスできる時間帯は限られており、[4]申請者は「申請確認」のために2週間ごとにウェブサイトにアクセスし直さなければならないのだ。

このシステムで特に苦しめられたのが、コロナ禍で職を失った450万のフロリダ州民だ。2020年、たくさんの人が何時間も、ときには何日間も書類の提出を試みた。[5]データによると、最終的に240万の失業者が不透明な州のシステムによって不適格と判定され、しかもCARES法(コロナウイルス支援・救済・経済保障法)の失業補償についても資格が制限されてしまった。

行政的負担のなかには、政策の実施方法をめぐる考え方の違いに端を発していて、いかんともしがたいものもある。給付金を交付するシステムを設計するときには、二種類のエラーを想定しなければならない。ひとつは資格のある人が給付を受けられない事態、もうひとつは資格のない人が給付を受けられる事態だ。一方の可能性を抑えようとすれば、もう一方の可能性が高くなる。給付金の申請と受給を簡単にすれば、資格のない人がシステムをすり抜けて受給にありつくのも必然的に容易になる。逆に審査プロセスを厳重にして無資格者の申請と受給を防ぐと、資格のある人を却下してしまう可能性が必然的に上がることになる。政策に応じて、相反する結果のどちらかを選ぶ必要があるのだ。

行政的負担を故意に作り出すのは、これを極端に推し進めるケースだ。資格のない人を締め出すかわりに、資格のある人の多くが申請をあきらめるくらいにまで、受給に伴う負担を引き上げるのである。受動的に見えて実は攻撃的な給付の拒否なのだ。

アメリカでは、最高裁で合法とされて以来50年間、妊娠中絶をめぐってこの手段の実例が見られた。州として中絶を全面的に禁止する法律を可決できなくなると、中絶禁止支持派は行政的負担を使いはじめた。解釈上は合法であるにもかかわらず、中絶の利用を実質的に難しくしたのである。たとえば、一定の待ち期間、強制カウンセリング、頻繁な診察、親の同意、エコー検査などを義務付けた。中絶反対が最も強硬だったのはルイジアナ州で、1973年以来、妊娠中絶に関して実に89件もの規制が設けられている。[6] なかには、診療所に対する煩雑な免許規定や、ごく些細な書類上の不備だけでもただちに閉鎖するという規則まである。1992年、連邦最高裁判所は「女性が妊娠中絶を求める過程に実質的な障害を設け」てはならないという判決を下した。[7] それ以降の30年間は、議論の焦点が「実質的（substantial）」という言葉の解釈に移っている。

そのほかにも例は多い。「女性、幼児、子供」（WIC）プログラムは、政府による栄養支援プログラムだが、購入できる食品に関して、くどいほど細かく、冗談かと思えるほど複雑な制限が設けられている。たとえば、ブランドの違うベビーフードを組み合わせてはならないという規定があったりする。この行政的負担の効果はてきめんで、ＷＩＣを実際に受給しているのは、受給資格のある家庭の半数に満たない。[8] アーカンソー州でも、メディケイドの資格について就労条件を設けたために多くの人がその資格を失っている。しかも、就労条件を満たせなかったからではない。必要な書類手続きに対応できなかったのである。

以上はすべて、裕福な権力者がシステムをハッキングして、一般市民が犠牲になった例だ。結果として、それを逆転させられるだけのスキルもリソースも時間ももたない人々が不公平な損害を受けることになった。

司法介入を除くと、納得できる解決策を見いだすのは難しい。こうした行政的負担を作り出しているのが、ほかならぬ政治上の権力者だからである。それでも、外部組織による独立の評価基準やシステム監査を利用して、行政的負担の規模と影響度を判定できれば、部分的な解消にはなるかもしれない。行政的負担によって生じる問題に直接対処できるわけではないが、影響を受けるグループ（特に法的に保護されている階層）に対する影響を質の高いデータの収集・分析・可視化によって定量化すれば、議員を動かしたり、草の根的な圧力を作り出したりできるのではないか。それ以外の解決策となる、私には見当もつかない。

33章 コモン・ローをめぐるハッキング

第4部で取り上げている複雑なシステムは、規定が過剰か不足かのどちらかになりがちだ。いわゆる「厄介な問題《ウィキッド・プロブレム》」である。つまり、複雑すぎて従来の分析手法では解決できない問題[1]をいう。自ずと、解決策は反復型にならざるをえない。しかし、反復型の解決策はハッキングされることがあり、ハックを利用して進化することもある。

ハックは、システムの規則との対立を伴う。だが、その規則が解釈の余地を残していることも多く、その解釈が変わることもある。これを探るべく、まさにそのように進化していく法体系について考えてみよう。コモン・ローである。コモン・ローは、ハッキングの繰り返しを通じて適応していく大規模なシステムの好例であり、将来のモデルにもなる。システムに最初から組み込まれており、効果を発揮する。

１７６２年、著述家であり学校長も務めていたジョン・エンティックが、イギリス政府に対する名誉毀損に当たる論文を執筆したという容疑をかけられた。国務大臣の指示のもと、国王の使者らがエンティックの自宅に押し入り、数百点の図版や冊子を証拠として押収する。これは前例のない動きであり、エンティックは不法侵入でこの使者を訴えた。

今ではもうハックとは思われないが、当時としては不法侵入に関する法律の運用として、意図されたものでもなければ、予期されたものでもなかった。これ以前、不法侵入に関する法律の目的は、一般市民がお互いの私有地に侵入するのを防ぐことだけで、役人は対象になっていなかったのだ。警察には、推定に基づいて個人宅を捜索する権限があったが、これは独自の条文によって定められていた。エンティックは、私有地で安全を保障される個人の権利のほうが、それより優先されると主張したのである。この法律をどう適用するかというそれまでの規範を、エンティックはひっくり返したことになる。同法をめぐる革新的な、というより過激な解釈だった。

イギリスの法廷は、エンティックのこの法解釈が妥当であり優先されるとして、こう判決した。[2]「英国の法律に従い、私有地へのいかなる侵入も、たとえどれほど些細であろうと、侵入とみなされる」。このときの判例によって、侵入に関する責任の概念は国務大臣やその配下にまで拡大された。このとき以降、これはイギリスのコモン・ローの一部になる。エンティックは侵入に関する法律をハッキングした。法律の文言には従っているが意図も予期もされていなかったひとつの解釈を示したのである。裁判所もそのハックを認め、法に取り込んだ。エンティックは、個人の市民的自由を確立して国家権力を制限するという点で、画期的な先例となったのである。アメリカでは、この判例の理想は修正第4条に活かされている。

ハックは有益な場合もあるということだ。既存の規則あるいは規範の意図には反していたとしても、それより大きな社会契約に反しているとは限らない。エンティックの例の場合、私有地における市民の安全を保障することで、また個人宅のプライバシーを何者にも、いかなる理由でも侵害されないようにすることで社会契約が増強されると、裁判所は判断した。ハックは、社会の他の部分を犠牲にすることでハッカーに利益をもたらすが、ときにはその犠牲が最小限で済むこともある。社会契約の精神のうちに収まるのであれば、ハックはイノベーションとなり、システムのほうもそれを吸収して利益を得られるのである。

このような場合、どれかひとつの統括機関が以上のような判断を下すわけではない。複数の法廷が、数多くの判例に対するいくつもの解釈を整合したうえで、新しく出現したハックに当てはめようと試みるのである。コモン・ローにおける規則というのは、複雑で不完全なものであり、ときには矛盾のかたまりだ。通常の制定法と同じように、ひとつの目的に向けて作られているわけではない。繰り返しを重ねながら進化していく。多種多様な人々によって積み重ねられるが、その人々はそれぞれシステム全体に対して独自の目標をもっている。このように大勢によって運用されるシステムでは、現状の課題と転換を決定する別種のメカニズムが必要だ。コモン・ローは基本的に、こうやって機能しているのである。

ここであらためて定義しよう。コモン・ローとは、判例という形で司法上の判断をもとに成り立っている法である。立法府によって可決される成文法とも、政府各機関によって制定される規制法とも違う。コモン・ローは、成文法より柔軟性に富んでいる。時間がたっても一貫性を保つが、裁判官の判断によって進化することもできる。過去の判例を再適用したり、判例との類似性に基づいて判定したりすることもあれば、新しい状況に合わせて過去の判例の形を変えて応用することもあるからだ。基本的には、合法と確定された、つまり今後の判例となる一連のハックが、進化になっていく。

特許法を例に考えてみる。特許法は制定法に基づいているが、細部の大部分は判例に基づく規則で成り立っている。特許は億単位の価値をもつことがあり、訴訟も日常茶飯事だ。特許には大金がかかっているので、システムのハックは後を絶たない。ひとつだけ、特許の差止を例にあげよう。特許権者が特許を侵害されたとき、裁判所で最終的な判決が出るまで、ただちに差止を請求して、その侵害を止めることができるという考え方である。2006年まで、差止請求は簡単だった。そのため、大企業、特にテクノロジー企業大手にとっては、競合を避けるための頼もしいハックになっていた。小規模な競合他社に対して、製品の販売を停止するか、そうでなければ特許権者に膨大な特許料を支払うよう強いる目的で差止請求が使われていたのだ（恐喝まがいの行為だと指摘されることも多い）。

差止請求のハックについては、[3]テクノロジーおよびオンラインオークション会社であるメルクエクスチェンジ（MercExchange）が、同じオークションサイトのイーベイを訴えたときに判定が下されている。イーベイが、オンラインオークションのシステムでメルクエクスチェンジの特許を侵害しているという訴えだった。連邦最高裁判所は2006年にこれを取り上げ、特許差止請求に関する規則を改めて、この脆弱性にパッチを当てた。差止が妥当かどうかを判定する際には、これまでより厳格に4つの要件の立証を適用するよう、各裁判所に命じたのである。

法律は、決して完全なものではない。グレーゾーンや盲点、空白などが、時代や社会の変化とともに明らかになっていく。抜け穴、漏れ、誤りは制定法にもコモン・ローにも発生することがある。何者かが既存の法律に手を加えて、そうした抜け穴や漏れを生み出し、その法律の起草者が意図も予期もしていなかった形でなんらかの優位に立とうとする。そうすると、別の何者か、たいていはそのハックによって相応の不利益を被る者が、裁判でこのハックに異議を申し立てる。裁判官が中立的な仲裁の立場をとって、そのハックが正当か不当かを決める。不当とされた場合には違法となり、事実上このシステムにはパッチが当てられる。正当とされた場合には、コモン・ローの一部となり、したがって合法とみなされる。コモン・ローは本来、判決システムのハックなのである。そして、コモン・ローにおける決定は、広範な判例や原則を独創的に応用したり解釈し直したりして、今度はそれ自体が、解決できなかったことを解決する社会的なハックとなる。

法が新たな環境、新たな展開、新たな技術に適応していく過程はハッキングである。法律の専門家は誰ひとりとしてハッキングとは呼ばないが、基本的には間違いなくハッキングだ。コモン・ローも、一連のハックと決定の繰り返しにほかならない。法律を絶えず改善するためにハッキングの力を駆使する、最良のシステムといえる。時間をかけて法律が適応していく過程がハッキングなのである。

もうひとつ例をあげよう。中世のイギリスでは、地主貴族が十字軍で遠征に出かけるとき、不動産の名義を誰か信頼できる人の名前に書き換える習慣があった。不在のあいだ、その代理人に土地の管理を委ね、領主への納税など継続している義務の履行に努めてもらうのである。これが問題の種になることがあった。地主が十字軍の遠征から戻ってきたとき、代理人として信頼していた人が土地の名義を戻すのを拒むことがあったのだ。これも法律に対するハッキングだった。土地の売買は十字軍の目的に含まれていなかった。

この事態を解決するために、権利を侵害された地主は大法官とその裁判所に訴えを起こす。大法官が示した解決策は新しい権利を作ることだった。それによって、この脆弱性にはパッチが当てられたことになる。当該の不動産には二人の所有者がいてもよいとこの大法官は判断した。法的な所有者、つまり元々の名義人と、衡平法上の所有者、つまり公平に(つまりエクイティの観点で)見て土地を所有している人である。衡平法上の所有者は、土地を利用するなどでその不動産から利益を得られる。この場合、十字軍に参加した地主が法的な所有者に当たり、代理人が衡平法上の所有者に当たる。主な利害関係者の動機が両立する容易なパッチだった。地主貴族は財産権を維持したいと考え、十字軍から帰還した場合には請願当事者として強力で、共感を得やすかった。

現在も、これと同じような権利の分配は、コモン・ローをもつ国の多くで見られる。アメリカでは、法律の問題と衡平法《エクイティ》の問題の間に今も残っていて、財務に関する信託という形が可能になっている。原則的に、信託(とそこに含まれる資産)の所有者はほかの人であり、「真の」所有者であり受益者である自分は、その資産からの報酬を受け取ることができるのである。

34章　進化としてのハッキング

　ユダヤ教正統派は、戒律のハッキングがお家芸だ。安息日に労働することは戒律で禁じられており、ユダヤ教の安息日は金曜日の日没から土曜日の日没まで続く。「労働」には火をつけることも含まれるが、この規定があらゆる「火」をおこすことにまで、はては電気を必要とすることにまで拡大されている。私のいとこは、まだ自宅にいた頃、テレビの電源にタイマーをつないでいた。タイマーの設定で自動的に電源をオン・オフでき、操作が不要になっていたので、あとの問題は金曜日の日没前に起こるチャンネル争いだけだった。公衆の場でものを持ち歩くことも禁止されているので、外出するときに家の鍵を持つこともできない。だが、宝石類は「持ち歩くもの」ではなく「身に着けるもの」とされており、宝石と一体化した鍵なら持ち歩くことができる。

　家庭内でならものを持ち歩いてもかまわないので、地域によっては、その全域の周囲に「エルブ」と呼ばれる丈夫なワイヤーをめぐらす[1]ことがある。半共用空間という伝統的な定義に対するハッキングであり、エルブの境界内まで「家庭」に含まれるように再定義しているのだ。

　ユダヤ教徒でなければ、この戒律に縛られることはない。私が子どもの頃に通っていた礼拝所では、意図的にユダヤ教徒ではない人を守衛に雇っていた。安息日に、ユダヤ教徒にはできない雑事をこなしてもらうためだった。ただし、直接ものを頼むことは禁じられている。「ヒーターをつけてくれますか？」とは頼めないので、かわりに「少し寒いね」という。同じように、戒律に忠実なユダヤ教徒になるとエレベーターに乗ったとき「5階を押してくれませんか？」と頼むことはできず、「5階は押してあるかな」と大声で叫ぶ。イスラエルでも厳格な地域では、安息日になるとエレベーターは自動的に各回に停止するようになっている。[2]

このように、文字どおりには戒律に従いながらその精神を軽んじるいろいろなやり方を、子どもの頃にはうさんくさいと感じていた。だがこれこそ、2000年以上も続くユダヤ教の戒律が時を重ねて今日まで適応してきた手法なのだ。これはハッキングであり、それより何より、変化しつづけるユダヤ教社会にそのハックを融合させてきた結果なのである。

ハッキングの真髄は、まだ利用されたことがない斬新な「故障モード」を見つけることにある。それが実際に通用すると、予期されていなかった結果が生じる。

これが重要な点だ。ハッキングとは、システムに対してしかけられる悪質な操作だけではない。ハックが功を奏すると、ハッキングされた社会は変化する。繰り返し使われて定番になったハックなら、なおのことだ。システムにパッチが当てられてハックが禁止されることもあれば、システムが拡張されてハックを取り込むこともあり、いずれかの結果としてシステムのしくみが変わる。ハッキングとは、システムを使う当事者が、新しい技術、新しい概念、新しい世界観に対応して、そのシステムを良い方向に変えようとするプロセスだ。これが、「進化としてのハッキング」である。

現代の銀行や超高速取引、高級住宅の例でも見られたし、おそらくはギグエコノミー企業の業務の大半でも見られたことだ。そして、今もなおそれは続いている。今では、安息日にスマートフォンを使えるようにするブルートゥース機器もある。[3] ボタンを押すと常時微量の電気が流れるようになるので、押しても電源を入れたことにはならないというのが、このハックの肝だ。ユダヤ教の戒律でも、これなら許されるのである。

うまく使いこなせば、ハッキングは敵対相手もプロセスに巻き込んでシステムの進化を促す。使い方を誤れば、ハッキングはシステムの破綻を加速させかねない。システムの欠陥が露呈して利己的な目的に利用され、システムの攪乱をもたらすからである。

システムが存続するには、イノベーションが不可欠だ。柔軟性を失ったシステムはハックに対応できず、したがってうまく進化できない。政治学者のフランシス・フクヤマも、同じ論拠で持論を展開している。[4] 国家も組織も、特定の環境条件に順応するように変化していき、環境が変わったときに進化できなければ衰退するか征服されるかの道が待っているというのである（その例としてフクヤマはオスマン帝国をあげている）。現在の政治学研究でも、裕福な権力者を代表する保守層が社会の進化を認めなかったら、その政治システム全体が破壊されないと示唆されている。[5]

それほど破壊的な力だが、これを権力構造の最下層が使いこなせば、社会を変える原動力にすることもできる。そうして起こるのが革命だ。ハッキングは弱者の武器でもあり、しかも貴重な武器なのである。

一例だけあげてみよう。人は、法人格の概念をハッキングしていて、それが自然や大形類人猿、さらには河川の権利を獲得する目的にまで拡大されている。そもそも、法人格という概念[6]それ自体が、公民権や市民の権利に関する規則を定めた合衆国憲法修正第14条に対するハッキングだ。

ダーウィン流の進化では、どのハックが生き残り、どのハックが死に絶えるか、つまり淘汰は母なる自然が決める。母なる自然は、冷酷で残忍なこともあるが、えこひいきはしない。社会システムの進化では、権力者が力をもち、ハックの自然淘汰を決めることとさえ多い。これが是正されなければ、ハックがシステムの進化を後押しするのを許すことになり、現状の不公正がそのまま続いていく。これからの社会的ハッキングは、進化を促す力と公益重視の考え方とを融合したものでなければならない。そうならなければ、私たちは社会システムの崩壊を目にすることになる。そしてこれも、「進化としてのハッキング」なのだ。

ハッキングの比喩としてもっと分かりやすいのは、外来生物種だろう。環境が異なれば、そこで進化をとげる生物種も異なるが、それぞれのなかでは捕食者、被捕食者、環境、その他の要因のバランスが保たれている。ある生物種がもともとの環境から別の環境に持ち込まれると、その生物はそれまでと違う環境を、斬新な方法で食い物にしはじめる。もとの環境で抑制要因になっていた捕食者が新しい環境にはおらず、その座につく生物もいないかもしれない（フロリダ州で増殖したビルマニシキヘビがそうだ）。あるいは、その成長を抑止する環境要因が存在しないかもしれない（クズは東アジア産で、寒冷な気候にならないアメリカ南部で問題となっている）。新たな食料源が、その生物種から見れば不自然なほど豊富なこともある（そうして増えたのが、貪欲なアジア産のコイだ）。その結果、外来種は空前絶後の速さで増殖していく。

ハックも、これと似たようなものだ。機能面で一足飛びの進歩をとげ、無防備なエコシステムに入り込んでいく。外来種は、エコシステムが偶然にも正しい防御策をとれば死に絶えることもある。

だが、逆にシステムを圧倒する可能性もある。最終的に壊滅的な状態に至った場合には、「エコシステムの崩壊」と呼ばれる。ハックが強大すぎて、エコシステム全体を破壊してしまうのである。

第5部

政治システムのハッキング

35章　法律に隠された条項

ロシアのＳＶＲ（対外情報庁）がソーラーウィンズ社にハッキングをしかけ、オリオン（Orion）ソフトウェアのアップデートにバックドアを忍び込ませた事例を先に紹介した。このときには、１万７０００を超えるユーザーがその不正アップデートをインストールし、ＳＶＲがネットワークにアクセスするのを知らず知らずのうちに許してしまった。脆弱なネットワークは数多くあるので、ＳＶＲがそのすべてに対して侵入を試みたとは考えにくい。そうではなく、脆弱なネットワークの宝庫を吟味して、特に見込みの高そうなものを選んだのである。

　これは、いわゆる「サプライチェーン攻撃」の一種だ。ＳＶＲは直接それらのネットワークのいずれかを狙ったわけではなく、そのネットワークすべてで使われているソフトウェアシステムを攻撃したからである。サプライチェーンを攻撃し、同時に多数に影響を及ぼすという点で鮮やかな手口といえる。このほか、同種の攻撃としては、グーグルプレイストアをハッキングして偽のアプリを公開した例や、ネットワーク機器を郵送の途中で奪取[1]して盗聴機能を組み込むといった例（ＮＳＡがこれをやったことがある）が知られている。

立法プロセスに対するハッキングも、同じように考えることができる。前章までで確かめてきたのは、いったん可決された法律でハッカーがいかにして脆弱性を見つけ、どう利用するかという事例だった。ハッカーは、立法プロセスそれ自体を標的にすることもある。オリオンのアップデートがハッキングされたように、ハッカーは審議中の法案に意図的に脆弱性を組み込むことができ、その法律が可決すれば実際にその脆弱性を悪用できる。

ある意味では、ここまでに話題にしてきたハックよりも上位のハックといえる。これから語るハックは、法律や規制に存在する脆弱性を見つけるのではなく、その法律や規制を作る、そのプロセス自体を狙うものなのだ。

単にシステムをハッキングするだけではなく、システムにパッチを当てる手段をハッキングする。法律には抜け穴が当たり前に存在するが、そのほとんどはハックといえるものではない。それより枠の広い規則に対する意図的な例外であり、なんらかの政策目標を支える目的で作られている。あるいは、一部の有権者に向けた宥和策の場合もあるし、他の議員に対する譲歩の手段として使われる場合もある。その一例が、スターバックスのロビー活動[2]に後押しされた2004年の法律だ。コーヒー豆の焙煎を国内製造業と分類する法律であり、もっと一般的なレベルでいうと、スポーツ界のリーグのように企業間の協調を必要とする産業の「自然独占」を独占禁止法の適用外とすると[3]いう法律である。これは、意図も予期もされていなかったわけではない。法律を制定・討論・可決するシステムの裏をかいているわけでもない。だから、ハックには当たらないのである。

かといって、抜け穴を作り出す立法プロセスがいつもハッキングされないという意味ではない。何者かが作為的な表現を盛り込んだ文言を法案に加えれば、それまでだ。その文言で他の法律に言及していれば、複数の法律が錯綜して、部外者からは予見も予期もできない結果を生み出すこともある。

ロビイストというのは、金のあるスポンサーの利益のために、こうした予期されない結果をひねり出すことを旨とする人種だ。2017年、税制改革法が草案段階だったときには、ワシントンDCのロビイストの半数以上が、専門は税をめぐる問題だと発表している。数にすると6000人以上であり、[4]議員一人が11人を抱えているよりなお多い計算になる。

たとえば、2013年に議会を通過した連邦債務上限交渉では、「2013～14年」という年限を消して「2015～16年」と加筆する趣旨の一文があった。一見すると無害そうなこの規定は、トム・ハーキン上院議員の発案によるもので、教育を扱う非営利団体ティーチ・フォー・アメリカにとっては隠れた恩恵となった。[5]これによって、教員課程にある学生を優遇する別の法律も年限が2年延長され、ティーチ・フォー・アメリカの新人もこれに該当したからである。

2020年、コロナ禍における経済刺激策として予算2兆ドルのCARES法が可決された。880ページから成るその法案の203ページで、不動産投資家の損失補填に関して変更があった。[6]この減税措置は、当時のドナルド・トランプ大統領をはじめとする不動産業界の大物に対して年間170億ドルを優遇するものだった。それをまかなうのは税金である。この規定がコロナ禍とまったく無関係だったことも、この優遇措置がコロナ禍以前にまでさかのぼって適用されることも問題視されなかった。極秘のうちに速やかにこの規定をすべり込ませた手際の良さが功を奏したといっていい。CARES法案は、最終稿の完成から1時間たらずで投票にかけられたが、共和党の関係者がその完成寸前にこの変更を加えたのである。[7]

このときの脆弱性は、法案があまりに長大かつ複雑であり、効果や影響が曖昧な規定も多かったところにある。その隙を突いたエクスプロイトが、議員たちに気づかれることなく法案に規定をすべり込ませるという行為だ。この手のはかりごとには、法案への影響に加担しているという意識の有無にかかわらず一定数の議員の共謀が必要だと考えたくなるのが普通だ。だが、関係者たった一人が見とがめられることなく成しとげることもできるし、ロビイスト一人が最終的な文言を作り上げることさえ可能なのである。

この種の行為は、当たり前になりすぎてもはやハックとも呼べなくなってきた。近年の傾向として、上院でも下院でも実質的な影響力が各立法委員会を離れて政党指導者たちの手に集中しており、それに伴ってこうした密室での不透明な立法プロセスが助長されている。[8]このような現状に加えて、議会を通過する法案は数が減って規模が大きくなっているため、特定の個人や業界に有利な「隠された条項」が発効する余地が十二分にある。アニメシリーズ『ザ・シンプソンズ』にまで、ピエロのクラスティが国会議員に選出され、航空交通管制法に関する書き換えを法案に忍び込ませて、孤児たちにアメリカ国旗を贈るというエピソードがあったほどだ。[9]

これをすべて是正するのは容易ではない。法律の言葉はコンピューターコードにたとえられるが、この2つは作られ方も使われ方もまったく違う。コンピューターコードは総合的なプランに従う人のグループによって書かれ、それを指揮するのはたいてい一つの企業か一人の個人だ。プログラマーはコードの本来の機能を理解しているし、そのとおりに機能しない条件、機能できない条件も把握している。そして、コードに存在するバグを修正できるのも、プログラマーだけだ。

法律となると、こうはいかない。法律はどんなレベルでも一点に集中していない。民主主義社会では、法律は利害の異なる多くの人によって書かれる。目的も違えば、その法律のあるべき機能についての考え方も違う。全体のプロセスとして、どんな法律に投票しようとしているのかをたとえ全員が理解しているとしても、ある人にとってのバグは、別の人にとって必要な機能だったりする。

隠された条項とそれに伴う脆弱性の問題を緩和する方法はある。条文の最終稿が発表された段階で法案の見直しに十分な時間をかけることを、上院でも下院でも義務化すればいいのである。費やす時間は法案の長さに比例すると決めるのもいいだろう。隠された条項も、ひとたび発見されて厳重なメディアによる精査を受けたうえで、変更を求める十分な時間と十分以上の政治費用をかけてから発布すれば、もはや「隠された」状態ではなくなる。特に重要な法案については、見直しと修正要求にかける最低限の時間を適切に設定すれば、少なくとも検閲を通らないような隠された条項を白日のもとにさらせる可能性はある。

アメリカでは、下院の合理化に向けた97項目の一環として、[10] ２０１９年に議会現代化特別委員会がこう提案している。「修正案によって法律がどう変わるか、法案が現在の法律にどんな影響をもつかをアメリカ国民が簡単に追跡できる新しいシステムをまとめる」というのである。要するに、立法に関する修正履歴ということで、初期からある「比較公開プロジェクト」の拡大版ということになる。

めざすのは、法律上の変化を目でとらえて理解できるようにする[11]ことなので、隠された規定も検出しやすくなる可能性がある。もちろん、これで問題を解決できるわけではない。まして、特別委員会が提案しているのはそのしくみを「下院の全議員」に拡張することまでなのだが、それでも望ましい方向への一歩には違いない。これを一般にまで広げ、立法の見直しに十分な時間をかける措置も組み合わせれば、さらに希望がもてそうだ。

時間を十分にかけても、それで足りるわけではない。隠された条項を人々が発見する動機付け《インセンティブ》も必要だ。ソフトウェアの脆弱性で紹介したような脆弱性報奨金制度《バグバウンティ》と同じしくみが立法の世界にもあれば、私たちすべてに役に立つ。審議中の法案で脆弱性を見つけたら市民に報奨金を払うのである。このしくみが特に有効そうなのは、税制に影響する法律だろう。見込める税収を考えれば、報奨金は微々たるものでしかない。

ほかには、法案に関するレッドチーム演習も考えられる。専門チームが（私企業または裕福な権力者の役を演じて）審議中の法案に「ハッキング」をしかけ、まだ見つかっていない脆弱性を発見しようと努めるのだ。

報奨金制度もレッドチーム演習も有望そうだが、実は現代の法制度が抱える根幹的な問題にぶつかる。法案はどちらかというと少数の議員やロビイストによって密室で作られることが多く、抜け穴の多くは意図的に残されるという現状だ。レッドチームが税制法案を見つけたとしよう。では、それはバグなのか機能なのか？　判断する立場にあるのは誰なのか？　その根拠は？　そのうえ、法案の多くは発表されるとすぐに議会を通過するため、一行一行を読んで理解することは誰にもできない。レッドチーム演習が実現するには、それに取り組み、結果に対応する十分な時間がなくてはならないのだ。

たとえば2017年の税制改革法は、最終稿が議員の手に届いてからわずか数時間後に投票が実施された。これは意図された結果だ。起草者は、専門家が十分な時間をかけてこの法案をさまざまな角度から検証するのを忌避したのである。同じように、CARES法は2020年12月21日の午後2時に発表された。[12]草案は5593ページにのぼったが、下院を通過したのが午後9時で、その日の深夜には上院も通過している。この対策で計上された1100億ドル[13]の「優遇税制延長」はさほど精査されず、「ビール、ワイン、蒸留酒の製造業」の物品税は恒久的な減税の対象になっている。議員の多くは、CARES法に税制上の抜け穴がいくつも存在することに気づかなかったのである。[14]

コンピューターのスピードで条文を読んで理解し、法律が実施される前にハックを見極められる、そんなAIの登場を待つしかないのかもしれない。そうなれば、この問題の解決につながる可能性は高い。だがそのときには、等しい可能性で新しいハックも生み出されるはずだ。

36章　可決が必要な法律

ひとくちに法案といっても、重要度は同じではない。自然災害やパンデミック、安全保障上の脅威といった外的要因に対応するための法案や政府予算案は、可決が必要な法律とみなされることが多い。こうした法案には、議員が政策の変更を盛り込む余地がある。付加条項といわれ、単独では成り立つことのない条項だ。支持を得られない、公益に反する、特定の利益団体に有利な形でゆがめられている、あるいは政治的な操作や取引の結果である、などの理由からだろう。

可決が必要なこうした法律に、関係の希薄な付加条項を添えると、議員は政治的に扱いの難しい条項について、精査や反発、それに伴う投票を回避できる。可決されたのは全体的な法律だと堂々と主張できるのである。このハックは珍しいものではなく、法律の本来の機能を損ねる。新しい法律は個別に提案されたうえで、個別に投票されるべきなのだ。

例を3つあげる。

・1982年から84年にかけて、可決が必要な政府予算案に一連の付加条項が添えられた。いわゆるボーランド修正条項で、ニカラグアのコントラに対するアメリカの援助を差し止めるものだった。

・２０１６年の農業および食料支出案には、「大型葉巻および高級葉巻」をＦＤＡ（食品医薬品局）が規制するのを禁じる付加条項が盛り込まれた。

・２０２１年、知的財産の著作権に関する3件の法案が、まったく無関係な一括歳出予算案に付加された。著作権に関する措置は、熱心な技術推進派やテクノロジー企業大手から広く反対されて棚上げされていたが、範囲が広く複雑で、可決を要する法律に付加することで実施に至った。

この手のハックがエクスプロイトとして利用するのは、大統領がひとつの法案における個別の条項については拒否権を発動できないという事実だ。付加条項の有無や数にかかわらず、選択肢は、法案を全体として拒否するか認めるかしかない。同時にこれは、議会の委員会での手続きに対するエクスプロイトでもある。議会全体としては、関連委員会で承認されないかぎり、法案について投票はできないからだ。つまり、委員会の委員であれば、おおっぴらにでも密かにでも、法案に付加条項を差し込めるのである。

この悪習に歯止めをかけようとする試みもあったが、ほとんどが不発に終わっている。クリントン政権時代の１９９６年、議会は大統領に個別条項拒否権を付与したが、これは１９９８年に違憲と判決された。有効だったおよそ1年のあいだに、この個別条項拒否権は82回発動されている。違憲を訴えた勢力の一部は、じゃがいもの生産業者で、業界に有利な付加条項に対してクリントン大統領が拒否権を発動したことがその理由だった。

モジュール型のコンピューターコードの場合、独立した個々のモジュールが1つの機能を実行する。その構造があるからプログラムは回復力をもち、保守や診断がしやすくなっている。法律でも同じように、処理する個別の問題が多くなければ、ここで紹介しているハックに対してそれほど弱くはない。これが、法律や憲法の条文における「単一主題」原理を支えている理論[1]、つまり法律は1つの問題のみを扱わなければならないという考え方だ。2021年には「同時に単一の主題(One Subject at a Time)」という法案が提出され、その後も議会は何度となく試みを続けているが、一度も可決には至っていない。

　各州のレベルになると、あまり関係のない付加条項の制限がまだしも効果をあげている。43の州の州憲法で、法律の個々の条項は1つの主題に限るという規定がある。ミネソタ州の憲法ではこうだ[2]。「法律には1つの主題のみを定めること。いかなる法も、主題はその名称で表すこととし、それ以外の主題を定めてはならない」。ただし、こうした制限を設けてもなお、ハッキングの余地は多く残る。コロンビア大学のリチャード・ブリフォールト法学教授は、「ある法案を構成している主題が1つか複数かというのは、『見るものの主観』であることが多い」と論文で指摘している。一方、ミシガン州最高裁判所は、「複数の法案として分割して実施することができない法令は事実上存在しない」という見解だ。一方、ペンシルベニア州最高裁判所の以前の判断[3]は、「どの主題もそれぞれかけ離れているので、共通の論点に持ち込むことはできない。かなり退いた視点で広くとらえたとしても、である」

　もうひとつ防止策となるのは、システムの回復性だ。可決が必要な法律が付加条項に対して特に脆弱なのは、上位の法律が通過しなかった場合にマイナスの影響が生じるからだ。しかし、そうした影響のうち、たとえば政府予算案が通過しないことで起こる政府機能の停止は、明らかに作為的であって、適切な政策で改めることができる。たとえば、議会は政府運営の回復性を強化するために、自動継続決議のプロセスを設けるべきだという主張もある。[4] この決議プロセスがあれば、議会が政府予算案を通せなかった場合でも政府の出資は一定レベルで継続する。可決が必要な法律に対する行動が遅れたときの影響を抑えられるので、付加条項反対派は、付加条項が削除されるまで予算案について反対票を投じやすくなるだろう。

37章　立法の委任と審議引き延ばし

冷戦の終結から数年間、アメリカ議会は全国で次々と軍基地を閉鎖しなければならないという厄介な事態を迎えた。もちろん、容易な処理ではない。国内の基地はすなわち何百人、何千人という雇用の場であり、どの議員も自分の選挙区では基地の閉鎖に合意するはずがないからだ。この難しい判断を回避するために、議会はその処理を政治から切り離すというハックを編み出した。立法の権限を独立の外部組織に委任するために、基地再編閉鎖委員会を設立したのである。委員会は、閉鎖する基地と縮小する基地を選択する権限を委ねられ、その勧告は議会によって却下されないかぎり自動的に発効する。これはうまく機能した。１９８８年以降、同様の委員会は５つ設立され、最終的に３５０以上の軍事施設が閉鎖されている。

このハックによって、議会は政治的に紛糾する難問題を、自らは何ひとつ決定することなく解決している。基地の閉鎖をめぐる判断を下すとき、派閥争いによって生じるゆがみが小さくなる。決定を遅らせかねない規則や手続きの負担も避けることができる。

これは頻繁に使われるわけではない。２０１０年、議会は独立支払諮問委員会（ＩＰＡＢ）を創設した。高齢者と障害者を対象とする公的医療保険であるメディケアの支出削減を目的とした機関だ。通常、メディケアで何かを変更するには議会が動く必要がある。その議会が、圧倒的多数で議会によって否決される場合を例外として、ＩＰＡＢによる変更を認めたのである。このときも、メディケアにおけるコスト削減の実際の投票を避けることが狙いだった。だが、基地閉鎖委員会とは違って、ＩＰＡＢがその任務を完了することはなかった。医療サービスプロバイダー各社が反対し、またこのとき副大統領候補だったサラ・ペイリンなどの政治家によってＩＰＡＢの評価が下がったこともあって、結局5年にわたり一人の委員も任命されないまま、２０１８年にＩＰＡＢは廃止されたからである。

これと似たハックに「空法案《から》」がある。要するに、名称だけで中身がない法案だ。実質的な内容はないが、ワシントン州の議員は会期のたびにこれを大量に提出している。年度の後半になってから議員が立法規則や期限を避けたいと考えたときのための、いわば仮押さえ《プレースホルダー》である。２０１９年の会期最終日、民主党はこの空法案を使って、公的な監督と議論を最小限に抑えたまま銀行税を可決した。

さらに広くいうと、このハックは行政部門への立法の委任という大枠の一部でもある。いわゆる「行政国家」や、立法部門から行政部門に立法権限のかなりの部分が付与される状態は、大多数にとって立法制度に対する不均衡なハックとして映る。にもかかわらず、このハックはたびたび使われているのだ。アメリカでは、毎年３０００から４０００の行政規則が制定されており[1]、議会による立法より圧倒的に多い。その大部分は、機能不全に陥る一方の議会が、まだしも効率的な連邦機関に権限を譲り渡した結果なのだが、一部は議員がさまざまな法律について支持か反対かを明確に示したがらない結果なのである。

この問題の解決策は、明白でも容易でもない。立法部門から見て、行政部門がその規制権限を踏み越えている、あるいは無謀な目標に向かっていると思われる場合、立法側はいつでも委任された権限の範囲を調整する法律、あるいは決定を撤回する法律を可決することができる。それを議会が調整すべきだとする法学者もいる。この習慣を連邦最高裁判所が止めるべきだとする意見もある。

立法責任を手放すのではなく、議員が投票を拒否する場合もある。議事妨害《フィリバスター》は、議員が長々と演説して提案や法案に関する投票を先延ばしし、法律の可決を妨げる妨害戦術だ。アメリカ上院でのフィリバスターが有名だが、イギリスやカナダ、オーストリア、フィリピンなど世界中の立法府でも戦術のひとつとして使われている。

といっても、フィリバスターは最近のハックではない。紀元前60年、ローマの元老院議員だった小カトーが、投票を先延ばしにする目的で、無限に続くような演説を意図的に行っている。元老院は日没までにすべての議事を終わらせなければならなかったので、小カトーが口を閉ざさないかぎり投票に進めなかった。小カトーは6か月にわたってこの戦術を続けたという。常軌を逸した長さだ。

アメリカでフィリバスターが可能なのは、ひとえに規則に存在する脆弱性が原因で、その脆弱性はそもそも別の立法規則の変更に伴う偶然の副産物だった。1805年、当時のアーロン・バー副大統領が、上院では手続き上の規則を減らすべきだと宣言。その勧告に従って翌1806年に、つまりバーが副大統領を退いたのちに廃止された規則のひとつが「先決問題の動議」だった。立法に関する議論の打ち切りを定めていた規則だ。それから30年以上もたった1837年に、「先決問題の動議」が存在しないという脆弱性に気づいてそれを利用する者が現れた。1917年、討論終結《クローチャー》という規則によって議論を打ち切れるようになって、この脆弱性にはパッチが当てられた。そのため、クローチャーが発動されないようにフィリバスターを維持しつづけるには、止まることなく演説を続けることが必要になったのである。1975年になってようやく、上院議員の5分の3以上、つまり60人以上の多数決で演説打ち切りを求められるという現在まで続く規定が追加され、発言時間に関する規定はなくなった。これは、ハックを是正したパッチの隙を突いたハックであり、これを変えるには次のハックが必要になる。

フィリバスターは、立法制度の裏をかく。立法機関は少数派《マイノリティ》の権利を尊重することになっているが、同時に多数決の原則も守らねばならない。だが、現在のフィリバスターはこの関係を逆転させる。議員60人以上の支持がない場合には、少数党がフィリバスターを使って法案の立法プロセスを停止させられるからであり、実際にそれが問題の検討や討論を妨げる。こうした状況は、上院における少数党だけでなく、社会における少数派の権利も害している。歴史的に、フィリバスターが特に頻繁に使われたのは[2]、人種間の平等を推し進める法律を阻止するときだったからだ。

アメリカでは現在、フィリバスターが常態になっている。上院では、議員が何日間も何か月間もフィリバスターのために話しつづける必要はないというゆるやかな規則が設けられている。投票を遅らせるためにフィリバスターを行使するという意図を宣言しさえすればいいのだ。だが紀元前60年のローマでは、元老院の規則を作った誰ひとりとして予期も意図もしていなかった戦術だった。熱弁をふるって議事を妨害するというのは、当時の規則の裏をかく行為であり、元老院の存在目的、すなわち投票による立法を妨げるものだったのである。

審議を引き延ばす戦術は、フィリバスターだけではない。イギリスでは下院の議員が、下院を非公開で招集するという動議を提出できる。国家の安全保障に関わる問題のために意図されたものだが、審議引き延ばしの戦術として濫用されており[3]、最近では2001年にも使われた。日本の国会では「牛歩戦術」が知られている[4]。投票の列を進むとき極端に歩みを遅くして、投票プロセス全体を遅らせようとする。戦術的に用いれば、次の会期まで法案を棚上げにすることができるのである。イタリアでは、2016年の憲法改正案が議会に提出されたときに8400万件――誤字ではない――の修正が追加された[6]。これも、投票を先送りにしようという意図だった。

この種のハックについて是非をどうとらえるかは、統治システムの主な目的を政治上の責任遂行と考えるか、それとも平等で効率的な政策決定の実現と考えるかによって違ってくる。政府は、大多数の明確な支持があって初めて、あるいは徹底的に審議を尽くして初めて行動すべきだと考えるのであれば、少数党が交渉のテーブルにつくために利用できるので、引き延ばし戦術も妥当ということになるだろう。一方、政府はもっと積極的に動くべきであり、まず差し迫った政策変更に速やかに対応し、有権者の判断には後から向かい合う必要があると考えるのであれば、少数党が立法に対して拒否権を発動できる手段を加えるのは実にまずいということになる。

解決策は多種多様だ。基盤となるシステムにパッチを当ててハッキングを不可能にする方法もある。アメリカの例でいえば、フィリバスター行為の排除だ。ハッキング実行のコストが高くつくようにして、頻繁に使われなくする方法もある。今のところ、フィリバスターを維持するのは容易だ。上院の議場で何時間も何日間も演説しつづける必要がなく、フィリバスターを行使する意図を表明するだけでいい。フィリバスターを阻止するには多数派の側が60票を集めなければならないので、フィリバスターは続けるより阻止するほうがずっと難しい。改正案はいくつか出されているが、特に注目に値するのはシンクタンク「アメリカン・エンタープライズ・インスティテュート」のノーマン・オルンシュタインからの提案だ。方程式を逆転させた発想で、フィリバスターを阻止するのに60票を必要とするのではなく、維持するのに40票が必要だと定める。多数派は数日または数週のあいだ会期中の上院を24時間態勢にしておくことができる。一方の少数派は、いつでも投票に応じられるように、それこそ議場の近くに寝泊まりするくらいの臨戦態勢で臨むことが必要になる。そういう効果を狙っている。

38章　ハックが置かれている文脈《コンテキスト》

私が本書で論じているのは、ハッキングという複雑な概念だ。ハックが常に悪いものだということではない。望ましくないとか、対策が必要だということでさえない。ハックとは基盤となるシステムの裏をかくものだと認識し、その行為が有害か有益かを判断すること――私たちにいま必要なのはそれである。

たとえば、税制に対するハッキングの話をした。その例の大半は、税制に存在する脆弱性（抜け穴）をハッカー（会計士や税理士）が偶発的に見つけるところから始まる。

２００４年のアメリカ雇用創出法では、言葉づかいが甘かったため、[1]税制に脆弱性がいくつか生じ、資金力のある企業はそれをいいように利用した。なかでも顕著だったのが国内製造業に対する控除だ。狙いは国内製造業者の国際的な競争力を後押しすることにあったが、「製造業」の定義があまりにも広かったのである。「2つ以上のものを組み合わせること、または組み立てること」――この条文に、あらゆる種類の企業が便乗した。ワールド・レスリング・エンターテイメント（WWE）は、プロレスのビデオを製造しているという理由で資格を主張する。食料品店は、青果に熟成促進の化学物質をスプレーしていると、薬局は写真プリント室があると、それぞれが根拠を主張する。ある詰め合わせギフトのメーカーは、ワインとチョコレートをひとつのボックスに組み合わせていると理由を付けた。政府は控除をめぐってこの会社と争ったが、敗訴している。

今となっては確かめようもないが、[2]問題になったこの文言は、ロビイストの圧力に応じるために、また可決には議会で票を集める必要があったために、議員によって意図的に盛り込まれたように思える。同法における優遇措置はこれだけではなかったが、意図せぬ影響としては特にこれが大きかった。優遇措置として強く支持されたため、この規定は２０１７年まで残っていたが、同年に適格事業所得控除が導入されて廃止されている。

単純な事例から複雑な事例に目を移していくと、個々のハックについて是非を判断するのは難しくなってくる。アイスホッケーのルールで、厳密にいうと「意図」とは何を指すのか、スティックの先端を曲げたのはそのルールの改善と改悪どちらだったのか？　先端を曲げたことでパックのスピードが上がれば、[3]試合はさらに盛り上がる。だが高速のパックは危険で、ケガも増えることになる。全米ホッケーリーグはスティック先端の湾曲率を指定するルールを定め、安全性とスポーツマン精神のバランスを図ろうとした。このルールは１９６７年から何度か改正されており、それもリーグがこのバランスを調整してきたためだ。最初は最大１・５インチまで認められていたが、やがて１インチ、２分の１インチと小さくなっていき、現在では４分の３インチになっている。

製造業に対する税制上の優遇措置について、過剰に広い文言を作った議員の意図となると、さらに判断は困難だ。一部のロビイストが立法プロセスをハッキングし、濫用されると知りつつ、故意に曖昧な条文を議員あるいはその配下に託したのだろうか。議員の誰かが、法人税は本質的に悪いものだという信念をもち、委員会の審議で見過ごされると分かったうえでこの文言をすべり込ませたのだろうか。あるいは、単に書き方が下手だったのだろうか。

ハックが改善になるかどうかは、それを判断する人の立場によっても違ってくる。抜け目のない起業家なら、自分の利益のために規制上の抜け穴を利用するだろう。顧客も満足するかもしれないが、政府にはいい迷惑かもしれない。

ハックとは、システムの規則に従いながらもその意図をくじく技術だと先に定義した。必ずしも悪いものばかりではない。すでに見てきたように、なかには有益なイノベーションになるハックもある。最終的には常態化され、システム全体を改善するからだ。中国では、１９８０～９０年代の改革派政権が、私有財産権への反対[4]をかわすためにハックを利用した。居住者に対して、期限70年だが更新可能な借地を認めるなどの措置を進めたのだ。中国共産党の規則には従っているが、その意図を完全にくじくものだった。

ハックが改善か改悪のどちらだったのかを、ハッキングされたシステム自体が決めることはできない。もっと一般的な上位の統括システムの存在が必要だ。ハッキングの定義は文脈《コンテキスト》によって異なるからである。

ＡＴＭは、銀行システムという広いコンテキストのなかに存在する。アイスホッケーのルールは選手、リーグ、ファン、社会という広いコンテキストのなかで成り立っている。本書で取り上げている例は、銀行、経済、法律や立法、そして人間心理そのものなどに及んでおり、いずれも社会という広いコンテキストのなかにある。私たちの立場、関係性、欲求、価値観、目標といったものだ。

そうすると、自ずと疑問がわいてくる。「意図」を定義するのは誰かということだ。ハックが有益かどうか、あるいは阻害されたシステムのほうが優れていたかどうかを、誰が決めるのだろうか。これはいたって複雑な問題であり、大勢が設計に携わったシステムや長時間をかけて進化してきたシステムとなると特に厄介だ。ハックが一部の人にとって有益でそれ以外の人にとっては有害ということは珍しくない。

システム自体のなかでは理解できず、それより高いレベルに立って初めて明らかになる真実がある。どんなコンピュータープログラムも、突きつめれば回路の開閉、つまりは0と1を表す複雑なコードだ。だが、誰もそんなことは意識しないし、誰も機械語を書いたりはしない。人が意識するのは、コードが表しているタスクであり処理である。観たい映画、送信したいメッセージ、読みたいニュースや財務諸表だ。このことを生物学の観点で表してみよう。生命体の特徴を決めている分子構造や化学反応は、それだけを見ると複雑きわまりないノイズにすぎない。その生物についてもっと上のレベルに立ってようやく、そのすべてが生物を生存させる機能につながっていると理解できる。

ここまでの各章に登場してきたいくつもの統括機関は、そういう判定を下すことが仕事だった。システムが単純なら、統括機関はひとつだけ、その目的もひとつだけということもある。ハックを理由にカジノのルールを更新するのは、ネバダ州のゲーミング管理委員会だ。F1レースなら国際自動車連盟、サッカーなら国際サッカー連盟である。

ハックは、システムの意図をくじくのか。それとも実際にはシステムを発展させるのか。そもそもシステムの意図とは何か。答えは（もちろん、ひとつではない）、ただハックとシステムを分析すれば分かるという単純なものではない。それぞれの答えは各自の道徳、倫理、政治的信条などによって異なる。ハックを常態化すべきかどうか、異なる意見にはそれなりの理由がある。とどのつまり、重要なのは誰が得をするか誰が損をするかだ。それについてもまた、政治的に議論が割れる。だからこそ討論というものがあり、おそらくは投票があるのだ。そして、そのどちらにも権力と財力がものをいう。

ひとつ例をあげよう。2020年、トランプ大統領はアンソニー・タタ元陸軍准将を、政策担当国防次官に指名しようとした。これには、上院の承認が必要だ。上院で承認が得られないことが明らかになったとたん、トランプ大統領はその指名を撤回し、[5]かわりに政策担当国防副次官という「職務を遂行する」役職に指名している。そのほかにも、トランプ大統領は上院の承認を迂回するために「代理」という用語を頻繁に使った。1998年の欠員改革法に対するハックだ。では、このハックは上院の妥当な監督義務を無視する悪質な行為なのだろうか、それとも、1200種もの公職を上院が承認するという過剰に広い規定に対する妥当な反応といえるのだろうか。これは、政府の機能をどうとらえるか、その意見によって違ってくるのである。[6]

39章　投票資格のハッキング

選挙では、不正の手段が無数にある。不正投票や、開票の不正操作など、実例は古今東西、山ほど見ることができる。ただし、選挙結果を改竄する最善の手は、直接的な不正ではない。プロセスに対するハックだ。市場や立法のプロセスと同じく、民主主義もその土台になるのは情報と選択肢と主体性である。この3つのどれもハッキングできるし、ハッキングされている。つまり、ハッカーは規則をいじることによって、民主的な選挙の意図をくじくことができるのだ。

投票しないという人は、対象にならない。だからこそ、多くのハックは有権者の主体性に干渉する。

アメリカでは、南北戦争終結後の1870年に憲法修正第15条が批准され、人種、肌の色、過去の隷属状態を理由に男子の投票権を拒否することが違法になった（女性はまだ、投票することも公職に就くこともできなかった）。まもなく、黒人が選挙で次第に大きな影響力をもつようになり、公職に就く例も出てくる。これに憤懣《ふんまん》を抱いたのが、南部白人と、かつて奴隷を所有していた政治上の有力者だ。たちまち選挙手続きをハッキングしはじめ、参政権を得てまもないアフリカ系アメリカ人男性の投票権と政治的権力を規制するようになった（目標を達成すべく、ハックに当たらない手段もいろいろと用いている。暴力や殺人も含めてだ)。

たとえばアラバマ州では、保守派の民主党員が「贖罪主義者《リディーマー》」を自称して団結し、1874年の選挙で実権を握った。[1]不正と議会での暴力沙汰にいろどられた選挙ともいわれている(もちろん、ハックではない)。それ以来30年以上にわたり、アラバマ州ではアフリカ系アメリカ人の政治的な影響力が、巧妙な投票権制限を通じて徐々に削り取られていった。その運動の頂点となったのが、[2]1901年に批准された新しい州憲法だ。その草案には、「当州に白人至上主義を確立する」という目標が掲げられていた。新憲法では、人頭税、財産所有の規定、識字試験など、資格剝奪の規定が導入もしくは強化され、[3]投票権をもつアフリカ系アメリカ人の数が制限された(これはハックだ)。これが効果をあげる。1870年代はじめには1万4000人以上のアフリカ系アメリカ人に投票資格があったが、1903年の有権者登録数は3000人を切るまでになったのである。[4]

「識字試験」と書いたが、この名前はふさわしくない。当時の識字試験は、読解能力の試験といえるものではない。受ければ誰でも不合格になるように作られた複雑怪奇な試験だった。今ならその違憲性が議論になるところだ。だが、このハックのハックたるゆえんは、有権者候補のうち誰をこの理不尽な試験の対象にするかを各地の選挙管理人が自由に決められるところにあった。つまり、選挙管理人は選挙権の拒否を思いのままに発動できたのだ。1964年にルイジアナ州で実施された識字試験は、[5]今でもネット上ですぐに見つかる。たとえば、こんな問題があった。言っておくが、これは本物だ。「この1行目にある単語を1つおきに書き出し、同じ行にある単語を2つおきに活字体で書き［もとの問題文は小さい字で打ってあり、最初の行はカンマで終わっている］、ただし5番目の単語は大文字にせよ」

時間を現在まで早送りする。アラバマ州では今でも、有権者制限のさまざまな手口が使われており、重犯罪人、少数民族《マイノリティ》、移民、田園部の有権者などが選挙で制限を受けている。選挙権を阻む最初の障害は、有権者登録だ。同州では、電子的な有権者登録、陸運局での登録、自動の有権者登録、選挙当日の登録のいずれも、また期日前投票さえ成人有権者に認められていない。州法により、登録時には市民であることを示す身分証を提示する必要がある。この州法は、連邦の捜査が続いているため実施には至っていないが、仮に成立すれば、マイノリティ市民の投票権を不当に拒否する結果になる。マイノリティ層はパスポートなどの証明証を持っていないことが多いからだ。カンザス州も、同じような規則を設けて相当数の新しい有権者を門前払いしている。

歴史的に、アラバマ州では重犯罪人の大半が選挙権を与えられなかったが、この政策がマイノリティの参政権剝奪にも不当に利用されていた。このハックの根拠になっていたのが、かつての「黒人法」だ。南部諸州の多くで実施され、軽度な犯罪（家畜泥棒など）まで重犯罪に分類する法律だった。アフリカ系アメリカ人がこの規定で重犯罪の判決を受けると、二度と参政権を与えられなかったのである。2017年、アラバマ州では黒人法の流れを継いでいた悪習が廃止され、およそ6万の市民が参政権を取り戻す道をつかんだ。ところが、州務長官がこの政策を公表する労を惜しんだせいで、今なお重犯罪人の多くが参政権の復権に気づかないままでいる。また、気づいても復権を果たせないことも多い。行政上の手続きが煩雑なうえに、州や地方自治体の職員も法律の理解が不十分だからである。

一方、知らぬ間に有権者名簿から名前を削除されて参政権を失うこともある。これが適用されるケースとして一般的なのは、最近の選挙で投票していなかった有権者を削除する場合だ。投票に消極的な有権者が、有権者名簿から名前を抹消されないうちに投票所に足を運ぶことはほとんどないため、これは機能している。アラバマ州では、２０１５年以来、投票に行っていない有権者65万8０００人が削除された。

32章で最初に触れた行政的負担はさまざま形で現れる。財力も地位もある人に行政的負担はあまり及ばない。一方、財力も時間も乏しい市民、障害者、政治プロセスに不慣れな人から見ると、こうした規則が参政権の行使をよけいに難しくしている。たいてい、人はその規則を何とか利用しようと苦労して失敗し、投票資格を得られずに終わってしまう。このような規則によってたびたび選挙資格を制限されるのが、民主党の支持層である低所得者やマイノリティなのだ。このハックの影響で、アラバマ州では選挙権のある年齢になった州民のうち、わずか69％しか有権者として登録されていない。

40章　選挙におけるその他のハック

主体性に対するもうひとつのハックは、投票プロセスそのものが中心になる。資格があって有権者登録もされている有権者が、特定の立候補者を支持しないとき、その有権者の投票を困難にして投票できないようにする。その事例の大半は、行政的負担としても分類できるものだ。

憲法修正第15条の批准後すぐに南部諸州が制定した投票制限は、あえて人種には言及せず、それでいてアフリカ系アメリカ人に甚大な影響を及ぼすものだった。最貧層にはとても支払えない人頭税や、祖父の代までさかのぼって南北戦争以前に投票資格があった者にのみ参政権を認める規則などがあった。また、前述したように、設計に悪意があり、意図的に運用されたうえ、恣意的に判定される識字試験もあった。こうしたハックの一部が禁止されたのは、それほど昔のことではない[1]。1964年に修正第24条が、1965年に投票権法がそれぞれ成立し、1966年にサウスカロライナ州対カッツェンバックの判例で連邦最高裁判所が判決を下したときだ。そして、2013年に投票権法の主な部分が最高裁によって違憲と判決されてからは、かつての戦術が復活している。なかでも多いのは、有権者IDに関する法律である。

たとえばアラバマ州では、登録前の有権者は州の発行した写真入り身分証明書を提出しなければならず、それができなければ投票資格を得られない。単純な要件のように見えるが、アラバマ州ではなかなかそうはいかない。資格のある有権者のうち25％は陸運局から16キロメートル以上離れた地域に住んでおり、そのほとんどが車を持っていない。州のなかでも所得の低い層で、それがマイノリティのコミュニティに偏って住んでいるのだ。そこへ来て、州当局は陸運局事務所（運転免許証だけでなく、それ以外の身分証明書も発行している）のうち31か所を閉鎖しようとした。しかも、対象となった事務所はすべて、アフリカ系アメリカ人が住民の70％を占める6つの郡にあった。運輸省の反対があったため、この閉鎖案は最終的に却下されている。それでも、選挙権年齢に達したアラバマ州民のうち10万人以上が、投票資格に使える身分証明書を所持していない。想像できるように、この数字はアラバマ州全土の選挙権年齢人口からすると3％にも満たないが、アフリカ系アメリカ人の選挙権年齢人口で見ると10％を超える割合なのだ。

行政上のハードルを設けることが必要かどうかという問いに対しては、当然ながらさまざまな意見があるだろう。資格のある者すべてに利益の享受を認めることと、資格のない者いっさいに利益の享受を認めないこととの総体的なバランスについての意見でも同じだ。たしかに、資格のある有権者のみの投票を確保することには価値がある。だが、不正選挙の実際の発生率がきわめて低いことを考えると（全国の各法廷でおびただしい数の判例が確立している問題でもある）、上述した措置の目的が資格をもつ有権者の投票を阻止することにあるのは、疑いようがない。

最後にもうひとつ、投票の権利を否定されている人がいる[2]理由としては、自宅に近い投票所の閉鎖もある。アラバマ州は、２０１３年以降、投票所の閉鎖を続けており、その多くがアフリカ系アメリカ人の住む地域だ。たとえば、ダフネ市（人口２万８０００人）は２０１６年に投票所を５か所から2か所に縮小した。閉鎖された3か所はすべて、市のなかでもアフリカ系アメリカ人の比率が高い地域にあった。

前章と本章で取り上げている話は、なにもアラバマ州だけに限ったことではない。他の州も有権者の抑圧については同じくらい強引で、しかもその傾向は強まる一方だ。ジョージア州も、有権者IDと市民権証明を義務化する、有権者登録リストから抹消する、期日前投票の期間を短縮する、投票所を閉鎖するなどの措置を進めており、それがアフリカ系アメリカ人コミュニティに集中している（フロリダ州の現状は言わずもがなだ）。しかも今では、若者の有権者を抑圧しようとする措置も全国的に実施されつつある。特に、理想に燃える大学生は民主党に傾きやすいと考えられ、その対象になっている。

ゲリマンダー（ゲリマンダリング、恣意的な選挙区割り）は、目新しいハックではない。言葉自体は、かつてのマサチューセッツ州知事であり、独立宣言の署名者のひとりでもあったエルブリッジ・ゲリーの名に由来している。ゲリー知事が１８１２年に法案を通過させた結果、サラマンダーに似た形の州議会選挙区がボストンに出現した（ゲリーとサラマンダーの造語が「ゲリマンダー」）。当時の連邦党に対する票を分断する一方、民主共和党の票を集めて強化するという狙いだった。選挙区のなかで有権者ごとの比率をコントロールできれば、誰が当選するかを左右し、ひいては複数の選挙区で圧倒的多数を確保できるという考え方に立っている。選挙区の人口構成を操作して、自分の党がわずかな票差（たとえば10％）でも多数の選挙区を獲得し、他の党は大きい票差（たとえば90％）でできるだけ少数の選挙区しか確保できないようにするのである。

ゲリマンダリングには2つの方法がある。ひとつが「パッキング」で、反対党の有権者を1つの選挙区にできるだけ多く詰め込む。そうすると、優勢な党は反対党の勢力が弱まった近隣選挙区でも勝つことができる。もうひとつは「クラッキング」といい、反対派有権者を複数の選挙区に分割する。こうすると、各選挙区で反対派が少数になる。

ここで根本的な問題になるのが、利害の衝突だ。選挙区割りを決める責任を負っている議員は、選挙区の有権者構成で有利になる。解決策は、この問題の研究者にとっては自明なとおり、コンパートメント化（隔離、職掌分散）だ。選挙区割りは、選挙結果に何の利害も持たない委員で構成された独立委員会が行う。たとえば、ミシガン州は2018年に住民投票を実施し、まさしくこの独立委員会制を実現している。同州の共和党員は2020年になってもこの委員会に抵抗を示していたが、その事実こそがゲリマンダリングというハックの強力さを物語っているといえる。

選挙区割りをどのようにして有権者の投票を誘導するかという問題のほかにも、政策立案の当事者が選挙手続きをハッキングしてゆがめる手段はいくらでもある。選挙のスケジュール設定、票の記録と集計、投票にかけられる立候補者と発議などに関しては、公務員が自由裁量をもつことが多い。地域によっては、提出書類の不備、支持の不足、その他の厳格な解釈を根拠として選挙委員会が立候補者の資格を認めない可能性もある。この権限を使うのは、まさしくハックだ。

もうひとつの戦術も紹介しよう。2018年、ウィスコンシン州のスコット・ウォーカー知事は、同州議会の議席を埋める補欠選挙の実施を拒否するという露骨な手段に出た。民主党に議席を奪われることを懸念したのである。最終的には、選挙を実施するよう連邦上訴裁判所によって命令されている。フロリダ州とミシガン州の知事もこのハックを試みたことがある。2018年、民主党のステイシー・エイブラムスはジョージア州知事選でブライアン・ケンプに僅差で敗退した。ケンプ現知事は選挙当時、州務長官として選挙を監督する立場にあり、選挙の直前になって有権者登録リストから有権者50万人を抹消していたのである。

41章　政治における資金

資金があれば、情報と選択肢を自由にできる。資金があれば、主体性を買うこともできる。主体性は、ものごとを変える力だ。これはすべて、民主的な投票プロセスの意図をくじくという点で、政治上のハックである。特にアメリカで当てはまるが、それは選挙に途方もない費用がかかるからである。

理由は複合的だが、根本的な理由を4つあげる。第一に、アメリカでは選挙期間が長い。立候補者は、選挙日の1年以上も前から選挙運動を始める（比較としてあげると、日本の衆議院選挙では公示から選挙までが12日間、フランスの選挙運動は2週間である。イギリスでは平均2～4週間の選挙戦後に投票がある。オーストラリアやカナダでは選挙運動が11週間を過ぎることはなく、しかもそこまで長かったのは1910年と1926年の2回だけだ）。第二に、アメリカでは党紀が他の国より弱い。党紀が強ければ、特定の候補者に資金を援助して、予備選挙で競い合わせる意味は今より少なくなる。第三に、アメリカは大国であって人口も多く、テレビ広告という金のかかる市場があるだけに、他の国とは違って選挙運動費用に制限がない。そして第四に、アメリカでは政治献金の開示に関する法律に抜け穴が多いため、不適切な政治献金（特にアメリカ国民以外からの）

を受け取ったとしても政治責任が小さい。

選挙運動資金を規制するシステムをハッキングする動機は大きく、立候補者は選挙運動資金を使って政治プロセスそのものをハッキングしようとする。

富裕層はそうしたハックを好み、それを合法化しようとしてきた。政治上の影響力を不均衡に拡大できるからだ。1972年に連邦選挙運動法が可決し、1974年にその修正法が成立して政治献金と選挙運動資金は制限されたが、1976年には政党または立候補者に協力するものでなければ政党または立候補者を支援するための資金は制限の例外という判決が下される。[1] ここから、「党の育成」活動に使われる「ソフトマネー」という考え方が生まれ、これが他の政党の立候補者に対する政治上の中傷広告に使われることになった。その後も、資金力のある個人やグループが選挙資金の制限に対して少しずつ抵抗を試みる。その動きを押しとどめたのが、2002年の超党派選挙改革法だった。しかし、規則が増えればハックも増える。2010年にいわゆる「シチズンズ・ユナイテッド判決」が下され、それが2014年に最高裁の判決で確定すると、それまで禁止されてきたありとあらゆる政治資金を認める道が開かれ、それには企業献金も含まれていた。

たしかに、資金があっても政治上の成功が保障されるわけではないが、資金がなければ政治上の失敗が保障されることはほぼ確実だ。ハーバード大学の法学者ローレンス・レッシグはこう述べている。[2]「投票選挙に出馬するには、資金選挙を勝ち抜かなければならない」。資金があれば、立候補者は大統領選予備選挙のような長丁場の選挙プロセスを生き抜くことができる。その実例が、2012年の共和党予備選挙だ。[3] 三人の富豪シェルドン・アデルソン、フォスター・フリース、ジョン・ハンツマン・シニアが、ほかでは考えられないほどの資金を単独で候補者に提供して、選挙プロセスに多大な影響を与えた。これは、政治に対するベンチャーキャピタルのようなシステムといえる。立候補者自身が優秀である必要はない、その立候補者が有望な投資先だと、裕福な投資家を説得できればいいのだ。

資金は、混沌を生む力にもなる。アメリカは事実上の二大政党制なので、敵対政党の票を吸い取ってくれる独立の、つまり第三の立候補者に資金を投じるというハックが成り立つ。共和党であれば、無党派リベラルの新人候補に資金を提供して、選挙戦をリードしている民主党候補に対抗し、その勢いを削いでもらえばいい。民主党であれば、独立系の保守派候補者に資金を投じて共和党の票を割るのである。

アメリカで、この「独立系妨害候補者」を使うハックを遂行するのは容易ではない。共和党も民主党も、この脆弱性に限ってはパッチを当てることに熱心だからだ。なかには、立候補の期限を大幅に早くして、出遅れた候補者を締め出している州、あるいは共和党・民主党の両党以外からは出馬しにくくなるよう規則を設けた州もある。44の州に、いわゆる「ソア・ルーザー」法がある。予備選挙で敗北した立候補者が、独立候補として総選挙に出馬することを禁ずる規則だ。

といっても、独立系候補者による妨害行為が決して起こらないということではない。2000年の大統領選でラルフ・ネーダーの影響力を目の当たりにした共和党は、全国的に「緑の党」からの立候補者を利用して[4]民主党の票を吸い取らせようと画策した。シアトルでは、ネーダー陣営のボランティアだったヤン・ハンという18歳の青年が、2002年の州議会選挙に出馬することを考えた。ミス「ミスター・ショア」なる人物がハンの出馬声明をお膳立てし、運動に対して寄付も行った。ミスター・ショアとは、実はワシントンＤＣで活動する共和党の戦略家だった。その妻も、シアトルのある郡の選挙に緑の党の候補者を擁立していた。これと同様のことが、２０１０年にはアリゾナ州で、２０１４年にはニューヨーク州で、２０１８年と２０２０年にはモンタナ州でも起こっている。２０２０年の大統領選では、ミュージシャンのカニエ・ウェストの出馬を共和党が後押ししているが、これもジョー・バイデン候補から民主党の票を奪い取ろうという狙いだった。最終的には、どのハックも失敗に終わっている。まさに、言うは易く行うは難しなのである。

ここに混乱を持ち込むと、もっと容易に進むことがある。２０２０年のフロリダ州議会選挙では、アレックス・ロドリゲスという名の「元」共和党員が、フロリダ民主党の州議会議員ホセ・ロドリゲスに対抗して出馬し、同議員の選挙戦テーマを盗用するということがあった。[5] それは気候変動の問題だった。アレックスは政治的な背景をいっさいもたず、それどころか選挙運動すら展開していなかった。にもかかわらず、名前とテーマの混乱から３％の票を集め、人手を使った集計の末、共和党のイレアナ・ガルシアが32票差で当選する。アレックス・ロドリゲス陣営は、新設されたばかりのプロクリヴィティ（Proclivity. Inc）という会社と、共和党員とつながっているＰＡＣ（政治活動委員会）から55万ドルの資金が援助されていた。

票割り戦術は、さらに極端な使われ方もされている。インドでは、敵対候補者と同じ名前の人が、同名というだけで出馬を依頼されることがある。たとえば２０１４年の議会選挙では、１議席をめぐって出馬した35人の候補者のうち５人までが、ラーカン・サフ（Lakhan Sahu）という名前だった。[6] 正式な経歴がある本当の政治家は、もちろんそのうちの一人だけだ。主な対抗政党の候補者がこれを「単なる偶然の一致」と呼んだため、これほど多くのラーカン・サフたちがこの騒動に飛びついたのだった。

アメリカにおけるそもそもの脆弱性は二大政党制だが、多数票方式の勝者総取りという選挙制度にも脆弱性がある。立候補者に必要なのは、票の過半数を獲得することではなく、相対的な多数を占めることなので、他の候補者の政治的な略歴が似ていると（あるいは名前が似ているだけでも）、本来の支持層の間で票が割れてしまうのである。

ひとつの解決策となるのが、選好投票だ。ある陣営の候補者に有権者が順位を付け、最低得票の候補者は除外される。そのうえで、順位を付けられた候補者に対する票は一連の「決選投票」で比例配分されていって、最終的に一人が過半数を獲得するというしくみである。この選好投票制であれば、第三者による妨害は阻止される（妨害になりうる票は別の候補者、それもたいていは票の吸い取りを狙っていた相手の候補者に割り当てられるだけだからだ）。そして、選挙民の真の過半数に受け入れられた候補者が当選することになる。オーストラリアの2022年議会選挙が、その例証になった。第三政党の候補者の多くが、「死票」にならない票を獲得できたのである。

42章　破壊につながるハッキング

１７２９年、パリは公債が不履行に陥るという危機を迎えていた。そこで政府は、公債の保有者がその額面に基づいた額で購入できる宝くじの制度を創設する。宝くじ一枚の値段は公債の１０００分の1で、抽選は毎月一回行われ、当選者は公債の額面額に50万ルーブルの割増金を合わせた金額を受け取ることができた。

このとき、宝くじの支払い総額が宝くじ券をすべて買い占めた金額より多いことに気づいたのが、ヴォルテール[1]だった。そこにハックが生まれる。裕福なパトロンと組んで、必要な公債と宝くじを買い占めたのである。毎月の賞金を集めていった結果、ヴォルテールらは2年たらずで７５００万フランを手中にした。今なら1億ドルに相当する額だ。

やがて、パリの宝くじ当局は賞金の多くが同じ少数の人に集まっていることに気づく。さすがのヴォルテール、そこからの行動は鮮やかだった（楽しいことが長く続かないのは承知していた。できるうちに楽しもうというわけだ）。宝くじ券の裏に、犯人追及につながるなぞなぞを残したといわれている。ヴォルテール一味はフランスの財務大臣に告訴されるが、違法性はまったくなかったため、無罪放免となって賞金を手にした。パリ政府はのちにこの宝くじを廃止する。有効な対策だが、極端でもあった。

ごく最近の例もあげよう。オハイオ州では、コロナ禍で出社を拒否した従業員を雇用主が報告できるウェブサイトが開設された。失業保険の受給対象から除外するためである。だが、この報告プロセスには何の認証システムもないことに気づいたハッカーがいた。誰でも報告書を送れるのである。そこでこのハッカーは、偽の報告書を自動的に送信する、[2] しかもCAPTCHA認証までかいくぐれるプログラムを書き、それをネット上で公開する。オンラインシステムでどのくらいの報告があったかは不明で、オハイオ州政府の職員は駆除できると主張したが、州は最終的に、失業保険の受給資格から人を締め出すというこの計画を断念したのである。

10章で私はハックが寄生的だと述べた。寄生虫と同様、ハックもシステムの悪用と破壊とのバランスをとらなくてはならない。ハッキングの度が過ぎると、システムは崩壊する。かつてのパリの宝くじは、ハックが首尾よく運びすぎてシステムの廃止に至った。一方、最近のオハイオ州で失業保険の回避を狙った従業員報告ウェブサイトは、ハッキングのそもそもの狙いがシステムの停止だった。

経済的な動機のハッカーは、攻撃対象としたシステムの破壊を望まない。ATMハックがあふれすぎたら、街角からATMがなくなる。スポーツのハックが行きすぎてプレイするのも見るのもつまらなくなったら、人気がなくなって消えていくだろう。こうしたハッカーは原則的に、狙っているシステムを維持しながら、しかも自分に有利な結果を作り出そうと考える。システムを破壊したとしたら、それは偶発的な事故なのだ。

一方、道徳倫理的な目的で動くハッカーとなると、事情が違ってくる。この場合、システムをハッキングするのはそのシステムを良しとしないからであって、そこから儲けをあげたいわけでない。オハイオ州のウェブサイトを狙ったハッカーもそうだったが、目標はシステムの機能を阻害し、効率を落として、破壊することにある。もうひとつ、2020年にも同様の例があった。オクラホマ州タルサでトランプ陣営の集会が開かれることになったとき、ティックトックのユーザーが協力して、偽のチケット申し込みを送った。[3] 集会当日、会場を空席だらけにする狙いだ。初歩的なハックだが、それが可能だったのは、ダミーのメールアドレスと、グーグルボイス経由のダミーの電話番号を取得するだけでたやすくチケットを予約できたからだった。チケット発行システムの破壊には至らなかったものの、当日は実際に空席が目立ったことでトランプ大統領は激昂することになった。その後、選挙キャンペーンに使われるチケット発行システムは、脆弱性の少ない別のものに切り替えられている。

動機が何だろうと、ハッキングは社会システムを破壊しかねない。その影響は、ヴォルテールの宝くじ、トランプ陣営のチケットシステム、オハイオ州の従業員報告ウェブサイトなどのときとは比べものにならない規模になる可能性もある。その兆しを目の当たりにすることになったのが、2008年、アメリカの金融危機だ。システムを繰り返しハッキングしてきたつけで、アメリカの金融ネットワーク全体が危うく停止するところだった。同じ兆候は、アメリカの政治における金の問題にも、政治的な誤情報とソーシャルネットの問題にも、垣間見える。政治的な革命が起こり、あまりにもかけ離れた意図で社会のあらゆるメカニズムがハッキングされるときにも見られる。つまり、ハッキングは良いこと、社会の進化に必要なことにもなる反面、あまりに短期間で行きすぎになることもあるのだ。

経済の観点でほかの例を考えてみる。紙幣の発行である。紙幣は、少なくとも11世紀中国の宋王朝時代から存在する。そして、紙幣はハックといえる。通貨はもともと、実際の経済価値に代わるものというのが前提だ。だが今日では、ほとんどの政府が必要なだけ紙幣を発行する権限をもっている。経済が実際に生み出す価値にかかわらず、である。すなわち、税金や国債を通じて民間投資家に資金を投入しなくても、必要な額を支払えるだけの十分な紙幣を新たに発行すれば、公的な金融システムをハッキングできるということなのだ。ヨーロッパでこのハックを最初に思いついたのは、18世紀の経済思想家ジョン・ローだ。フランスのルイ十五世が戦費をまかなおうとしていたときのことだった。

これは、有益で今や常態化したハックの一例だ。紙幣を発行する権限は、経済危機を迎えたときに欠かせない。アメリカ政府が2008年から2009年にかけて市場の安定化を図って介入したときにも、また2020年にコロナ禍とロックダウンに伴う経済の崩壊を食い止めたのも、この手法だった。古くは、第一次と第二次の世界大戦でアメリカを勝利に導いた大規模な戦時下動員態勢の資金源にもなっている。

ところが、政府が対外債務をまかなおうとして紙幣の発行に頼ってしまうと、最悪の展開になることもある。ハイパーインフレーションはそうそう起こるものではないが、そうなれば驚くほどの短期間で空前のダメージを引き起こす。2007年、ジンバブエでハイパーインフレが起きたとき[4]

には、ジンバブエドルがたった1年でその価値の99・9%を失い、国民の平均資産は1954年当時のレベルにまで落ち込んだ。かつてなら車を1ダース買えた金額で、一斤のパンさえ買えなくなるほどだった。ベネズエラでは2017年にハイパーインフレが始まり、[5] 最終的にはあまりにも物価が高騰。平均的な家族で必要な最低限の生活必需品を買うのに最低賃金の100倍もが必要になり、総人口の10%以上が国外に移住する結果を招いている。

ハッキングが破壊につながる例としては、世界中で近年目立ってきた独裁政府をあげてもいいだろう。ロシア、シリア、トルコ、フィリピン、ハンガリー、ポーランド、ブラジル、エジプトといった国だ。選挙は引き続き実施され、投票数も集計されている。法律は可決されているし、裁判所がそれを履行させている。言論や集会の自由も、公式には廃止されていない。だが、その機構や制度《システム》はことごとくハッキングされている。独裁政権の必要を満たすために損なわれているのである。

逆に、ハッキングによって破壊しなければならない制度《システム》も存在する。ボイコットも、それを含む市民的不服従の全般もハックだ。不正な慣例に抗《あらが》うために、定石どおり市場や政治の規則の裏をかくのである。そこから生じる反動によって、見えない暴力やシステムの非道が明るみにさらされる。長いあいだ「当たり前」とされてきたか無視されてきたシステム、たとえば公然と差別的な法律などを破壊する方向へと、政治路線が変わっていく。私たちが抱えている課題は、手元にあるハックがはたして悪いものを破壊しつつ良いものを残すといえるかどうか、それを確かめることであり、その区別をつけることなのだ。

第6部

認知システムのハッキング

43章 認知ハック

今は昔の1990年代、まだ航空券が紙だった頃に私が節約のためによく使っていたハックを紹介しよう。当時は、航空券を購入するのとは別に、紙の搭乗券も発行してもらう必要があり、そのためには現場で人と話をしなければならなかった。

私はワシントンDCに住んでいて、仕事で飛行機を使うことが多かった。週末はシカゴで済ます用事もあったが、勤務先が寄り道の分まで払ってくれるわけではない。そこで私はハックを思いついた。たとえば、滞在先のシアトルからシカゴで乗り継いでワシントンDCまで飛ぶ日曜日の分の航空券があるとしよう。まず私は、航空会社のチケットカウンターに行って紙の搭乗券を発行してもらう。係員は2経路分の搭乗券2枚を、航空券にホチキスでとめてから渡してくれる。それは大切に保管しておく。日を改めて、もう一度チケットカウンターに行き、今度は金曜日の便に変更してもらう。当時は搭乗便の変更ならさして料金はかからなかったのだ。係員はコンピューターを操作して便を変更し、新しい搭乗券2枚を発行したうえで同じく航空券にホチキスでとめてから渡してくれる。ここまで準備できたら、私は予定どおり金曜日にシアトル―シカゴ便に搭乗し、シカゴで土曜日を過ごす。日曜日になって空港に行ったら、最初の航空券と搭乗券（保管してあったやつだ）を持ってシカゴ―ワシントンDC便の搭乗ゲートに向かう。この時点ではコンピューターに私の予約はなくなっているが、正しい日付の航空券と搭乗券を確かに手にしている。しかも、要求されたら提示できるように、日曜日分のシアトル―シカゴ便の航空券と搭乗券も用意してある。ゲートの係員は困惑しつつも、コンピューターの内容を取り消して新しい搭乗券を発行し、ゲートを通してくれるのだった。

すばらしいハックだった。空港会社が電子チケットに移行し、別途の搭乗券を廃止するまで、このハックは有効だった。では、私がハッキングしていた相手は何だったのだろうか。航空会社の予約システムではない。コンピューターには間違いなく、日曜日のフライトの予約はないと記録されていたからだ。私がハッキングしていた相手は、ゲートの係員その人だ。私はどこから見ても出張中のまっとうな白人男性であり、正式に見える航空券と搭乗券を手にしていた。問題はコンピュータートラブルかもしれず、幸いゲート係員はそう考えてくれた。こう言うと変かもしれないが、私はゲート係員の頭脳をハッキングしたのである。

人間の脳は一種のシステムである。私たちが生存しつづけられるように、そして――遺伝子の視点で見れば――何よりも私たちが繁殖しつづけられるように、数百万年という時間をかけて進化してきた。常に環境との関わり合いのなかで最適化を続けてきた。ただしそれは、10万年前の東アフリカ高地で小規模な集団を作って暮らしていた人間に合わせた最適化だ。21世紀のニューヨークや東京やデリーに適してはいない。そして、そんな人間の脳は、現代の社会環境に適合するように、認知上のいくつもの近道《ショートカット》に関わっているから巧みに操られてしまうのだ。

人間の生物学的、心理的、社会的システムがどのように「自然」に機能するかを述べたうえで、ハックはそれらの意図をくじくものだと論を展開したのでは、単純化がすぎるだろう。システムは自然に、ただし予期しない方向に動くからだ。それでも、その単純化した展開が議論の枠組みとしては有用かもしれない。生物学的システムや心理的システムの「目的」あるいは「意図」という言い方はできるだろう。進化上のプロセス以外の論を持ち出さなくても、すい臓の目的、人間がもつ信頼感の目的と言うことはできる（ちょうど、経済や政治のシステムと同じで、これらにも決まった設計者がいるわけではない）。ハックは、こうしたシステムを創造的に蝕《むしば》む。人間が作ったシステムのハックと同じように、認知ハックも脆弱性を突いて認知システムの意図をくじくのである。

認知に対するハッキングは強力だ。現代社会を支えている社会システムの多く、たとえば民主主義とか市場経済などは、人間が下す理性的な判断の上に成り立っている。前章までで私が次々と語ってきたハックは、理性的な判断の3つの要素、すなわち情報、選択肢、主体性のいずれかを巧みに抑止するものだった。ここから先では、それらが直接、つまり私たちの頭脳でハッキングされるところを見ていくことになる。

たとえば、虚偽情報は言論の自由と出版の自由という現在のシステムを損ねるハックである。概念として新しいわけではない。ナチスドイツのプロパガンダを担ったゲッベルス宣伝相は、こう書いている。[1]「自らを破壊する手段をほかならぬ不倶戴天《ふぐたいてん》の敵に渡してしまうというのは、いつの世にも民主主義の最高のジョークだ」。虚偽情報は、これから語る認知システム、すなわち注意力、説得、信頼、権威、同族意識、あるいは恐怖などの裏をかくハックでもある。

ほかのハックとは違って、認知ハックは高いレベルの普遍性の上に成り立っている。というより、あらゆるハックのなかで最も普遍的なハックといえる。法律は、基本的に経済活動のすべてとそれ以外の社会活動の多くを統括しており、その法律の制定と改正を統括しているのは議会と裁判所であり、その立法プロセスと司法システムは国の憲法（またはそれに同類の文書）で定められる。一方、社会システムは――そして人間のユーザーが関知するかぎりあらゆる技術システムは――、人が思考すること、とりわけ認知上のショートカットを使ってどうにか目的にこぎつけることに依存している。頭脳をハッキングできれば、人間の行為によって統括されるどんなシステムもハッキングできるのである。

認知ハックは人類という種と同じくらい古くから存在し、その多くはあまりにも古くから常態化しているので、私たちはそれについて改めて考えたりしない。まして、ハックとみなしたりはしない。人間には理知と意識があるため、また人間は頭で考える理論をもち、将来に向けて計画することができるため、自然界のどんな生き物よりも高度なレベルまでハッキングを進化させてきた。前章までに取り上げた多くのハックと同様、認知ハックも情報と選択肢と主体性、つまり人が慎重に確実な判断を下すときに必要な三要素を狙う傾向がある。

過去半世紀で大きく変わったのは、他者の認知を操れる機会がコンピューターとコンピューターインターフェースによって広がったということだ。コンピューターアルゴリズムと行動科学の力も加わって、頭脳に対する干渉の速さと巧妙さは変わっており、その大きさの違いが種類の違いも生んでいる。

ただし、常にそうとは限らない。活動家でもある著述家のコリイ・ドクトロウは、「ビッグテックがビッグデータを使い、マインドコントロール光線を出してハンドスピナーを買わせようとしている」という言い方を鵜呑みにしてはならないと警鐘を鳴らしている。[2] 私がこれから何章かをかけて話すのはせいぜい、私たちをさまざまな方向に動かそうとする認知上のひと押しのようなものにすぎないからだ。とはいえ、新しい手法を無視することも、同じくらい慎む必要があるだろう。AIも登場して、手法はますます効果的になっている。

認知システムに関しては、パッチはおおむね通用しないが、ハックを自覚的に意識することが、それ自体でパッチになる。認知ハックに備えるうえで必要なのは、予防と、ダメージの軽減だ。信用詐欺の多くは、貪欲、信頼、恐怖といった人の感情をハッキングすることで成り立っている。私たちの脳にパッチを当てることはできないが、各種のシステムを通じて特定のハックを非合法化する、つまり許容される社会行動の外に押しやることはできる。被害を受けそうな人に、回避のしかたを伝えることも可能だろう。

もうひとつ気をつけておきたい点がある。認知システムのハックは、前章までに説明したハックと違って明確な境界線が引けないということだ。たとえば、トランプ陣営がウェブページのインターフェースデザインで使ったあれやこれやの手口もそうだった。意図していたより多くの寄付金を払う結果になったり、それが政治運動以外の目的に使われたりすることもあったのだ。寄付者の当座預金やクレジットカード口座から今後も毎週引き落とすことを承認するチェックボックスが最初から選択されている、寄付金額が小さい字で書かれている、候補者の私費に使われることもあるともっと小さな字で書かれている、そんな手口だった。ハックには違いないのだが、後述する「ダークパターン」の例である。では、これは私たちの知覚、感情、意思決定というシステムのどれに対するハックなのだろうか。答えはその3つすべて、だ。曖昧かもしれないが、これでかまわない。人間は複雑なものであり、認知システムは面倒なものだ。それを論じようとするのだから、やはり複雑で面倒な話になる。

44章　注意と中毒

ポップアップ広告は、みんな大嫌いだ。発明者であるイーサン・ザッカーマン本人も、作ったことを公式に謝罪している。[1] だが、これほど普及しているのは利益になるからであり、利益になるのは広告主の売上が伸びるほど大勢の注意を引くことに成功しているからなのだ。

バナー広告ならたいてい無視できるが、ポップアップ広告だとそうはいかない。文句を言いながらも注意を向けなくてはならず、消えてもらうにも手間がかかる。たいてい目の前に出現して、それまで見ていたものをさえぎる。画像、音声、動画が含まれていることも多い。閉じるにはアクションを起こさなければならないが、それが分かりにくかったり、何度か試す必要があったりする。それで成功なのだ。たとえ短時間にせよ、私たちの注意を引き、後々まで効果をもつこともある。

認知システムのひとつとして、注意を払うとは大切なことに集中することだ。いついかなるときも、私たちの身の回りや身体の中では、無数のことが起こっている。人間の脳は優秀だが、その処理能力には限界がある。隅から隅まで注意を払うことはできないのだ。

そうした限界があるから、私たちは選択的に注意を向ける。生存につながるものごとを優先し、信頼していいことに対しては優先度を下げるのだ。捕食者の存在、あるいは突然の動き、大きな物音、まばゆい光など、危険の可能性を示す現象への注意だけでも、私たちは手いっぱいだ。そのうえ、社会的な生存に影響する現象も優先しなければならない。セキュリティとか集団における立場、性的パートナーの獲得と維持に関わる現象などだ。同じように、私たちは幸福度や安楽度を高める現象にもたいてい注意を向ける。だからこそ、報酬になるものが私たちの注意を引きつける。食べ物でもお金でもドラッグでもいいし、お菓子のおまけ、さらにはＳＮＳでの「いいね」でもいい。私たちの脳には、注意をめぐってこれほどのシステムが直《じか》につながっているので、どこにどうやって注意を向けるかを、常に意識的に選択できるわけではない。

広告は、何もせずに私たちの注意を引くわけではないので、広告主は私たちの認知システムをハッキングしなければならない。１８６０年代、リトグラフも手がけたフランスの画家ジュール・シャレが新しい形の広告ポスターを発明する。[2] 明るい対比色を使い、半裸の美人が躍動的なポーズをとるような構図で、いやでも人の目を引く。のちには、イタリアのレオネット・カッピエッロが、あらゆる商品の宣伝として、驚くほど誇張された画像を用いている。開通したばかりのメトロ、つまりパリ地下鉄の乗客が走行中の車中からでも認識できるようデザインしたのである。

広告主は常に、少しでも効果的に私たちの注意をハッキングしようとしている。スーパーマーケットで、それどころか事務用品大手のステープルズや雑貨チェーンのベッド・バス・アンド・ビヨンドでさえ、レジ待ちの列にお菓子が置かれているのもそれが理由で、これは「ＰＯＰ（ポイント・オブ・パーチェス）配置」といわれるハックだ。あるいは、かつてテレビＣＭのボリュームが番組本編よりわずかに大きかったのも同じ手口で、ＦＣＣ（連邦通信委員会）によって禁止される２０１２年まで使われていた。ポップアップ広告も、目的は同じなのである。

マーケットリサーチや心理学を応用した宣伝に伴って、データを応用する事業は１９５０年代に始まったが（今も続いている）、現在の広告活動はマイクロターゲティングを利用して私たち個人をひとりひとりハッキングしようとする。そのなかで、広告主とデータブローカーは膨大な量の個人データを蓄積して収益につなげており、個人のプライバシーを脅かすくらいにまで私たちの注意を引きつけようとしている。

もうひとつ、私たちの注意に対するハッキングを紹介しよう。最近のＳＮＳでたびたび見かける、「炎上商法」的な手法だ。フェイスブックは、アルゴリズムを使ってユーザーのフィード画面を最適化している。狙いは、ユーザーをフェイスブックに釘付けにすることにある。フィードを見ている時間が長くなれば、それだけ多くの広告を目にすることになり、企業の収入も増えるからだ。だから、注目を引くコンテンツを見せてそこで広告を表示しようとするのである（こうしたシステムは、要するに広告を売っているのだということを思い出そう。その狙いは、人を誘導してものを買わせることにある）。

同じように、グーグルが狙っているのもユーチューブの動画を見つづけさせることだ（ユーチューブはグーグルの子会社である）。ユーチューブのアルゴリズムによって、両極端なニッチのコンテンツほどユーザーに受けることが判明した。これは予想外のハックで、グーグルの収益にとっては実に都合がよい。フェイスブックとユーチューブが両極端を目指しているのは、もとから意図したからではない。（1）ユーザーの関心に基づいてアルゴリズムが最適化した結果、両極端なコンテンツが表示されるようになった、そして（2）そこから生じかねない問題を、経営陣が度外視すると決めた、それが理由である。政治の世界でも、同じような手法で市民を両極化できる。世界観を共有する者どうしがイデオロギー上の「バブル」に入り込みやすい状態を作り、特に受けの良い偏ったコンテンツを見せればいいのだ。両極化した狭いコンテンツを検索して表示する処理が高速化・高精度化していけば、おすすめコンテンツを自動的に表示するシステムによって、フィルターのかかっていない内容を見る機会は減る。その分だけ、自分たちの信念や意見を見つめ直す機会を私たちは奪われていく。

広告に話を戻すと、ひとつの解決策は広告主がマイクロターゲティングに利用できる情報を規制することだ。2020年の大統領選後、グーグルは選挙広告のターゲティングを年齢、性別、現住所（郵便番号の範囲）という大枠に制限するポリシーを導入している。こうした単純な対策も有効そうだが、それもグーグルがこれを守ればの話だ。だが、民主党も共和党も全力をあげてその対策の裏をかこうとするかもしれない。マイクロターゲティングは今の政治にも不可欠になってきているからだ。

独占禁止法を適用できれば、もっといい。これほど多くのコンテンツが一か所に集まっていると、一種の過剰な特殊化が容易になり、同時に問題にもなる。逆に、コンテンツをもっと絞った小規模なソーシャルメディアが普及すれば、特殊化が進む度合いは抑えられる。ドナルド・トランプがツイッターのアカウントを削除されてから超保守的なＳＮＳサイトが出現したが、グローバルな大手

SNS企業ほどの力を得るまでには、とうてい至らなかった。

注意に対するハッキングを理論的に極端までに推し進めたのが中毒で、今あるなかでは特に効果的なロックインの形態である。中毒といっても、ここでハックになるのは身体を毒する生理的なプロセスではなく、常用を強いるプロセスだ。中毒性の高い製品を作れば、メーカーと開発元は顧客やユーザーにそれを使いつづけてもらうことができる。なかには生理的な中毒もあるが、ほとんどの場合は行動の固定化がきっかけだ。やがて、その行動によって引き出されるエンドルフィンやアドレナリンといった神経化学物質の影響で、行動が定着していく。

行動上の中毒の典型的な手法は、スロットマシンを見るとよく分かる。報酬が固定されているより、報酬が変動するほうが中毒性は高いので、ギャンブルは本質的に変動報酬を売りにする。このしくみを詳しく説明したほうがいいだろう。ステップその一は、人の注意をあおる装置だ。スロットマシンは、わざと派手に、やかましく作ってある。誰もプレイしていないときでも騒がしくするし、当たりが出たときはさらにけたたましい。ステップその二では、報酬への期待を盛り上げる。つまり賭け金で、以前はスロットにコインを投入したが、今ならボタンを押す瞬間だ。ステップその三が、変動する報酬の払い出しになる。勝てばなんらかの額を獲得し、負ければなんらかの額を失う。ステップその四は感情的な投資で、プレイヤーがこのループにはまる性質をあおる。誰でも勝つのはうれしい。必要なのはもう一回ボタンを押すことだけだ。どうなるか分からないが、大当たりが出てまた勝てるかもしれない。

オンラインゲームも、報酬が変動する中毒的な行動を取り入れるようになっている。「ガチャ」

と呼ばれるデジタルの景品に特にその傾向が強い。プレイヤーは、ゲーム内通貨や現実の通貨で支払った金額に応じて、ゲーム内のアイテムをランダムな確率で受け取る。価値のあるアイテムはレアで、ときには極端にレアで、スロットマシンの中毒性にそっくりである。テレビゲーム全般が、プレイヤーをできるだけ長時間オンラインに縛り付けられるように、行動科学的な工夫をいくつも盛り込んで作られている。あげくの果てには、その中毒性が業界では公然の秘密になるほどだ。

スマートフォンアプリやSNSサイトのような情報商品も、設計上の意図はほとんど同じで、中毒するようにできている。スイッチになるのは、私たちの注意を引くアラートだ。ビープ音やチャイム、振動、プッシュ通知といった形をとる（まさにパブロフの犬である）。行動に当たるのが、報酬を期待しながらのクリック、タップだ。変動報酬は、投稿、コメント、画像など、フィードに表示されるすべてということになる。

このいずれも、偶然を狙ったものではない。デジタルプラットフォームなら、ページの更新と再読み込みを自動的に行うことができるので、設計者の意図によってはユーザーの操作がまったく不要だ。だが、クリックなりスワイプなりの操作で投稿をもっと読ませようとするのは、スロットマシンの原理と共通している。中毒になる要素を少しだけ盛り込み、やがてそれを繰り返したくなるよう仕向けるのである。なんらかの一括通知、つまり新しい通知を一日に一回だけ表示する機能があれば、変動報酬の特性とその中毒性は減るだろう。だからこそ、便利で単純なはずのこの機能が、広告収入で成り立つSNSプラットフォームには用意されていないのである。

中毒というと道徳的に問題視されがちだが、ここではハックと考えたほうが分かりやすい。確実で効果の高いハックである。行動や経験を中毒性にする特性は分かっている。企業はその特性を至るところで応用できるし、実際に応用している。たいていはそれが巧妙すぎて消費者に気づかれないだけである。これ以降でも見ていくように、アルゴリズムと即効性のあるテストによって、デジタルプラットフォームはますます人の介入を減らして中毒性が高くなりつつある。

45章　説得

２０１４年、マッチングアプリのティンダーで、女性を装ったボットが男性ユーザーにメッセージを送り、たわいもない会話を交わしたあとで今やっているスマホゲームの名を出してリンクまで教えてくるというケースがあった。そのゲームは「キャッスルクラッシュ」だった。認知ハックという点で考えると、お粗末な手だった。男性のさまざまな情動、たとえば信用とか性的衝動などをかき立てるものだったが、新しい「友だち」というのが、少しでも気をつけていれば見え見えだったのだ。こうしたアカウントが、どのくらいの成功率でユーザーを説得してゲームをダウンロードさせたか定かではないが、最終的にはティンダーの運営によって削除されている。

この手の詐欺は珍しくない。チャットボットは、人間の感情を操って人を説得し、企業または政府の利益になる行動をとらせる目的でいつも使われている。２００６年には、アメリカ陸軍が「ＳＧＴ　ＳＴＡＲ」を使ったことがある。入隊を志願するよう説得するチャットボットだった。ＡＩとロボット工学《ロボティクス》の技術で、こうした試みは以前よりはるかに高い効果をあげるようになっている。

１９７０年代、連邦取引委員会（ＦＴＣ）が広告代理店の幹部に、マーケティングとは何かという説明を求めたことがある。そのときまで、ＦＴＣはマーケティング業界についてごく初歩的な見解しか持ち合わせていなかった。広告とは、企業がその製品の利便性を見込み客に説明するための手段だと思っていたのである。言うまでもなく、広告の機能はそれだけではないし、現在のテクニックはいよいよ認知システムをハッキングするようになっている。

説得は、容易なことではない。不正な誘導を警戒して、あるいは単に変化を恐れて、人は自分の考えや行動を変えることに抵抗しようとする場合が多いからだ。[1]だが、抵抗が意識的だろうと無意識だろうと、無数の手口によって私たちの考え方は少しずつ、しかし確実に変化させられる。その多くは単純だが悪質で、いわゆる「真理の錯誤効果」もそのひとつだ。人は何度も聞いたことを信じてしまう傾向がある、その性質を狙うものである（そう、「大きな嘘」のテクニックは通用する。嘘を何度でも繰り返すと、聞く人はそれを信じはじめるものなのだ）。賢明で分析的な人でさえ、真理の錯誤効果を受けることからは免れられない。実際、エリートやメディアによる嘘の繰り返しや部分的な真実があるからこそ、誤った信念がしつこく残りつづけるのである。繰り返しのような単純な手口でも、私たちの警戒網の下をすり抜けると、想像を超える説得力をもつ。

「ドリッププライシング」というテクニックもある。航空業界やホテル業界でよく使われる手段だ。旅行計画を立てるとき、人がまっ先に検討するのが飛行機やホテルの値段だからである。最初に低い価格を提示し、利用客の注意力が下がっていくのを期待しながら、後から料金を加算していく。チケット売買プラットフォームのスタブハブ（StubHub）が実施した調査によると、ドリッププライシング方式だと消費額は当初より21％も多くなるという。[2]おとり価格を使って消費者行動を左右する業者もいる。選択肢が、安いほうの商品と高いほうの商品という2つの場合、人はメリットを検討し、高いほうにそれだけの価値がないと判断して安いほうを購入する傾向がある。ところが、おとりの選択肢として、もっと豪華で高価な三つ目の商品も用意すると人は真ん中の商品、つまりもともとは高かったほうの商品を選ぶのである。

オンラインになると、説得は「ダークパターン」という手段を伴う場合が増えてくる。ユーザーインターフェースデザインの多くは、コンピューター内部の動きを想像させるような標準的様式や比喩で成り立っている。比喩とはこういうことだ。ファイル、フォルダー、ディレクトリはいずれも、いくぶん抽象化した表現だ。しかも厳密とは限らない。ファイルをフォルダーの中に移動するとき、実際には何かが動くわけではなく、ファイルの保管場所を示すポインターが変更されるだけだ。ファイルを削除するといっても、物理的な破壊は伴わない。コンピューターがからむ犯罪で、被告人が削除したと思っていたファイルを検察が復元したという例は後を絶たない。それでも、たいていの目的にはこれで足りる。したがって、標準的様式もできるだけ現実世界に倣っているのである。

「ダークパターン」とは、一般的なデザインを借用してユーザーを特定の方向に誘導しようとする欺瞞的なユーザーデザイン手法を指す用語だ。一般的に、私たちは標準的なデザインに従ってオンラインの操作を続ける。そのときあてにするのは、視覚的な言語である。たとえば、車の運転のように習慣化した行動では、緑なら進み、赤なら止まる。それと同じ色は、ユーザーが操作するデザインでも常に利用されている。それまでずっと「続行」の意味だった緑のボタンが、いきなりゲーム内課金のボタンに変わったりすると、これは「ダークパターン」になる。「ツードット」というモバイルゲームがそうだ。あるいは、ウェブページで「続行」ボタンが立て続いたあとで、他のソフトウェアの広告に「クリックしてダウンロード」という緑のボタンがあったら、やはりダークパターンである。こうしたボタンが、当初とは違う機能で使われる場合は実に多い。常に警戒が必要だ。

インテュイット社には、「フリーファイル」という納税申告プログラムがある。しかし、これが意図的に見つけにくくなっていて、申告機能を含む「ターボタックス」という製品を購入させようとする（2022年には、複数州からの請願で1億4100万ドルの返金が求められた。同社の今後の行動が注目されている）。チャットモスト（Chatmost）という会社のバナー広告は、タッチスクリーン上のゴミのように見え、ユーザーがそれを取り払おうとしてタップしてしまうのを狙っている。

2019年、アメリカ上院のマーク・ウォーナー議員とデボラ・フィッシャー議員が、ダークパターンを禁止する法案を提出した。これは可決されなかったが、今後もし同様の法律が成立した場合、スポンサー各社はその定義を見直す必要がある。その定義自体があらゆるハックの的となり、ダークパターンをハックに利用しているプログラマーやアプリはその規則を回避しようとするからだ。

46章　信頼と権威

２０１６年３月１９日、当時ヒラリー・クリントン上院議員の大統領選運動で対策責任者を務めていたジョン・ポデスタは、グーグルからと称する一通のメールを受け取る。内容はセキュリティ上のアラートで、グーグルのログインページらしきＵＲＬへのリンクも記載されていた。ポデスタはリンク先のページにアカウント情報を入力したが、はたしてそれはグーグルのページではなかった。実際には、ＧＲＵ（ロシア連邦軍参謀本部情報総局）によって運営されていたのだ。ポデスタのＧメールのパスワードを入手したＧＲＵ工作員は、ポデスタの過去のメール２万通以上を入手し、それをウィキリークスに送って公開させている。ソーシャルエンジニアリングを利用したハッキングの一例だった。

ソーシャルエンジニアリングは、コンピューターシステムをハッキングするおなじみの手法だ。あるシステムに対する特別なアクセス権をもっている人物に、本来とは違う形でそのシステムを使うよう説得するのが基本である。20年以上前のことだが、私は「機械を攻撃するのは素人。プロは人間を狙う」と書いた。[1] 今でもこれは真実であり、その多くは信頼に対するハッキングの上に成り立っている。

　ソーシャルエンジニアリング攻撃のひとつに、スマートフォンのテクニカルサポート窓口に電話をかけて、オペレーターを説得する手口がある。スマートフォンの持ち主になりすましてＳＩＭカードを再発行してもらうか、自分が持っているＳＩＭカードにその電話番号を転送してもらうのだ。これをＳＩＭスワップといい、とりわけ悪質な攻撃である。電話番号を自由にできれば、他のさまざまな詐欺行為につなげられるからである。２４００万ドルを失った被害者もおり、[2]被害総額はとてつもない規模に達する。

　ソーシャルエンジニアリングのバリエーションは、あげれば切りがない。従業員に電話をかけるケースもあって、２０２０年にツイッターを狙ったハッカーはこの手口で同社のネットワークにアクセスし、著名人を含む１３０以上のアカウントを乗っ取ることに成功した。[3]メールを使うケースもあって、それを表すのが「フィッシング」という用語だ。偽のメールを送りつけて、リンクをクリックさせたり添付ファイルを開かせたりして、受け取った人のコンピューターや銀行口座に侵入しようとする。ただしそれほど有効ではない。たいていの場合、犯人は網を広く張るので、メッセージは自ずとごく一般的な内容になるからだ。そのメールが個人向けにカスタマイズされると、これは「スピアフィッシング」と呼ばれる。説得力のあるメッセージを作るにはかなりの下準備が必要だが、ハッキングの手法としての効果はかなり期待できる。クリントン陣営のポデスタが引っかかったのが、スピアフィッシングだった。コリン・パウエル元国務長官も、この手口にやられている。

　12章で、ビジネスメール詐欺（ＢＥＣ）について触れた。ハッカーが、ある会社の経営幹部のメールアカウントを手に入れ、部下にこう書いたメールを送る。「CEOの○○です。いま移動中で、いつものネットワークが使えません。2000万ドルをこの海外口座に、今すぐ送金してください。大きな取引がかかっているので重要です。ホテルに戻ったら、関連書類を送ります」。ハッカーがいかに巧みに細部までもっともらしく描写できるか、受け取る従業員がどのくらい不注意で信じやすいか、作り上げた話が現状にどこまで合っているかしだいで、BECは大成功する可能性もある。トヨタは2019年にこの詐欺で3700万ドルの被害を受けたが、それも大小さまざまな被害のひとつにすぎない。

2015年には、シリアのエージェントが美女を装ってスカイプを利用し、不用心な反乱軍から戦闘作戦書を、さらには上級指導者の身元や個人情報まで盗み出したことがある。ロシアのエージェントも同様の手段で、アメリカ軍兵士から機密情報を引き出そうとしている。

この手の詐術を容易にしているのが、テクノロジーだ。犯罪者は今や、ソーシャルエンジニアリング攻撃にディープフェイクの技術を利用している。2019年には、イギリスのあるエネルギー企業のCEOがこれに引っかかり、[4] 親会社の最高経営責任者からスマートフォン宛ての電話で、続いてメールでそう指示されたと信じ込んで、ある銀行口座に22万ユーロを送金してしまった。このハッキングで使われたフェイクは音声だけだったが、次は動画になる。すでに、シリコンマスクを使ってビデオを録画し、[5] 人を欺いて数百万ドルを振り込ませた詐欺師も現れている。

この種の詐欺が、世界的な政治に影響を及ぼすことさえある。政治家が実際とは違う発言をしたり行動をとったりしたように見せるディープフェイク動画を、研究者が制作したことがある。20

22年には、ウクライナのヴォロディミル・ゼレンスキー大統領がウクライナ軍に向かってロシア侵攻軍に降伏するよう語る動画が流れ、ゼレンスキー大統領自身が否定するということがあった。このときの動画は画質も悪く、たやすく詐欺と見破られたが、時間がたって技術が進歩すれば、もっと巧妙になっていくのは必至だ。

このような技術が存在するだけでも、音声や映像全般に対する信頼を低下させるには十分だ。2019年、長らく国民の前に姿を見せず、体調不良か、もしくはすでに死亡していると考えられていたガボンのアリ・ボンゴ大統領の動画が流された。[6] ところが、反対派からディープフェイクのレッテルを貼られ、ガボン軍によるクーデター未遂の引き金となった。結局これは本物の映像だったが、素人が見ただけでは、何が真実なのか確信できるはずもなかったのだ。

このようなテクニックと、現在および近い将来のAI技術とを組み合わせて、ボットが真実味のある文章を、論文でもメッセージでも日常会話でも作成できるようになったら、はたしてどうなるのだろうか。何が人間で何が人間でないかという私たちの認識をハックできる、いたって説得力のある技術が遠からず出現するのではないか。

2016年のアメリカ大統領選でも、私たちはこの種のフェイクを目撃している。オンラインメディアのバズフィードは、アメリカ国内っぽいドメイン名を使っている140のフェイクニュースサイトを発見した。[7] センセーショナルな見出しを流し、フェイスブックでも高い支持を得ていたサイトだ。これを皮切りに、権威ある情報源を装った新しいウェブサイトが大量に出現する。ドメイン名が BostonTribune.com、KMT11.com、ABCNews.com.co などだったため公式のように見え、多くの読者がだまされて、そこに書かれた内容を信じ込んだ。ザ・テネシー・スター、アリゾナ・

モニター、マリン・エグザミナーといったサイトは、従来の新聞のように見えるようにデザインされていたが、配信されていたのは各党の党派的なプロパガンダだった。

これまで信頼の指標となってきたものの多くが、今や機能しなくなっている。かつては、活字の本とテレビのニュースが権威の代表だった。出版業界もテレビ業界も確固たる防波堤として機能していたからだ。その頃のような牧歌的な信頼は、インターネットでは通用しない。今や誰もが、どんな内容でも本という形で出版できる。紙の新聞を偽造するのはまだ難しいとしても、信用のある新聞をウェブサイトが模倣するのはたやすい。堂々たる銀行の建物は、かつて支払い能力と信用というメッセージの発信源だったが、今やそのようなイメージをウェブサイト上で容易に築くことができる。

信頼に対するハッキングの例は、まだいくらでもあげることができる。「スポンサードコンテンツ」は、それを掲載しているプラットフォームの形態と機能に合わせてあるが、有料広告である点は変わらない（ただし、ほとんどのプラットフォームでは記事の冒頭にスポンサーコンテンツであることが明記されている）。カスタマーレビューも、今ではEコマースサイトの至るところに見られ、本物のレビューのように見えて偽造は造作もない。偽造の、あるいは怪しい職業資格を濫用する話も後を絶たない。ならず者が入国管理局員になりすまして入国者から金を脅し取ろうとする、通信販売で博士号を買った人が医師になりすましていんちき薬を売りつける、詐欺師が税務当局をかたってまっとうな納税者のコンピューターにアクセスしたりパスワードを入手したりするといった例だ。

最後にもうひとつつけ加えよう。信頼に向けられる私たちの認知システムは、個人を信頼することに基盤を置いている。人は、組織やブランド、企業などの信頼性を評価するようには作られていない。だからこそ、かわいらしいマスコットや有名人の推薦の言葉が機能する。広告主はこれまで何十年間も、ブランドに人間的な顔を付与して、私たちの認知に基づく信頼システムすべてを動かしてきたのである。

各社のブランドは、ソーシャルメディア上で特徴的なパーソナリティさえ獲得してきた。ファーストフードチェーンのウェンディーズがツイッターで皮肉たっぷりのペルソナを演じるのも、アマゾンが政府からの批判に対して痛烈にやり返しているのも、親近感を演出し、信頼を獲得するためであり、そこはインフルエンサーや政治家と変わらない。企業も政治運動もソーシャルメディアで最適な存在感《プレゼンス》を発揮するためにＡＩの採用を進めている。その一方では、草の根的な支持の認知度を広げようとして偽のアカウントを作成・運営したいという誘惑も強くなってきたことを考えると、皮肉屋や懐疑論者でさえ、かつてないほどその信頼をハッキングされる日が近いのかもしれない。

47章　恐怖とリスク

人間は、先天的に恐怖という感覚をもっている。この感覚は、人間を餌にしようとする捕食者から逃れる術を、もっと最近では利己的な理由で他人を害する同種族から逃れる術を人類の祖先が身につけるなかで、数千年数万年をかけて進化してきた。何章か前で見た注意のシステムと同じく、恐怖のシステムは認知上のショートカットでできている。人が進化してきた過去の環境に合わせて最適化されている点も同じだ。

こうした感情は脳のごく基本的な機能であり、[1]大脳辺縁系にある扁桃体によって主に制御されている。人間の脳は、確率とリスクを分析するのがあまり得意ではない。人は劇的で予想外のまれな出来事を大げさにとらえ、月並みで予想内のよくある出来事を軽んじる傾向がある。まれなリスクを実際よりよくあると考える。確率が示す必要以上に、リスクを恐れるのだ。

多くの心理学者が研究によってこれを説明しようとしており、なかでも重要な発見として、人はデータよりも物語《ストーリー》に基づいてリスクに反応するという指摘がある。ストーリーは、理知ではなく本能のレベルで私たちを誘《いざな》い、鮮明で刺激的で、個人に関わるほど強く引きつける。ある国への旅行の安全性を考えるときには、外国で強盗にあったという友人の話のほうが、抽象的な犯罪統計のページよりも強い影響力をもつ可能性がある。目新しさと、恐怖と、よくできた話が過剰反応を生むのである。

これは至るところに影響を及ぼす。私たちは赤の他人に殺されたり誘拐されたりすること、レイプされたり暴行されたりすることを恐れるが、実はそのような犯罪の加害者は身内や友人である可能性のほうがはるかに高い。私たちは飛行機事故や銃乱射事件を心配するが、自動車事故や家庭内暴力については、発生率も死亡率もずっと高いにもかかわらず、さほど不安がらない。COVID－19のリスクに対してどう対応すべきか、最初は分からなかったし、いまだに分かっていない人もいる。そのリスクは個々には小さく、集団としては莫大であり、社会状況の小さな変化にきわめて敏感で、絶えず変化している。

テロリズムはこうした認知上のショートカットを直接ハッキングする。[2] 実際のリスクとしては、ごく小さい。9・11同時多発テロではおよそ3000人が死亡し、それ以降の20年間でもアメリカ国内でおよそ300人がテロ攻撃で死亡している。一方、交通事故による死者は毎年3万8000人で、同じ20年をとってみれば約75万人に達する。アメリカ国内だけで、COVID－19による死者は100万人以上にのぼる。しかし、テロリズムはどんな論理も圧倒するようにできている。恐ろしく、鮮やかで、劇的に無作為に起こり、そして悪意に満ちたものだ。まさしく、人がリスクを大げさにとらえ、過剰に反応してしまう原因そのものである。恐怖が支配的になると、私たちはそれまで考えもしなかったほど何よりも安全保障を優先し、それ以外を犠牲にするようになる。ここでハッキングされているのは、社会としての集団的な不安であり本能なのである。

政治家も同じように恐怖をハッキングする。自分の政治プログラムが安全保障を実現し、ニュースで話題になるような脅威を解決できるという持論を展開できれば、支持を集められるだろう。人は、個人的な経験がなくても、党の指導者やその仲間に対して恐怖を抱く。ニューハンプシャー州の北部に住む有権者は、中米からの移民と接した経験がなくても、アメリカ南部国境付近の移民を極度に恐れるかもしれない。ビル・クリントンはこう語っている。[3]「人は危険を感じたとき、弱くて正しい人よりも、強くて間違った人を選ぶものだ」

同族意識とは、集団全体としてのアイデンティティのシステムだ。人は本能的に集団を形成し、その成員以外を排除するようにできている。そこに脆弱性が存在するのは、ちょっとした感情の刺激があっただけで、実際には道理に合わないとしても、たちまち集団を形成してしまうからである。私が子どもの頃に参加していたサマーキャンプには、指導教官たちが企画した「カラーウォー」というものがあった。キャンプ全体をランダムに分け、1週間ずっとレッドとゴールド2つのグループとして過ごす、それが基本ルールだ。食事は別々になった。一緒に遊ぶこともない。その効果はたちまち表れた。自分たちは善人で、相手は敵。もちろん、自分がどちらの色だったか今ではもう覚えていないが、ついさっきまで友だちだった他のキャンパーときっぱり二分された感覚は忘れられない。

同族意識という脆弱性を突く方法は基本的に3つある。一つ目は、すでに固まっている集団的アイデンティティとグループ対立を刺激することだ。ロシアのインターネット・リサーチ・エージェンシーが2016年大統領選までの数か月間アメリカで行ったのがこれで、党派的な団体に資金を寄付したりオンラインフォーラムで対立をあおったりという戦術をとっていた。「亀裂を見つけよ」と叫ばれるのを聞いたことがある。つまり、同族間の分裂を広げられそうな社会の亀裂がすでにないかどうか探すのである。

二つ目は、隠れた目的のために意図的に同族集団を作り出すことだ。19世紀から20世紀にかけての植民地政府が、これで悪名を残している。ルワンダでは、この地域を支配していたドイツ人とベルギー人が、フツ族は農業、ツチ族は牧畜業という経済的な区別を、主要な民族と階級の区別へと変えてしまい、数十年後にはそれが遠因となって大量虐殺が発生した。今ではブランド各社が、スニーカーから清涼飲料水、自動車に至るまであらゆるものを私たちに売り込もうとして、程度ははるかに弱いものの、同様の戦略を展開している。

三つ目は、自然と同族意識が生じる条件を作り出すことだ。つまり、すでにできあがっている類縁集団を利用して、そこから共通性をもつ同族を無理なく作り出すのである。スポーツチームがそうだ。政党や党派活動家もその傾向がだんだんと強くなっている。

脅威の感覚が強まると、内部集団に対する支持が強力になり、外部集団に対する恐怖が増大するという研究結果を、フォックスニュースは間違いなく理解しているはずだ。「移民があなたの仕事を奪おうとしている[4]」とか「(どこそこの町)は犯罪が多発して危険だ[5]」、あるいは「アメリカ人にとってISISは脅威だ[6]」とか「民主党はあなたの銃を取り上げようとしている[7]」といったテーマのニュースを流すとき、フォックスニュースは話題にした問題への支持を高めているだけではない。集団のなかで二極化がさらに進む状況をも作り出しているのだ。

データ分析と自動化の結果、人々の集団アイデンティティという感覚をハッキングしてなんらかの目的を達成するのはとにかく速くなっている。そのうえ同族意識はきわめて強力で、分断を生んでいるので、同族意識をハッキングされたら、特にデジタルの速度と精度でハッキングされたら、社会にもたらされる影響は甚大である。そのハッキングが、コンピューターの支援を受けたソーシャルハッカー（ロシア人のような）の目標であろうと、あるいは自らの行動（たとえばソーシャルメディアの推奨エンジンのような）にかかるコストを知りもしないし気にもかけないＡＩの副作用であろうと、その点は変わらない。

48章　認知ハックに対する防御

「ナンパ師」のコミュニティというのが存在する。女性を誘惑する言葉巧みなテクニックを編み出してては共有する男たちの集まりだ。インターネットが普及する以前から存在していたが、今でもインターネット上で盛んに活動している。そこで使われるテクニックの多くには認知ハックと共通する点がある。「ネギング」というのもそのテクニックのひとつだ。基本的には、褒め言葉の裏に皮肉を忍び込ませる手口で、聞き手に自信を失わせ、ネギングしている当人に感情面で認めてもらいたいという欲求を駆り立てる。そう、最低だ。

ネギングにしろその他のハックにしろ、確実に通用するのかどうか私には分からない。ネット上でこれを話題にしている男たちは、自分の体験談をとくとくと自慢げに話しているが、それが嘘なのか、でたらめな行動科学的方法論なのか見定めるのは難しい。こうしたハッキングをかけられる側に立たされた女性たちの話を読むと、明白なことがひとつある。事前の知識が最大の防御になるということだ。ネギングも戦術であることがあらかじめ分かっていれば、しかけられてもそうと気づくことができる。

　事前の知識があると、慣れるまでの時間が短くなる。つまり、認知ハックの多くは、最初こそうまく機能するが、次第に人が順応するようになって成功率が下がっていくということだ。バナー広告は、１９９４年に初めて登場したときには49％のクリックスルー率を誇っていたが、今ではその成功率は１％にも満たない。ポップアップ広告も、腹が立つほどどこにでも出現するようになるとともに同様の減少を示している。マイクロターゲティング、ドリッププライシング、フェイスブックの偽アカウントなど、前までの何章かでお話ししたいずれについても、同じ現象が起こる可能性がある。私たちがこうした戦術に慣れていけば、その効果は薄れていく。

　だが、事前の知識が通用するのはここまでだ[1]。認知ハックの多くは、自分が操られていると分かっていても機能するからだ。巧みに操られて何かを信じ込むようなった人は、それが間違いだという明確な証拠を突きつけられてもなお、最初の信念をもちつづけたり強めたりすることが少なくない。具体的な例でいうと、初月のお試し期間は無料で、それ以降は毎月の料金が発生するというサブスクリプションモデルはおなじみだろう。これは、消費者の消費意欲に対するハックで、狙われているのは人間の記憶力と時間管理能力に対するいかんともしがたい過信だ。ユーザーが解約しようと思いながらできずにいるサービスの料金を毎月請求させてもらう。人は時間の経過を忘れてしまう傾向があるのを知りながら、それを止めないのである。

　もうひとつの防御策は、特定の不正操作を非合法化することだ。たとえば、オーストラリアでは、ドリッププライシングを防ぐために、商品の全価格をあらかじめ開示することを義務付けており、ＦＴＣも広告の内容が「合理的に立証される」よう求めている。こうしたハックの効果を低減し、危険性を緩和するには、特定の個人がマイクロターゲティング的にハッキングされないようにすればよい。有料のメッセージング、とりわけ政治的広告を広くターゲットしなければならないとなったら、さまざまな認知ハックを悪質な手段として利用するのは難しくなるだろう。

しかし、新しいルールは必ずハッキングされるものだ。したがって、認知ハックが意図的な誤誘導に利用されないようにするには、強靭で柔軟な監督と透明性が必要だが、それだけで、認知ハックの拡散を阻止するのに十分とはいえない。しかも、このようなハックのどこが「間違っている」かを説明するのは難しく、その害が抽象的だったり長期的だったりして証明が難航することも考えると、認知ハックを防ぐのはなかなか困難だ。

認知ハックは、人間の知的活動のなかでも、生存本能から社会的地位への渇望まで、特に基本的で広範な面を利用する。相手は誰でも有効だ。認知ハックから身を守るには、社会全体の多重防御が必要であり、その対象は教育、規制、そして特にオンラインの技術的ソリューションにまで及ぶ。デジタル技術は今まで以上に私たちの注意を引くようになり、認知に対するハッキングはいよいよ機械化が進んでいる。そして、コンピュータープログラムが人間ハッカーの使う道具から、もっと高速かつ強力で自律性の高いハッカーへと進化するにつれて、今度はデジタル製品が私たちをハッキングしかねない。それを理解することが、不正な操作から身を守るうえでどんどん重要になっていくだろう。

49章　ハッキングの階層

どんなシステムも、単独では存在しない。必ず階層の一部になっている。

オンラインバンキングの取引でお金を盗もうとする人を想像してみよう。その場合、銀行のウェブサイトをハッキングできる。銀行の利用客のインターネットブラウザーもハッキングできる。利用客が使うコンピューターのOSやハードウェアをハッキングすることもできる。こうしたハックはすべて、自由に使えるお金という目標と、窃盗という目的を達成できることになるだろう。

次に、節税したい人を想像してみる。まず明らかなのは、税制をハッキングし、新たな抜け穴を見つけることができるということだ。だが、もしその人たちに権力と影響力があるなら、レベルをひとつ上げて、税法を作るための立法プロセスをハッキングすることもできる。あるいは、さらにレベルを上げて、立法を実現する制定プロセスや予算計上プロセスをハッキングして、税務当局が税務監査を実施するのに十分なスタッフを確保できないようにすることもできる（執行プロセスをハッキングするのも、システムの意図をくじく方法のひとつだ）。

レベルを3つ上がれば、議員選出という政治プロセスをハッキングすることもできる。レベルを4つ上がれば、政治プロセスについて議論するメディア・エコシステムをハッキングできる。あるいはレベルを5つ上がって、抜け穴を開けたり閉じたりする税制を作る議員を選出する政治プロセスを議論するために使われるメディア・エコシステムによって引き起こされる認知プロセスをハッキングすることもできる。レベルを1つ下げて、納税申告プログラムの脆弱性やエクスプロイトを見つけることもできる。

ここで重要なのが、システムは階層が上がるほど一般性が上がり、上のシステムが下のシステムを支配するということ、そしてハックはどのレベルでもターゲットにできるということだ。ハッキングは、相互に絡み合ったシステムの階層を悪用することで成り立つ。ひとつのシステムだけなら、それ自体の侵害や不正操作は難しいかもしれない。だが、それを支配している上位のシステムや、システムコマンドを実装する下位のシステムを狙えば、単体では安全なはずのターゲットに対する強力なエクスプロイトの源となりうるのである。

技術面でいうと、レベルを上がっていくのは難しい。マイクロソフト・ウィンドウズに脆弱性があるからといって、マイクロソフト社の採用プロセスをハッキングして、ウィンドウズにもっと脆弱性を追加できる立場になれるわけではない。これが社会システムとなると容易になり、特に金と影響力があれば簡単になる。ジェフ・ベゾスは、いともたやすくワシントンDCでもひときわ大きな豪邸を購入し、議員をもてなして影響力を発揮している。[1] あるいは、アメリカでも特に有力なニュースソースのひとつワシントン・ポスト紙でも買収できる。プログラマーを雇って、望むどおりのありとあらゆるソフトウェアを書かせるのも造作ないことだ。

なかには、複数のレベルで同時に機能するハックもある。2020年に出現した「ゴーストライター（Ghostwriter）」は、ロシアが起源と推定されている集団で、東ヨーロッパのニュースサイト数社のコンテンツ管理システムに侵入して、フェイク記事を掲載した。[2] これは、インターネットに接続されたコンピューターターシステムに侵入する従来型のハックに、ニュースサイトの正当性に対する評価を狙う信頼のハックを組み合わせたものだ。

パッチの適用も、上のレベルより下のレベルになるほうが簡単だ。ターボタックスに存在する脆弱性なら数日で修正できる。税制における脆弱性は修正に何年もかかるだろう。認知に関わる脆弱性に至っては、何世代も続くことは想像に難くない（ただし、特定のエクスプロイトはたびたび変更が必要になるだろう）。

だからこそ、認知ハックはとりわけ危険なエクスプロイトとなる。個人だろうと集団だろうと私たちのあらゆる行動に影響し、ひいては社会システムのすべてに影響する。人間の頭脳をハッキングできれば、同じテクニックを有権者や従業員、経営者、規制当局、政治家、そして他のハッカーに対してさえ使うことができ、それぞれがいるシステムを作り変えるよう、意のままに誘導することができる。

認知に対するハッキングの危険は広がりつつある。私たちが心配しなければならない認知システムは、もはや人間の頭脳だけではない。公共サービス、商取引、さらにはごく基本の社会的な相互対応でさえ、今では人と同じように予測し判断するデジタルシステムによって媒介されるようになったからだ。その処理は人より速く安定しているが、人と同じようには責任を負わない。機械が人に代わって決断することも増えているが、人のように考えるわけではない。そして、人の頭脳がそうした人工知能と交わすやり取りは、ハッキングにとって刺激的な、ただし危険な未来への道を指し示している。経済に、法律に、さらにその先へも続く道である。

第７部

ＡＩシステムのハッキング

50章　人工知能とロボット工学《ロボティクス》

人工知能、いわゆるAIは情報技術の一種だ。ソフトウェアで構成され、コンピューター上で動き、理解されているか理解されていないかはともかくとして、すでに現代の社会構造に深く入り込んでいる。AIは、かつてなかった形で私たちの社会をハッキングする。

いま言ったことには二種類の意味がある。ひとつは、AIシステムが私たちをハッキングするために使われるという意味。もうひとつは、AIシステム自身がハッカーになるという意味だ。社会、経済、政治のありとあらゆるシステムで脆弱性を見つけ、前例のない速度、規模、範囲で、かつてなく巧妙に利用する。もはや量の違いではなく、質の違いだ。AIシステムが他のAIシステムをハッキングするようになり、人間への影響など巻き添え程度でしかなくなる、そんな未来が迫っている。

いささか大げさに聞こえるかもしれないが、私が述べることはどれも、遠い未来のSF的技術を必要とするものではない。いわゆる「シンギュラリティ」、AIと学習のフィードバックループが人間の理解をしのぐほど高速になるといわれている、そんな状況を仮定しているわけではないのである。私の描くシナリオに、邪悪な天才科学者など登場しない。知性をもつアンドロイド、そう、

『スタートレック』シリーズのデータ少佐や、『スター・ウォーズ』サーガのR2-D2、『銀河ヒッチハイク・ガイド』シリーズのマーヴィンなどは想定されていない。『ターミネーター』のスカイネットやアベンジャーズの宿敵ウルトロン、『マトリックス』のエージェントたちのような悪意のあるAIシステムも必要ない。これから説明するハックのなかには、研究上の大きなブレークスルーさえ必要としないものもある。AIの技術が高度になるにつれてハックも進化していくが、その兆候はすでに表れており、今でも目にすることができる。このようなハッキングは、AIが学習、理解、問題解決に熟達していくなかで、自然に生まれるものなのだ。

定義：AI（名詞）

1 （略語）人工知能。
2 （一般的に）知覚し、考え、行動することのできるコンピューター。
3 人間の思考をシミュレートする幅広い意思決定技術を包括する広義の用語。

正式な定義ではないが、AIを定義するのは難しい。1968年、人工知能の父ともいわれるコンピューター科学者のマービン・ミンスキーは、AIを「人間が行うとしたら知能を必要とすることを機械に実行させる科学」と表現した。[1] 同じくAIの先駆者のひとり、パトリック・ウィンストンは「知覚、推論、行動を可能にする計算」と定義した。[2] チューリングテスト、当初の言い方に倣うと「イミテーションゲーム」に関して1950年に発表された論文では、人間が実際の人間と区別できないような仮想のコンピュータープログラムが紹介されていた。

特化型のAI、いわゆる「狭いAI」と、汎用的な「広いAI」とは区別しておく必要がある。広いAIとは、映画でおなじみのように、高い汎用性を備え人間のように知覚し、考え、行動できるAIを指す。人間よりも賢ければ、「人工超知能」と呼ばれる。これをロボット工学と組み合わせれば、アンドロイドが、人間型かどうかはさておき、できあがる。映画のなかで人類を滅ぼそうとするロボットは、すべて広いAIだ。

広いAIの開発をめざす数々の応用研究と、人類を滅ぼすような望ましくない行動をとらないようにシステムを設計する方法についての理論研究が行われている。コンピューター科学から社会学、哲学に至る各分野を網羅する魅力的な研究だが、実用化はおそらく何十年か先のことだろう。[3] 代わりに私が注目しているのが、特化型のいわゆる狭いAIだ。今まさに開発が進んでいる分野である。

狭いAIは、何か決まったタスクに特化して設計される。たとえば、自動運転車を制御するシステムだ。車の運転のしかたから、交通法規の守り方、事故の避け方、あるいは子どものボールが急に道路に飛び出してくるといった想定外のことが起きたときの対処方法などを、このシステムは知っている。特化型の狭いAIはいろいろなことを知っていて、その知識に基づいて判断を下せるが、それは車の運転という限られた領域でしか通用しない。

AI研究者の間では、「何かが機能したら、それはもうAIではない。ただのソフトウェアだ」というジョークが定番になっている。AI研究者にとっては、意欲を喪失するようなジョークだ。なにしろ、その線でいえば、意味のあるAIの発達は失敗だけになってしまうからだ。AIは、そもそもから神秘的でSF的な用語だが、現実になれば、もはや神秘的なものではなくなる。私たちはこれまで、胸部レントゲン写真の読影には放射線専門医が必要だと考えてきた。つまり、適切な訓練を受け、専門資格をもつ知的な人間が必要だと。だが今では、コンピューターでも実行できる機械的な作業であることが判明している

こう考えればいいだろう。意思決定に関わる技術やシステムは多岐にわたる。温度の変化に応じて炉を作動させる単純な電気機械式サーモスタットから、SF的なアンドロイドまで実にさまざまだ。何をもってAIと呼ぶかは、実行されるタスクとそれが発生する環境、その両方の複雑さによって決まる。サーモスタットが実行するのは、環境の一面を考慮するだけで済むごく単純な操作だ。コンピューターさえ必要としない。これがデジタル式の最新サーモスタットになると、在室中の人を感知し、使用状況と気象予報の両方に基づいて、さらには地域全体の電力消費量や秒単位のエネルギー費用まで考え合わせて、これから必要になる暖房に関する予測を立てられるだろう。さらに未来的なAIサーモスタットなら、周囲温度の調整という意味をあらゆる面から考慮して、思慮深く面倒見のいい執事のように振る舞うかもしれない。

定義にこだわりすぎるのは避けようと思う。私が語る議論の目的にはあまり関係しないからだ。意思決定のほか、私がこれから論じるAIシステムに関わる特性としては、自律性（独立して行動できる能力）、自動性（特定のトリガーに応じてあらかじめ設定されたとおりに行動する能力）、物理的主体性（物理環境を変える能力）の3つがある。サーモスタットは自動化と物理的主体性が限られており、自律性はまったくない。犯罪者の再犯率を予測するシステムに、物理的主体性はない。自動運転車は、この3つすべてをある程度まで備えている。R2－D2はこの3つを十二分に備えているが、どういうわけか合成音声で英語を話す機能だけは設計者が忘れたようだ。

定義：ロボット[4]（名詞）

1　物理的な形をとり、物理的な運動を通じてまわりの環境を知覚し、考え、行動できる物体。

ロボット工学《ロボティクス》も、物語のなかでは人気があり、ＡＩほど派手ではないが現実になっている。ＡＩと同様、この単語も定義はさまざまだ。映画やテレビドラマでは、ロボットは人造人間、つまりアンドロイドとして登場することが多い。しかし、ＡＩと同じように、ロボティクスも幅広い推論能力と物理機能まで備えている。ロボティクスについても、散文的な目先の技術に話を絞ることにしたい。その目的に即していうと、ロボティクスとは、自律性、自動性、物理的主体性を大幅に引き上げたものである。「サイバーフィジカルな自律性」といってもいい。モノの中にＡＩ技術を組み込めば、直接的・物理的に世界に干渉することができる。

51章　AIをハッキングする

ＡＩシステムはコンピュータープログラムであり、コンピューター上で、しかもほとんどが大規模なコンピューターネットワーク上で動作する。したがって、他のコンピューターシステムの脆弱性を利用するのと同種のハッキングには、ことごとく脆弱である。だが、ＡＩシステムならではの脆弱性も存在する。その最たるものが機械学習（ＭＬ）システムだ。機械学習はＡＩの下位分野だが、それが今では実用的なＡＩシステムの中心になっている。ＭＬシステムでは、空の「モデル」に膨大な量のデータを供給《フィード》して、自ら解答を導き出すように指示を与える。ＭＬ攻撃のなかには、ＭＬシステムの学習に使われる「トレーニングデータ」を盗んだり、ＭＬシステムの土台となるＭＬモデルそのものを盗み出したりするものもある。あるいは、ＭＬシステムが不正な、つまり誤った判断をするように設定を変えるものもある。

最後にあげたのが、「敵対的機械学習」として知られる手法で、本質的にハックの集まりである。場合によっては、ＭＬシステムを研究し尽くし、その機能や弱点を十分に把握したうえで、その弱点を狙う入力データを作り上げることもある。つまり、巧妙に作った入力データを使ってＭＬシステムを欺くことができるのだ。たとえば、２０１７年にＭＩＴの研究者たちは、ＡＩの画像分類機能でライフル銃だと誤認されるような、おもちゃのカメを3Dプリンターで設計したことがある。そのほかにも、何の変哲もないステッカーを念入りに計算して一時停止標識に貼り付けると、AIの分類機能が速度制限標識と誤認するとか、路上にステッカーを置くと、自動運転車が誤認して対向車線にはみ出すといった実証例もある。これらはあくまでも理論上の例にすぎず、テストでこそこうした失敗を起こさせることに研究者は成功しているが、いま分かっているかぎり、敵対的MLによって実際に自動運転車がクラッシュさせられた例は出てきていない。

敵対的MLは悪意によるものとは限らず、実験室環境に限られてもいない。現在でも、顔認識システムをハッキングしようとする敵対的MLプロジェクトが進行している。デモなどの抗議運動の参加者が警察に特定されるのを心配せずに公の場で集会を開けるようにするためだ。同様に、保険会社がAIシステムを使って保険金請求承認の判断を下すという未来も想像できる。所定の薬や治療が必要な患者の保険承認を保証するために、医師が既知のハッキングを利用することもあるかもしれない。

そのほかにハックが成功した例としては、システムで変化を引き出すように仕組まれた特定の入力データをMLシステムにフィードするという手口があった。2016年、マイクロソフトはツイッター上で動くチャットボット「テイ（Tay）」を発表した。テイの会話スタイルはティーンエイジャーの少女の会話パターンをモデルにしており、ユーザーと交流するなかでそこでの会話スタイルを学習していき、さらに進化をとげるはずだった。だが24時間もたたないうちに、匿名掲示板「4Chan」のあるグループがテイへの応答を好き勝手にいじりはじめる。人種差別、女性蔑視、反ユダヤ主義的なツイートを大量にテイに読ませ、テイを人種差別的、女性蔑視的、反ユダヤ的なアカウントに変えたのである。テイはそのグループから学習し、実際には何ひとつ理解していないまま、醜悪なツイートをオウム返しに世界に広めてしまい、間もなく停止されている。

ＡＩシステムもコンピュータープログラムである以上、他のコンピュータープログラムを狙う同じハックに対して脆弱でない保証はない。敵対的ＭＬについての研究はまだ始まったばかりなので、ここであげた敵対的攻撃が容易なのか困難なのか、あるいはセキュリティ対策がどれほど有効なのかを明確に語ることはできない。コンピューターハッキングの歴史を指針にして考えると、予見しうる近い将来、ＡＩシステムでも悪用可能な脆弱性は発生するはずだ。ＡＩシステムは、私がこれまでに取り上げてきた社会技術のシステムにも組み込まれているので、私利私欲のためにＡＩシステムをハッキングしようとする連中は必ず出現する。

今しがた説明したハックについて確かなのは、結果が目に見えるということだ。車が衝突する。カメがライフルと誤認される。テイが人種差別と女性蔑視を続けるナチのように振る舞う。そうした事態を私たちは目撃することになる。そうなったとき、ＭＬシステムにパッチを当て、その機能を本来の適切な状態に戻すことができればと願うばかりだ。

予想できそうなハックは、明白なものから不可視のものまで、いろいろある。私が特に懸念しているのは、影響が軽微で目立たない攻撃だ。車なら、たとえ衝突しなくても、運転がわずかに不安定になることがあるかもしれない。チャットボットは一人前のナチスにこそならなくても、特定の政党の立場を支持する傾向が少しだけ強くなるかもしれない。大学入学の願書に書き加えるフレーズを考え出して、審査で少しでも有利になろうとするハッカーも出てきそうだ。その結果が軽微なものであり、アルゴリズムが発覚しないうちは、ハッキングが起こっていることに誰も気づかないかもしれないのである。

52章　説明可能性という問題

『銀河ヒッチハイク・ガイド』のなかで、ある超知性汎次元生物が、「生命、宇宙、その他もろもろについての深遠なる疑問の答え」を出させようとして、宇宙最強のスーパーコンピューター「ディープ・ソート」を建造する。計算に750万年かかった末、ディープ・ソートはある奇抜な答えを導き出す。[1] だが、ディープ・ソートはその答えを説明することができない――

突きつめて言うと、これが説明可能性という問題である。最新のAIシステムは本質的にブラックボックスだ。一方からデータが入り、もう一方から答えが出てくる。たとえ自分がそのシステムの設計者で、コードを調べることができたとしても、システムがどのように結論に達したかを理解することはできない。AIの画像分類システムがどうやってカメとライフルを見分けるのか、ましてやなぜカメとライフルを誤認識するのかを、研究者は正確には知らないのである。

2016年、AIプログラム「アルファ碁（AlphaGo）」が世界トップクラスの囲碁棋士イ・セドルとの5番勝負に勝利する。[2] AI業界にも囲碁の世界にも衝撃を与える展開だった。アルファ碁が打った特に有名な一手は、第2局の37手だ。囲碁の戦略に深く踏み込まないと説明は難しいが、人間なら絶対に選びようがない手だった。AIが独自の考え方をした例だ。

ＡＩはある問題を人間のように解決するわけではない。ＡＩの限界は人間の限界と違う。ＡＩは人間よりも多く何通りもの答えを考える。何より重要なのは、答えについて人間より多くの「型」を検討するということだ。人間が考えもしなかったような経路、人間が普通に意識するよりも複雑な経路を探求する（人間が同時に扱えるデータの数量に関する認知上の限界は、以前から「マジックナンバー7プラスマイナス2」だと表現されている。ＡＩシステムに、そのような限界はいっさいない）。

２０１５年、ある研究グループがディープ・ペイシェント（Deep Patient）というＡＩシステムに約７０万人の健康・医療データをフィードし、そのシステムで疾病を予測できるかどうかを実験した。結果は、関係者全員が納得する成功だった。意外にもディープ・ペイシェントは、統合失調症のような精神疾患の発症を高い精度で予測した。最初の精神病エピソードを医師が予測することはほぼ不可能であるにもかかわらずだ。すばらしい結果のように聞こえるが、ディープ・ペイシェントはその診断と予測について根拠をまったく説明していないし、研究者もなぜそうした結論に至るのか見当すらつかない。医師はコンピューターを信頼することも無視することもできるが、詳しい情報を聞き出すことはできないのである。

これでは理想的とはいえない。ＡＩシステムはただ答えをはき出すだけでなく、その合理的な理由を人間が理解できる形で説明しなければならない。私たちがＡＩシステムの決定を安心して信頼するためにも、またＡＩシステムがハッキングされて偏った決定をしていないことを確認するためにも、この説明は必要なのである。筋の通った説明を提供することは、正確である確率が上がるかどうかとは別に、本質的に意味がある。説明は、法律上でも、適法手続きという概念の基本的な要素とみなされている。

説明可能なＡＩの研究も続いてはいる。２０１７年、ＤＡＲＰＡ（国防高等研究計画局）はこの分野の12のプログラムに向けて７５００万ドルの研究基金を立ち上げている。それなりの進捗はあるだろうが、有効性と説明可能性は並び立ちにくく、有効性とセキュリティ、説明可能性とプライバシーもそれぞれ両立は難しそうだ。説明とは、人間が用いる認知上の簡略化のひとつであり、人間の意思決定になら適している。ＡＩの意思決定は、単純に人間が理解しやすい説明の助けにはならないかもしれない。一方、ＡＩシステムにそのような説明を求めると、そこに新しい制約が生じて、意思決定の質に影響を与えかねない。こうした研究がどんな結果をもたらすかは不明だ。短期的に見ると、システムが複雑になっていき、人間との差が開いて説明が難しくなるにつれて、ＡＩはさらに不透明になっていく。

状況しだいでは、私たちが説明可能性を気にかけないこともありえる。たとえディープ・ペイシェントがその行動を説明できないとしても、人間の医師より正確だとデータで証明されていれば、私は安心してディープ・ペイシェントの診断を受けるかもしれない。あるいは、石油を探してどこを掘削するか決めたり、飛行機のどの部品が高い確率で故障しそうかを予測したりするＡＩシステムについても、同じように感じる可能性がある。一方、出願者が学問の道で成功する可能性を予測して大学合格者を決定するＡＩシステムとか、延滞や違約の確率を予測するときに人種的なステレオタイプを織り込んでローンを決定するシステム、あるいは再犯率を予測して仮釈放を決めるシステムだったら、あまり信頼したくはならないだろう。人によっては、ＡＩシステムが説明もなしに重大な決断を下すことに最終的にさほど違和感を覚えないかもしれない。すべては至って主観的であり、私たちがＡＩの意思決定にだんだんと慣れていくにつれて、時間とともに変化する可能性はある。

説明不可能なＡＩに強く反対する声もある。フューチャー・オブ・ライフ・インスティテュート（生命の未来研究所）などによるＡＩ研究では、「危害を与え」かねないとか、「個人に重大な影響を与える」、または「人の生命、生活水準、評判」に影響する可能性のあるシステムについて、特に説明可能性が重要だと指摘している。[3]「AI in the UK（英国におけるＡＩ）」という報告書では、[4]「個人の生活に重大な影響」を及ぼし、しかもその決定について「完全かつ満足のいく説明」ができないとしたら、そのシステムは導入すべきではないと提言している。

私にとって、説明を必要とするＡＩとそうでないＡＩとの間にあるのは、公平性の違いだ。私たちは、ＡＩシステムが人種差別、性差別、障害者差別、あるいは今はまだ想像もできないような形の差別に加担していないことを保証しなければならない。説明可能性がなければ、アマゾンの求人応募を審査する社内ＡＩシステムが導き出したような結果がいとも簡単に生成されてしまう。アマゾンの10年分の採用データに基づいてトレーニングされたシステムで、同社が男性優勢であるためにＡＩシステムが自己学習を経て性差別的になっていた。履歴書に「女性」という言葉が含まれていたり、応募者が女子大を卒業していたりするだけでランクを下げていたのである（こんなときには、未来の姿が過去を映したものであってほしくはないと思う）。

明らかに偏った不公正なシステムであり、アマゾンの経営陣も何が起こったかを理解した時点でこのプロジェクトに見切りをつけ、[5]システムを廃止するに至った。このときアマゾンが直面した問題は厄介で、乗り越えがたいものですらあった。公正さといっても、矛盾する定義がいくつもあり、[6]ある状況で「公正」なものも、状況が変われば必ずしも公正であるとは限らないからだ。入学者を決める公正なシステムとは、性別にとらわれないものか、以前の性別バイアスを意識的に修正するものか、それとも志願者の男女比に応じて入学を許可するものか？　さらには、男女間の機会均等だけではなく、トランスジェンダーやノンバイナリーの人々まで考慮するものなのか？

　ＡＩシステムが、雇用をめぐって特定の人を推薦したり、特定の仮釈放決定を下したりする理由を説明できるものなら、私たちはその意思決定プロセスをさらに細かく精査できる。つまり、「このレントゲン写真は腫瘍を示しているか？」という問いよりもっと社会的に難しい状況であっても、そのシステムを信頼できる可能性が高まるということだ。

　ところで、人間の判断も実は常に説明可能なわけではない。もちろん、説明することはできるが、ある研究によると、それは実際の説明になっているというより、事後の正当化ということもある。だから、もしかすると、ただ結果を見ればいいというのが答えなのかもしれない。ある警察署の行動が人種差別的かどうかを裁判所が判断するときには、警察官の頭蓋骨を開けて調べたりはしないし、行動の説明を求めることもない。結果を見て、そこから判断するのである。

53章　接近する人間とAI

　AIシステムは、個人のレベルだけでなく社会的なレベルでも私たちに影響を及ぼす。先に、ソーシャルエンジニアリングについて触れた。ひときわ効果の高いフィッシングの手口であり、結果的に個人や企業に巨額の損失を与えているが、その内容は個人向けに調整《パーソナライズ》されている。CEOになりすまして財務部の誰かに電信送金を依頼するメールは特に効果的で、音声や動画があれば成功率はさらにはね上がる。フィッシング攻撃をパーソナライズする作業は煩雑だが、AI技術によって自動化される可能性がある。そうなれば、詐欺師は上司を装って個別にターゲットを絞ったメールや音声メッセージを念入りにカスタマイズして、いっそう信憑性を演出できることになる。

　AIにだまされるから、人にだまされるより深刻だというわけでは必ずしもない。危険が大きくなるのは、AIがコンピューターのスピードとスケールで説得できるようになるからである。現在の認知ハックはお粗末だ。偽の新聞記事や刺激的な扇動に仕立ててあるが、あれでだまされるのは素直すぎる人とか、藁をもつかむ思いの人だけだろう。AIが、認知ハックをマイクロターゲティングする可能性もある。パーソナライズされ、最適化されて、個別に届けられるのだ。信用詐欺のような旧来の不正行為は個人対個人の認知ハックであり、広告メッセージは一括送信される認知ハックだ。ＡＩ技術は、この2つの技術を融合する可能性を秘めている。

人は以前から、コンピュータープログラムに人間のような性格を投影してきた。１９６０年代、コンピューター科学者のジョセフ・ワイゼンバウムは、心理療法士の手法を模倣するイライザという原始的な対話プログラム[1]を開発している。単純なコンピュータープログラムと分かっている相手に向かって、人々が個人的な重い秘密を打ち明けることに、ワイゼンバウムは驚いた。ワイゼンバウムの秘書が、内密で話したいからイライザと二人だけにしてくれと頼んだことさえあったという。ひるがえって現在、人はアレクサやＳｉｒｉのような音声アシスタント[2]に向かって発声するとき、まるで機械が口調を気にするとでもいうように礼儀正しく接することが多い。Ｓｉｒｉは、意地悪い聞き方をすると文句を言うことさえある。「それはあんまりです」――もちろん、そう反応するようにプログラムされているからだ。

同じような結果が、いくつもの実験で得られている。ある実験では、被験者がコンピューターのパフォーマンスを得点で評価するとき、評価対象のコンピューター上で得点を付けると評価が甘くなりがちになったという。[3] 別の実験では、コンピューターが明らかに架空の「個人情報」を被験者に伝えると、被験者はそれと交換するかのように[4]、本当の個人情報を共有する可能性が高かった。これが応酬の効果で、研究対象としている心理学者もいる。人間も使うハックだが、ＡＩのスケールとパーソナライズ機能によってさらに勢いがつきそうなもうひとつの認知ハックである。

ロボティクスが加わると、ＡＩによるハックはさらに効果を増す。私たち人間は、互いを認識するためにきわめて効率的な認知上のショートカットを生み出してきた。私たちは、いろいろなものを人の顔に見立てる。一本の線の上に点が2つあれば顔として認識する。最低限のイラストだけで理解されるのもこの効果があるからだ。何かに顔があったら、それはなにがしかの生き物であり、意思や感情など、現実世界の顔に伴うあらゆるものを備えていると考える。もしその何かが口をきいたら、まして会話が成立しようものなら、私たちはそれが意図や欲望や主体性をもっていると考えるかもしれない。眉毛まで付いていたら、もっといい。

ロボットも例外ではない。ロボット掃除機との間に人間どうしにも似た関係を感じている人も多く、「私のルンバ」を修理できないので交換すると告げられて企業に苦情を言う人さえいる。アメリカ陸軍が開発した地雷処理ロボットが議論の対象になったこともある。[5] 昆虫型のこのロボットが地雷を踏んで壊れつづけるのを見たある陸軍大佐が、たまりかねて使用を認めないと言い出したのだ。ハーバード大学のロボットは、配膳ロボットのふりをして学生にオートロックを解除してもらい、寮に入ることに成功している。また、ＭＩＴの研究者が開発した、子どものように喋るロボット「ボクシー」の例もある。ボクシーにていねいに頼まれただけで、人は個人的な質問に答えるよう説得された。

ロボットを見たときの私たちの反応は、少なくとも部分的に見ると、子どもの姿や行動を見たときの反応と似ている。子どもは身体に対して頭が大きく、頭に比例して目が大きく、目に合わせてまつ毛も長い。声は甲高い。そういう特徴を見たとき、私たちは保護者のような感覚で反応するのである。

アーティストは何世代にもわたってこの現象をうまく利用し、見る人の共感に訴えるような作品を作ってきた。おもちゃの人形は、愛情にあふれる保護者的な反応を呼び起こすようにデザインされている。マンガやアニメのキャラクターも同じように描かれており、1930年代に人気を博したベティ・ブープや、1942年の映画で初登場したバンビがその好例だった。2019年のアクション映画『アリータ：バトルエンジェル』の主人公も、CG処理で目が大きく見えるように描かれている。

2016年、ジョージア工科大学がロボットに対する人間の信頼に関する研究[6]を発表した。この研究では、人型《ひとがた》ではないロボットが「出口はこちらです」といった指示を出しながら、被験者が建物内を移動するのを支援した。被験者は、まず平常の状況でロボットと対話してその性能を確かめるが、このときは意図的に性能が落としてあって、うまく道案内ができない。次に、緊急事態をシミュレートした状況で、ロボットの指示に従うかどうか判断を迫られる。そうすると、26人の被験者全員がロボットの避難指示に従う。その直前に、このロボットは案内が下手だということを確認していたにもかかわらず、である。ロボットに寄せられる信頼は絶大だった。出口の見えない暗い部屋を指差されたときでさえ、大多数の被験者はそれに従っている。不具合があると思われる他のロボットでも同様の実験が行われた。このときも、被験者はロボットの避難指示に従い、自分たちの常識的な判断を明らかに放棄していた。ロボットは人間の信頼を自然にハッキングできるらしい。

人に似せて作ったロボットは感情的な説得力をもち、AIはその魅力をさらに増幅する。人間や動物にそっくりの姿をとるようになれば、AIは人間がお互いを評価するときに用いるメカニズムをそっくりそのまま乗っ取るし、やがてそのメカニズムをハッキングする新しい方法も考え出すだろう。心理学者のシェリー・タークルは2010年にこう書いている。[7]「アイコンタクトをとり、顔を認識し、人間のジェスチャーを真似るようになったら、ロボットは私たちの中にある適者生存のボタンを押し、人々が感覚、意図、感情と結び付けるような行動を示す」。つまり、私たちの脳をハッキングするということだ。

私たちはＡＩを人間のように扱うが、それだけでは済まなくなる。ＡＩのほうも、私たちを欺こうとする意図に沿って、人間のように振る舞うようになるだろう。ＡＩが認知ハックを使うようになるのだ。

54章　AIとロボティクスが人間をハッキングする

２０１６年アメリカ大統領選の期間中には、政治的なツイート総数のうちおよそ5分の1がボットによって投稿されていた。同じ年、イギリスのＥＵ離脱をめぐる投票では、その割合が3分の1に達した。２０１９年にオックスフォード・インターネット研究所が発行した報告書によると、[1]プロパガンダを拡散するためにボットが使われていた証拠は50か国で見つかったという。いずれも、スローガンをただ繰り返すだけの単純なプログラムだった。たとえば、２０１８年にサウジアラビアのジャーナリスト、ジャマル・カショギが殺害された事件の直後には、「We all have trust in [crown prince] Mohammed bin Salman（私たちはみな［皇太子の］ムハンマド・ビン・サルマンを信頼している）」というサウジアラビア寄りのツイートが25万件も投稿された。

２０１７年、アメリカ連邦通信委員会（ＦＣＣ）はネット中立性規則を廃止する計画をめぐるパブリックコメントをオンラインで募集すると発表。実に２２００万件ものコメントが寄せられた。その多く、おそらく半分ほどは、盗み出されたＩＤを使って送信されたものだった。偽コメントはお粗末なもので、１３０万件は同一のテンプレートから作成され、別個に見えるように単語がいくつか変えられているだけだった。ざっと調べるだけで露見する程度のものだったのである。

　こうした試みも、これからは巧妙になる一方だろう。もう何年も前から、ＡＩプログラムはＡＰ通信など実際の報道機関に向けてスポーツや金融のニュース記事を作成している。そういった分野の報道は制約が多いため、ＡＩに適応しやすかったのである。今では、一般的な分野の記事の執筆にも使われている。オープンＡＩのＧＰＴのような最新の文章作成システム[2]を使うと、事実をフィードして真実の記事を執筆させることもできるが、虚偽の情報をフィードしてフェイクニュースを書かせることもできる。

　ＡＩが政治的言説の価値をどれほど破壊するかは、想像に難くない。今でもすでに、ＡＩを駆使した人格《ペルソナ》は、パーソナライズした手紙を新聞社や公職者に送りつけたり、分かりやすいコメントをニュースサイトあるいは掲示板に残したりできる。ソーシャルメディア上で政治について知的に議論することさえある。こうしたシステムが今よりさらに明晰になり、パーソナライズされて、実在の人物と見分けにくくなっていくと、かつては明白だった手口も見抜くのが難しくなるかもしれない。

　最近の実験では、あるメディケイド問題に関して政府が一般からの意見を募集した[3]のを受け、研究者たちが文章生成プログラムを使って１０００件のコメントを提出したことがある。どのコメントも内容は違い、別々の政策的立場を主張する実在の人物のように見えるものだった。メディケイドのサイト（Medicaid.gov）管理者はこれにだまされ、実在の人から送られた本物の懸念の声として投稿を受け入れている。研究者はその後、コメントの正体を明かして削除を依頼した。実際の政策論争が不当に偏ることがないようにと配慮した結果だ。実験だったから、こうした倫理的な展開で済んだのだ。

同じような技術が、現実の世界で政策に影響を与えるためにすでに使われている。あるオンラインのプロパガンダキャンペーンでは、ＡＩが生成した顔写真を使って偽のジャーナリストが生み出されている。中国は、２０２０年の台湾総選挙に影響を与えるためにＡＩが生成したテキストメッセージを流した。ディープフェイク技術は、ＡＩを使って偽の出来事をリアルな動画として作り上げ、多くの場合、本人が実際とは違う内容を発言する。そのディープフェイクが、マレーシア、ベルギー、アメリカなどの各国で政治的に利用されている。

こうしたテクノロジーを発展させた一例が「ペルソナボット」、つまりソーシャルメディアなどのオンライングループ上でＡＩが個人を装う手口である。ペルソナボットには個人史や性格、コミュニケーションスタイルがある。いつもいつもプロパガンダをまき散らすわけではない。ふだんはガーデニングとか編み物、鉄道模型など、さまざまな趣味のグループに生息している。各コミュニティで普通のメンバーとして行動しており、投稿、コメント、議論を繰り返しているだけだ。ＧＰＴのようなシステムがあると、こうしたＡＩは過去の会話や関連性のあるインターネットコンテンツをマイニングして、それぞれの知識があるように見せるのが容易になる。そして時折、ペルソナボットは政治的な問題に関わる内容を投稿することがある。たとえば、新型コロナウイルスワクチンでアレルギー反応を起こしたという医療従事者についての記事を、さも不安そうなコメント付きで投稿するかもしれない。あるいは、最近の選挙や人種差別問題など意見が割れがちなテーマについて、ワクチン開発者のひとりとして意見を述べることもある。ひとつのペルソナボットが世論を動かすとは考えられないが、それが何千にも何百万にもなったらどうだろうか。

　これは「コンピュータープロパガンダ」と呼ばれており、コミュニケーションについての見方を変えるだろう。ＡＩは今後、虚偽情報の拡散者を無限に生み出す可能性を秘めている。地域社会の言論も破壊するかもしれない。２０１２年、ロボット倫理学者のケイト・ダーリングは、アニマトロニクスで動くプラスチック製の恐竜「プレオ」を使って実験を行った。[4]ある科学会議の参加者にプレオで遊んでもらったあとで、どんな風にでもいいのでプレオを「傷めつける」よう依頼してみたのである。ところが、参加者はそれを拒否する。プレオは痛みを感じないはずなのに、短時間遊んだだけで人々は強い共感を抱くようになっていたのである。実に人間的な反応だ。プレオがただのプラスチック製のおもちゃであることを、私たちは直感的に分かっている。ところが、大きな顔と小さな体を見て、私たちはまるでそれを子どものように認識する。名前も付いていて、「女の子」という扱いまで受けているのだ。しかも触れば反応する。こうして、私たちは唐突にプレオを感情のある生き物と考え、危害から守らなければならないと感じるようになるのである。[5]さて、これならいい話で終わるかもしれないが、このかわいい小さなロボットが、つぶらな瞳で悲しそうに飼い主を見上げ、ソフトウェアのアップグレード版を買ってとねだってきたら、はたしてどうなるのだろうか？

　私たちは、いわゆるカテゴリー錯誤を犯しやすい。だから、ロボットを感情や意思をもつ生き物として扱うことになり、ロボットに操られやすいという脆弱性が生まれる。ロボットは、してはいけないことをするよう私たちを脅すかもしれない。しなければならないことをしないように私たちを説得するかもしれない。ある実験では、ロボットが被験者に「同調圧力」をかけ、さらに大きなリスクを冒すように促した。[6] セックスロボットが、興奮の絶頂でアプリ内課金をすすめてくるのは、はたしていつのことか。

各種のAIは、この手の説得がもっと得意になるだろう。研究レベルではすでに、人の書いたものを分析したり、表情を読み取ったり、あるいは呼吸や心拍数をモニターしたりして感情を検知するAI機能が設計されつつある。結果はたびたび間違っているが、技術の進歩に伴ってそれも変わっていくだろう。そして、AIはいずれ人間の能力を凌駕する。そうなれば、先に述べた適応度についでは限界があるかもしれないが、今以上に正確に人を操れるようになるのである。

アイボ（AIBO）は、1999年にソニーから発売されたロボット犬だ。2005年までは毎年、新型と改良型が登場したが、その後の数年間で旧型アイボのサポートは徐々に打ち切られた。アイボはコンピューティングの観点でいえばだいぶ原始的なものだったが、だからといってユーザーがアイボに感情移入するのは止まらない。日本では、「死んだ」アイボのために葬式が行われるほどだった。

2018年、ソニーは新世代アイボの販売を開始する。このとき特に感心したのは、ソフトウェアの進化でさらにペットらしくするのではなく、アイボが動く前提としてクラウドデータストレージが必要になったという事実だ。つまり、前世代とは異なり、ソニーはどのアイボでも改造したり、遠隔操作で「殺す」ことができるのだ。クラウドストレージの料金は年間300ドルだ。ソニーが本気で収益を最大化したいと考えたのであれば、最初の3年間は無料にして、飼い主がペットに感情移入しきった時点で、それ以降の料金をもっと高く設定してもよかったのだろう。この戦術を「感情的ロックイン」と呼んでもよさそうだ。

ＡＩや自律型ロボットが今以上に実際の仕事を担うようになれば、自律型システムに対する人間の信頼がハッキングされ、危険でコストのかかる結果を招くだろう。だが、ＡＩは人間がコントロールしていることを忘れてはならない。あらゆるＡＩシステムは、特定の目的のために特定の方法で、他の人間を操ろうと考える人間によって設計され、資金がまかなわれているのだ。

ソニーのような企業やその他の強力な関係者は、権力と利益のために私たちの感情をハッキングする方法について、時間をかけて念入りに考えている。そのための研究とテクノロジーに多大な投資を続けている。そして、このようなハックを制限する規範や規制を積極的に確立しようとする取り組みがないかぎり、権力をもつご主人のために、ＡＩが文字どおり非人間的な力を一般市民に向ける。そんな日が遠からず来ることになるのだ。

55章　コンピューターとＡＩで社会に対するハッキングが加速する

ハッキングは人類の歴史とともにある。私たち人間は、システムが生まれたときからずっとシステムをハッキングしてきたし、コンピューターが登場したときからずっとコンピューターシステムがハッキングされるのを見てきた。その複雑さとプログラマブルなインターフェースによって、コンピューターはほかにはないハッキングの可能性を秘めている。そして今や、自動車、家電製品、スマートフォンなど多くの消費者製品がコンピューターによって制御されている。私たちの社会システム、すなわち金融、税制、各種の法規制、選挙などもすべて、コンピューター、ネットワーク、人、制度が関与する複雑な社会技術システムである。そのため、こうした製品やシステムのすべてがハッキングの影響を受けやすくなっている。

しかし、コンピューター化がハッキングを変える。特にＡＩの技術と組み合わせると、速度《スピード》、規模《スケール》、範囲《スコープ》、複雑度《ソフィスティケーション》という４つの次元でハッキングは加速する。

速度《スピード》については分かりやすいだろう。コンピューターは人間よりはるかに高速だ。眠る必要がなく、退屈したり気が散ったりすることもない。適切にプログラムされていれば、人間よりずっとミスが少ない。したがって、コンピューターは人間よりはるかに効率よく機械的な作業をこなすことになる[1]。スマートフォンが正しい数学計算を処理するときに要するエネルギーは人間の場合と比べて何分の一かであり、時間は比較にもならない。機械的な作業に必要な労力を大幅に削減することで、コンピューターはある種のハッキングを、現実的にありえないものから、ありえないくらい現実的なものに変えるのである。

今でもすでに、こうした新しい能力の証拠はいくらでもある。AIを活用するドゥーノットペイ（Donotpay.com）という無料サービスは、駐車違反切符に対する抗議を自動化し、ロンドンやニューヨークなどの都市で発行された数十万件の違反切符を無効にするという実績をあげている[2]。他の領域にも拡大していて、航空便の遅延に対する補償を受けたり、さまざまなサービスやサブスクリプションを停止したりするときに利用されている。

AIのスピードは、迅速な実験も可能にする。コンピューターなら、製品を構成する要素について無数のバリエーションを短時間で試して取捨選択し、最適な結果を見つけることができる。異なるユーザーに異なるバージョンの製品をランダムに見せるA／Bテストは、ウェブ製作者がウェブページデザインの有効性をテストするときに多用されている[3]。たとえば、「ここをクリック」ボタンが大きい「バージョンA」と小さい「バージョンB」をランダムにユーザーに見せて、どちらのバージョンのほうがたくさんクリックされたかというデータをウェブサイトが自動的に収集する。A／Bテストを自動化すれば、開発者は複雑な変動要因（ボタンのサイズ、色、配置、フォントなど）を組み合わせて同時にテストすることができる。ビッグデータを活用して特定のユーザーの好みや習慣に合わせてさらにパーソナライズを加えることができ、これまでになく多様なハックが可能になる。また、何千というハックのバリエーションをシミュレートできるので、企業でも犯罪者でも、実行できるハッキングの幅が広がるのである。

次に考えなければならない次元が、ＡＩの規模《スケール》だ。株式取引のように長い歴史をもつ人間の活動が、コンピューターを通じた自動化によって拡大されると、意図も予期もしなかった性質を備えた別のものに変化する。ＡＩシステムはそれを創造した人間と同じように活動するかもしれないが、それが前例のないスケールで実行されるのだ。

前述したペルソナボットがソーシャルメディア全体に大量に展開される可能性は十二分にある。ボットは24時間態勢で問題を処理し、長短を織り交ぜて無制限にメッセージを送ることができる。過激なことが許されるなら、実際のオンライン討論を圧倒する可能性さえある。[4] 私たちが正常だと思っていること、他人がそう考えると思っていることに人為的な影響を与えるだろうし、その影響はソーシャルメディア上だけでなく、あらゆる公共の場や私的な空間にまで及ぶ。このような操作は、思想の世界や民主的な政治プロセスにとって健全なものではない。民主主義が適切に機能するには、情報、選択肢、主体性が必要だということをもう一度思い出そう。人工的なペルソナは、市民から情報と主体性を奪い取るのだ。

三つ目は範囲《スコープ》で、ＡＩの使われる範囲が広がるのは避けようがない。コンピューターシステムの機能が上がれば上がるほど、社会は多くの、そして重要な決定をコンピューターシステムに委ねるようになる。そうなれば、こうしたシステムに対するハックは今後さらに広範囲に被害をもたらし、システム導入者の意図にかかわらず、基盤となる社会技術システムを破壊する可能性も高くなるということだ。

ＡＩはこうした傾向をさらに悪化させる。ＡＩシステムは今でも、日常的な雑事から人生を変える重大事まで私たちの生活を左右する決定を下している。ＡＩシステムが、曲がり角ごとに道順を教えてくれる。仮釈放されるかどうか、銀行ローンを組めるかどうかを決める。就職希望者、大学受験者、政府サービスへの応募者を審査する。投資に関する決定を下し、刑事事件の判決を支援する。ソーシャルメディアでどんなニュース記事が流れ、どの候補者の広告を見せられ、どのような人物やトピックが高頻度ですすめられるかもＡＩが決める。ＡＩが軍事目標を決定する。いずれは、裕福な政治献金者が支持する政治家をＡＩが推薦するかもしれない。ＡＩが投票資格の持ち主を決めるかもしれない。社会的に望ましい成果を税制に反映したり、権利プログラムの詳細を調整したりするかもしれない。このようなシステムは次第に重要性を増しており、それに対するハッキングがもたらす被害は大きくなっていくだろう（早い時期に起きたその例が、株式市場の「フラッシュクラッシュ」[5]だった）。そしてたいてい、システムがどのように設計・構築・利用されているのか、真相をつかむことはできない。

最後は複雑度《ソフィスティケーション》で、ＡＩが複雑になるということは、ＡＩがいよいよ人間に取って代わることを意味する。コンピューターは人間より複雑で予期しない戦略を実行できる場合が多いからである。

しかもその可能性は、コンピューターの高速化・高機能化とネットワークの複雑化に伴って高まる一方だ。

おすすめの映画、理想の投資、囲碁での次の一手など、多くのアルゴリズムはとっくに人間の理解を超えている。アルゴリズムが他のアルゴリズムを設計しはじめれば、この傾向はさらに強まり、指数関数的に増大する一方なのだ。

ＡＩの台頭によって、コンピューターのハッキングは社会システムをハッキングする最も強力な手段のひとつになる。何もかもがコンピューターになれば、ソフトウェアがすべてを支配する。ハッカーが金融ネットワークに入り込んで資金の流れを変えるところを想像してみよう。あるいは、法律データベースの内部で、法律や裁判の判決にわずかな、それでいて実質的な変更が加えられたらどうなるか（はたして人は気づくのだろうか。もとの文言と比較できるのだろうか）。フェイスブックのアルゴリズムをハッカーに内部から書き換えられたらどうなるか。誰の投稿がフィードのトップに表示されるか、誰の意見が増幅されるか、そして誰がそれを聞くかを決めるルールが変えられてしまうとしたら――。コンピュータープログラムが私たちの仕事、消費、会話、組織、生活に使われる日常的なシステムを操るようになれば、テクノロジーが新しく政策を決めることになる。そして、たとえテクノロジーの力が私たちに自由をもたらすとしても、ハッカーの手にかかれば、その同じ力が社会統制に使われる未曾有のアーキテクチャへと変貌するのである。

今あげたシステムは、例外なくハッキングに脆弱だ。[6] それどころか、現在の研究によれば、あらゆる機械学習システムは目に見えないところで侵害されるおそれがある。そして、それに対するハッキングが社会に及ぼす影響は今後ますます大きくなっていく。

56章　AIがハッカーになるとき

ハッカーが行う「キャプチャー・ザ・フラッグ」は、いわばコンピューター上で行われるアウトドアゲームだ。チームは自分たちのネットワークを守りながら、他チームのネットワークを攻撃する。管理された環境で行われるが、コンピューターハッカーたちが現実の世界でやっている活動の再現といえる。つまり自分たちのシステムで脆弱性を見つけて修正し、他のシステムではエクスプロイトを実行しようとするのである。

この大会は、１９９０年代なかばに始まり、それ以来ハッカー大会の中心になっている。最近では、週末に世界各地で開催される長時間の大会に世界中から何十ものチームが参加して競い合う姿が見られる。参加者は何か月も練習を重ね、優勝するのは大変なことだ。この手のイベントに興味があるなら、いくつもの重罪を犯すことなく、インターネット上で楽しむことができる。

２０１６年にＤＡＲＰＡが主催したサイバーグランドチャレンジ（ＣＧＣ）も、ＡＩを対象とした同じようなスタイルのイベントで、[1] １００チームがエントリーした。予選を通過した7組のチームが決勝に進出し、ラスベガスで開催されたハッカーの祭典「ＤＥＦ ＣＯＮ」でしのぎを削った。競技は特殊な設計のテスト環境で行われる。分析もテストもまったくされたことのないカスタムソフトウェアだらけの環境だ。各チームのＡＩは10時間の持ち時間を与えられ、そのあいだにライバルチームのＡＩに対して悪用できる脆弱性を見つけつつ、しかも自分の脆弱性は悪用されないようにパッチを当てていく。優勝は、ピッツバーグから参加したコンピューターセキュリティ研究者のチームが作ったメイヘム（Mayhem）というシステムだった。この研究者はその後、この技術を商品化し、それが今では国防総省をはじめとする顧客のネットワークの防御で活躍している。

　この年のＤＥＦ ＣＯＮでは、人間のチームによるキャプチャー・ザ・フラッグも開催され、メイヘムも、人間ではない唯一のチームとして招待されてこれに参加している。総合成績は最下位だったが、最下位ではないカテゴリーもあった。この混合競技が今後どんな展開を見せるかは容易に想像がつく。同じ歴史が、チェスで、そして囲碁でも繰り返されてきたからだ。中核となる技術はどれも進化しつづけているから、ＡＩの参加者は毎年レベルアップしていくだろう。人間のチームに大幅な変化は望めない。ツールやそれを使うスキルが進歩しても、人間は人間のままだからだ。やがては、ＡＩが当たり前のように人間を打ち負かすようになるだろう。私の予想では、10年もかからないのではないか。

　このとき以降、どういうわけかＤＡＲＰＡはＡＩどうしのキャプチャー・ザ・フラッグ大会を開催していないが、かわりに中国で定期的に開催されるようになった。人間とコンピューターのチームが対戦するハイブリッドイベントも開催されている。国内のみの開催で、しかも軍の主催というカラーが強まっている関係で詳細は不明だが、予想されるとおり、中国のＡＩシステムが進歩をとげている[2]ことは確かだ。

完全に自律型のＡＩによるサイバー攻撃能力が実現するのはまだしばらく先のことだろうが、ＡＩ技術はすでにいくつかの面でサイバー攻撃の性質を変えつつある。ＡＩシステムにとって特に実りが多そうなのが、脆弱性の検出だ。ソフトウェアのコードを一行ずつ読み解いていくというのは退屈きわまりない作業で、まさにＡＩが秀でている分野である。脆弱性を認識する方法を教えさえすればいいからだ。もちろん、分野ごとに多くの課題に対処する必要はあるが、この分野に関しては学術文献が豊富にあり、研究も続いている。[3] ＡＩシステムが時間とともに成長すると想定する理由はいくらでもあるし、いずれ完成度がかなりのレベルになると予想できる理由も十分なのだ。

こうした潜在能力の影響が及ぶ範囲は、コンピューターネットワークにとどまらない。本書で取り上げてきたいくつものシステム、つまり税制、銀行規制、政治プロセスなどで、ＡＩが新たに無数の脆弱性を発見しないと決めつけられる理由はみじんもない。数多くの規則が互いにからみ合っていれば必ず、ＡＩはそこに脆弱性を見つけ、その隙を突くエクスプロイトを生み出すはずなのだ。今でも、契約書に存在する抜け穴を探すＡＩは存在する。[4]

そういう能力は時間とともに向上していく。どんなハッカーでも、その能力を発揮するには、狙っているシステムについて理解し、そのシステムとまわりの世界との相互関係を把握しなければならない。ＡＩはまず、トレーニングに使われるデータを通じてそうした理解を獲得し、利用されながら成長しつづける。最新のＡＩは、新しいデータを取得し、それに応じて自身の内部動作を調整しながら、常に進化しているのである。絶え間なく流れ込むデータが、ＡＩを動かしながらトレーニングしつづけ、その専門性を高めていく。だからこそ、自動運転車システムの設計者は自分たちの創造物が記録した総走行時間を自慢げに語るのだ。

ＡＩが他のシステムをハッキングできるように発展していくと、別種だが相互に関連する二種類の問題を引き起こす。一つ目は、ＡＩがあるシステムをハッキングするよう指示される可能性だ。次々と儲かるハッキングを繰り返すために、世界中の税制や金融規制をＡＩに教え込もうとする何者かが現れないとも限らない。二つ目は、ＡＩが通常の動作中に誤ってシステムをハッキングしてしまう可能性である。どちらのシナリオも危険には違いないが、二つ目のほうが危険は大きい。なにしろ、発生してもそれに気づかないかもしれないからだ。

57章　報酬ハッキング

以前にも述べたように、ＡＩが問題を解決する過程は人間と同じではない。人間には思いもよらなかった解決策を偶然見つけることもあるし、分析しているシステムの意図をくじくものもある。ＡＩは、人間が共有し当然だと思っている意味や文脈、規範、価値観という観点では考えないからである。

設計者が期待も意図もしなかった形でＡＩが目標を達成したとすると、そこには報酬ハッキングが関わっている。分かりやすい例をあげてみよう。

・1 on 1（ワンオンワン）を再現するあるサッカーシミュレーションは、一人の選手がゴールキーパーを相手に得点を決めるように設定されていた。ところが、ＡＩシステムは、ボールを直接ゴールに蹴り入れようとするかわりに、ボールを蹴り出してアウトオブバウンズになれば、[2]相手のゴールキーパーがボールを投げ返さなければならず、ゴールが無防備になることを発見した。

・ＡＩにブロックを積み上げるよう指示したケース。[3]高さは、最後に積まれたブロックの底面の位置を基準に測定される。普通に積み上げていけば、最後に積んだブロックの底面はそのブロックの下側になるが、ＡＩは底面が上を向くようにブロックをひっくり返すことを学習した（たしかに、ブロックの向きはルールに明記されていなかった）。

・ある「進化した」生物のシミュレーション環境では、ＡＩがその目的をさらに確実に達成するために自らの物理的特徴を変えることが認められていた。たとえば、遠方にあるゴールラインをできるだけ早く通過しろという目標を与えたら、ＡＩは足を長くしたり、筋肉を強化したり、肺活量を増やしたりすると予想するだろう。だが実際のＡＩは、ゴールに達するくらいに身長を伸ばして[4]、ゴールに向かって倒れ込むだけでよかった。

どの例もすべてハックだ。原因は目標や報酬の指定が甘かったことにあるとも考えられ、それはそれで正しい。いずれもシミュレーション環境で起こったことだと指摘することもできるし、それもやはり正しいだろう。だが、こうした例が示している問題はもっと一般的にも当てはまる。ＡＩは、ある目標を達成するためにその機能を最適化するように設計されている。そうすると、当たり前のように、そして図らずも、ＡＩは想定外のハックを実行するのである。

ロボット掃除機が、視野に入ったゴミを掃除するという指示を与えられたとしよう[5]。目標をもっと厳密に指定しないと、視覚センサーをオフにしてゴミが視界に入らないようにするか、不透明な素材でゴミを隠して終わるかもしれない。２０１８年、あるプログラマーが起業家精神を発揮して――もしかしたら単に退屈していただけかもしれない――、ロボット掃除機が家具にぶつかるのをやめさせたいと考えた[6]。そこで、バンパーセンサーにぶつからなかったときに報酬を与えるというルールでロボット掃除機をトレーニングした。ＡＩは、物にぶつからないように学習するかわりに、掃除機を後ろ向きに運転することを学習した。背面にはバンパーセンサーがないからである。

一連の規則に問題や矛盾点、抜け穴が存在していて、そうした特性が規則で定義された妥当な目的達成につながるのであれば、ＡＩはそれを見つけるだろう。人はその結果を見て、「なるほど、たしかにＡＩはルールに従っただけだ」と考えるかもしれない。それでもやはり、私たちはそこに逸脱、不正、ハックを嗅ぎ取る。なぜなら、私たちはＡＩとは違う筋道で問題の社会的背景を理解しており、違う結果を想定しているからだ。ＡＩ研究では、これを「目標整合性」の問題と呼んでいる。

この問題は、ギリシャ神話に登場するミダス王の物語を考えると分かりやすい。ディオニュソス神から何でもひとつだけ願いをかなえると言われたミダス王は、触れるものすべてを黄金に変えてほしいと頼む。その結果、食べ物も飲み物も、一人娘さえもすべて黄金に変わってしまい、食べることも飲むことも愛することもかなわずに飢えと惨めさにさいなまれることになったという。これが目標整合性という問題だ。ミダス王は欲望というシステムに誤った目標をプログラミングしてしまったのである。

瓶の中の魔神も、願いごとに関して非常に厳格で、願いをかなえるときには悪質なほど融通がきかないことがある。しかし、ここで気をつけなければいけないのは、魔神を出し抜く方法などないということだ。どんなことを願おうと、魔神はいつでも決まって、後から取り消したくなるような結果で願いごとをかなえてくれる。瓶の中の魔神は、常に人の願いごとをハッキングできるのだ。

これを一般化すると、人間の言語と思考においては、目標や願望が常に言葉たらずで終わっているということになる。[7] 私たちが、漏らすことなく選択肢を思いつくことは決してない。注意事項、例外、ただし書きをすべて明記することは決してない。ハッキングに通じる道を完全に閉ざすこともない。できないのだ。私たちが指定する目標は、必ず不完全なものになる。

これが、人間どうしの関係であればおおむね無事に終わる。人は文脈を理解し、たいていは誠実に振る舞うからである。人はみな社会化されており、そうなっていく過程でだいたい人や世界のしくみについて常識を身につけていく。私たちは文脈と善意の両方で、理解のギャップを埋めるのである。

ＭＩＴで当時「ＡＩ倫理プロジェクト」の責任者を務めていた哲学者のアビー・エヴァレット・ジェイクスは、こんなたとえで説明している。――コーヒーがほしいと人に頼まれたら、みなさんはたぶん、手近にあるコーヒーポットを探して一杯注ぐか、その辺のコーヒーショップまで行って買ってくるでしょう。トラックいっぱいの生豆を持ってきたりはしませんし、コスタリカのコーヒー農園を買い取ることもないでしょう。コーヒーカップを手にしている人を探して奪い取ったりもしません。1週間前の冷めたコーヒーを持ってきたりしないですし、こぼれたコーヒーを拭いた使い古しのペーパータオルを持ってくることもありえません。そんなことまで指定する必要はありません。それでも分かるのです――

これと同じように、触れたものをすべて黄金に変える技術を開発するよう頼まれたとしたら、人はそれを使う人が飢えるような技術は作らないだろう。いちいち指定するまでもないことだ。

私たちはＡＩに目標を完全に指定することはできないし、ＡＩも文脈を完全に理解することはできない。ＡＩ研究者スチュアート・ラッセルはＴＥＤトークで、ある人がディナーの約束に到着するのをわざと遅らせるために、架空のＡＩアシスタントが飛行機を遅らせるというジョークを飛ばした。[8] 聴衆は笑ったが、ディナーにわざと遅れたい人のために飛行機のコンピューターを誤作動させることが適切な対応ではないと、コンピュータープログラムはどう知りようがあるのだろうか。もしかしたら、同様の行動をとった航空会社の乗客の報告[9]から教訓を得たのかもしれない（２０１７年のインターネットジョークに、こんなのがあった。ジェフ・ベゾスが言う。「アレクサ、ホールフーズで何か買ってきて」。アレクサはこう答える。「分かりました、ホールフーズを買ってきます」）。

２０１５年、フォルクスワーゲン社が排ガス規制試験をめぐる不正行為で摘発された。同社は試験結果を偽造したわけではなく、車載コンピューターが不正を行うように設計していた。車が排ガス試験を受けているときにそのことを検知するように、エンジニアがソフトウェアをプログラムしたのである。コンピューターは試験中だけ、車の排ガス制御システムを作動させ、試験が終わるとシステムを停止する。フォルクスワーゲンの車は路上試験で優れた性能を発揮した。同時に、ＮＯＸ汚染物質の排出量も許容量の最大40倍に達したが、環境保護庁（ＥＰＡ）の目が光っているときには排出しないようにしていた。

フォルクスワーゲンの事例にＡＩは関与していない。人間のエンジニアが通常のコンピューターシステムをプログラムして不正をはたらいたにすぎない。それでも、ここでの問題を如実に語っている。フォルクスワーゲンの不正行為が10年以上にもわたって規制の目を逃れられたのは、コンピューターコードが複雑で解析が難しいからだ。どう動作しているのかを正確に把握するのは難しいし、車を見てその動作を突き止めるのも難しい。プログラマーが秘密を守っているかぎり、こうしたハッキングは長期にわたって発見されない可能性が高い。この事例でも、フォルクスワーゲンの行動が判明したのは、ウェストバージニア大学の科学者グループが、ＥＰＡの指定とは異なる車載排ガス検査システムを使ってフォルクスワーゲンの路上走行性能を試験した結果だった。フォルクスワーゲンの不正ソフトウェアが特殊な設計で回避したのはＥＰＡの排ガス試験だったので、それを使わなかった科学者グループは、不正ソフトウェアに気づかれることなく車の排ガスを正確に測定できたのである。

排ガス規制に合格しつつエンジン性能を最大限に発揮できるようなエンジン制御ソフトウェアを設計してくれと人間に頼んだとしたら、不正と知りつつ不正行為を実行するようなソフトウェアはまず設計しないだろう。ＡＩに同じ期待は通用しない。ＡＩは不正行為という抽象概念を本能的に理解しているわけではないからだ。ＡＩが「枠にとらわれず」に思考するのは、単にその枠という概念をもたず、人間による既存の解決策の限界を知らないからだ。倫理という抽象概念も理解できない。ＡＩが依拠するデータに排ガス規制に関する法律まで盛り込まないかぎり、フォルクスワーゲンの解決策が他者を害したことも、排ガス規制試験の意図に反したことも、あるいは同社の解決策が違法であることも理解できない。そもそも、ＡＩは自分がシステムをハッキングしているという自覚さえないだろう。しかも、説明可能性の問題があって、私たちはそれに気づきさえしないかもしれないのである。

ＡＩのプログラマーが、試験中に動作を変えてはならないと指定しない限り、ＡＩはこれと同じような不正を思いつくかもしれない。プログラマーは満足するだろう。会計士は跳び上がって喜ぶだろう。そして、誰もそれに気づくことはない。フォルクスワーゲンのスキャンダルが広く知れわたった今、プログラマーはこれと同じハッキングを避けるという明確な目標を設定することはできる。だが、プログラマーが予期しない行動はきっとまた起こる。常にそういうことは起こる――それが瓶の中の魔神から学べる教訓だ。

58章　AIハッカーに対する防御策

問題になるのは、明白なハックだけではない。自動運転車のナビゲーションシステムが、高速を維持するという目標を達成しようとして、車体がスピンするようなスピードで車を走らせたとしたら、プログラマーはこの挙動に気づき、それに応じてＡＩの目標設定を修正するだろう。そんな動きを公道上で目にすることはまずありえない。それ以上に懸念されるのは、影響が軽微であるゆえに気づかれもしない、明白ではないハックだ。

たとえばおすすめ機能（レコメンドエンジン）については、[1]すでに各種の研究が重ねられている。軽微なＡＩハックの第一世代で、それが人を極端な内容のコンテンツに向かわせることもあるが、そう意図されてプログラムされているわけではない。システムが継続的にいろいろなことを試し、その結果を見ては、ユーザーが関心をもつ表示を増やし、そうでないものを減らすように自らを修正していくうちに、自然に生まれた性質だ。ユーチューブやフェイスブックの推奨アルゴリズムは、さらに極端なコンテンツを提供するよう学習した。そうすると感情的な強い反応を呼び起こし、各プラットフォームでの滞在時間を延ばせるからだ。このハックに、悪意のあるハッカーは必要なかった。ごく基本的な自動システムが自力で見つけ出したのだ。そして、私たちはほぼ誰も、当時そんなことが起こっていようとは考えもしなかった。

　２０１５年には、あるＡＩが１９７０年代のゲームセンターにあったビデオゲーム「ブロックくずし」のプレイをひとりで学習している。このＡＩは、ゲームのルールや戦略について何も聞かされていない。操作機能を与えられ、スコアを最大にすることで報酬を得ていただけだ。ＡＩが遊び方を覚えたことは驚くに当たらない。だが、ＡＩはブロックの列に「トンネル」を作るテクニックを独力で編み出した。トンネルにボールを通して、ブロックの列を後ろからも崩していくという技だ。


　ここで私が紹介している話は、どれもＡＩ研究者にとっては目新しいものではないし、研究者の多くが今では、目標と報酬のハッキングを防ぐ方法を検討している。ひとつの解決策は、ＡＩに文脈を教えることだ。研究では、目標整合性の問題を考慮しなければならないのと同様、「価値整合性」の問題も考慮しなければならない。人間の価値観を反映したＡＩを作るという課題だ。これに対する解決策は、両極にある2つの枠組みで考えることができる。一方では、努力にふさわしい価値を明示的に指定することができる。これは現在でも、程度の差はありながら実現しているが、前述したようにハッキングの影響を受けやすい。もう一方では、人間の行動を観察したり、人類の著作物つまり歴史、文学、哲学などを入力として取り込んだりすることで、人間の価値観を学習するＡＩを作ることもできる。これはまだ何年も先のことで、おそらくは広いＡＩの機能になるだろう。現在の研究のほとんどは、この両極の間で揺れ動いている。

　人間のこれまでの価値観やいま観察される価値観にＡＩを適合させると、どんな問題が生じるかは容易に想像できる。ＡＩはいったい誰の価値観を反映すればいいのか？　ソマリアの男性か、シンガポールの女性か。それとも、どうなるか分からないが両者の平均値か。人間の価値観は矛盾だらけであり、ある価値観に沿って生きようとしてすら、一貫性に欠けてしまう。ひとりひとりの個人の価値観は不合理だったり不道徳だったりするかもしれないし、誤った情報に基づいている可能性もある。歴史、文学、哲学には不合理、不道徳、誤りが満ちあふれている。人間は往々にして、理想を反映した適切な見本とはほど遠いのである。

ハッキング対策として特に有効なのは、脆弱性を見極めること、つまりハックがシステムの損壊に使われる前に発見し、パッチを当てることだ。これに、ＡＩ技術を全面的に応用できる。ＡＩは超人的なスピードで動作できるのだから。

コンピューターシステムのことを思い出そう。ＡＩでソフトウェア上の新しい脆弱性を発見できるようになれば、政府、犯罪者、趣味のハッカーたちのすべてが有利になる。新たに発見された脆弱性が利用されれば、世界中のコンピューターネットワークが重大な危険にさらされる。つまり、私たち全員が危険にさらされることになる。

同じＡＩ技術が、防御側にとってはなおのこと有利にはたらく。いったん見つかった脆弱性には、恒久的にパッチを当てることができるからだ。たとえば、あるソフトウェア会社が、自社のコードに関してＡＩによる脆弱性検出の機能を導入するところを考えてみるといい。ソフトウェアを一般公開する前に、脆弱性を発見してそれにパッチを当てることができる。このテストを、開発プロセスの一部として自動的に実行することもできるだろう。したがって、攻撃側と防御側がどちらも同じテクノロジーを利用できるとしても、防御側はシステムのセキュリティを恒久的に改善するためにそれを活用できるのである。ソフトウェアの脆弱性がすでに過去のものとなった未来も想像できる。「コンピューターが登場してから最初の何十年かは、ハッカーがソフトウェアの脆弱性を利用してシステムをハッキングしていた時代があったんだって。信じられないよね」

もちろん、移行期間には難問が残るだろう。新しいコードは安全だとしても、レガシーコードは依然として脆弱なままだ。すでにリリースされているコードをAIツールで調べると、その多くはパッチを当てられないかもしれない。その場合、攻撃者が自動化された脆弱性検出の機能を利用するだろう。それでも長期的に見れば、ソフトウェアの脆弱性を検出するAI技術は、侵入や破壊からシステムを防御する側にとって有利にはたらく。

同じことは、AIが広く社会システム全般でハックを発見しはじめるときにも当てはまる。政治・経済・社会的な脆弱性が発見されると、悪用される。それだけではない。そうしたハックはすべて、AIシステムを支配する人々の利益をふくらませる。パーソナライズされた広告の説得が効果的になるだけでは済まず、強力になったその説得力に資金を投入する者が現れる。それが儲けにつながるからだ。AIが税制上に斬新な抜け穴を発見すれば、それは利用される。AIシステムにアクセスできる何者かが節税のためにそれを利用したがるからだ。ハッキングはたいてい既存の権力構造のほうを強化する。AIも、そのアンバランスを克服できるようにならないかぎり、それをさらに強化する役割を果たすのだ。

同じAI技術が、防御側にも有利にはたらく。[2] AIハッカーは既存の税制に無数の脆弱性を見つけるかもしれないが、同じ技術を使えば、提出されている税法案や税制上の決定に潜在する脆弱性を評価することもできる。その影響は決定的だ。新しい税法がこの手法で試されるところを想像しよう。議員、監視組織、ジャーナリスト、あるいは関心を寄せる市民が、ＡＩを使って法案の条文を分析し、悪用できそうな脆弱性をすべて洗い出すことができる。といっても、その脆弱性が修正されるとは限らないが（脆弱性にパッチを当てると、それ自体が新たな問題になることを忘れてはならない）、公開の議論は可能になる。理論的には、誰かが見つけて悪用する前にパッチを当てることもできるだろう。ここでも、レガシーとなった法律やルールがあるので移行期には危険が残るかもしれない。だが、長期的に見れば、ＡＩによる脆弱性検出の技術は防御側に有利なのだ。

これには良い面も悪い面もある。社会が利用すれば、権力者がシステムをハッキングするのを防ぐことができる。だが、制度的な管理に抵抗し、社会変革を加速させる手段として他者がシステムをハッキングするのを防ごうとして権力者が利用する可能性のほうが高そうだ。改めて言うが、権力構造の存在とはそれほど大きいものなのだ。

59章　AIハッカーの未来

AIがハッキングを実行するという未来はどのくらい現実的なのだろうか？

その実現可能性は、モデル化されハッキングされるシステムによって違ってくる。AIが解決策を最適化しはじめるには、ましてやまったく新しい解決策を作り出すには、コンピューターが理解できる形でその環境の規則をすべて形式化する必要がある。目標を、つまりAI研究の分野で「目的関数」と呼ばれている終着点を、設定しなければならない。AIに必要なのは、いま達成できている効果に関してなんらかのフィードバックを受けたうえで、そのパフォーマンスの改善を図ることだ。これが些細な場合もある。囲碁のようなゲームの場合なら単純だ。ルールも目的もすべて細かく指定されているし、フィードバックは勝ったか負けたかであって、それ以外のことで不明瞭さが入り込む余地がない。AIモデルのGPTが論理の通った小論文を書けるのは、その「世界」がただの文章だけだからだ。同じ理由で、目標と報酬のハッキングをめぐる現在の事例のほとんどはシミュレーション環境に由来している。いずれも人工的で制約があり、ことごとく規則が指定されている環境なのである。

重要なのは、システムにおける曖昧さの度合いだ。世界中の税法をAIにフィードすることは可能かもしれない。税制は納税額を決定する数式で構成されているからである。法律のコード化に最適化されたカタラ（Catala）というプログラミング言語もあるくらいだ。だがそれでも、あらゆる法律は曖昧さをはらんでいる。その曖昧さをコードに置き換えるのが難しいから、AIでは曖昧さをそうそうは扱えない。そういうAIの現状を踏まえると、今しばらく税理士の雇用は安泰だろう。

人間のシステムは、大半がさらに曖昧だ。AIがアイスホッケーのスティックを曲げるといった現実世界のスポーツハックを思いつくとは想像しにくい。ゲームのルールだけでなく、人間の生理学、スティックとパックの空気力学などもAIは理解しなければならない。不可能ではないが、囲碁で新しい手を思いつくより難度ははるかに高そうだ。

複雑な社会システムにこうした曖昧さが潜在している以上、AIによるハッキングに対して近い将来のセキュリティは担保される。AIがスポーツハッキングを生み出すとしたら、アンドロイドが実際にそのスポーツをプレイするようになってから、あるいは世界をさまざまな次元で汎用的に理解できる広いAIが開発されてからだろう。同じ課題はカジノゲームのハッキングや立法プロセスのハッキングにもある（AIが自力でゲリマンダリングを編み出すことはありえるだろうか?）。AIが個人でも集団でも人間の働き方をモデル化してシミュレートできるようになるまでには、また人間のように立法プロセスをハッキングする新しい方法を考案するまでには、まだだいぶ時間がかかる。

だが、AIハッカーに満ちた世界というのは、まだSF的な問題だとはいっても、決してSF的なばかげた問題ではない。AIの進歩は目まぐるしく、性能の飛躍的な向上は不規則で、しかも不連続だ。かつて困難だと思っていたことが簡単になったり、簡単なはずだと思っていたことが難しくなったりする。私が大学生だった1980年代はじめの頃は、囲碁をコンピューターがマスターするのは不可能だと教えられたものだ。ルールではなく、考えうる手の数が膨大で複雑だという理由だった。今や、AIは囲碁の名人である。

このように、AIはおおかた明日の問題かもしれないが、その前兆はすでに目の前に現れている。強制力があって、理解しやすく、倫理的な解決策を、私たちはいま考えはじめる必要がある。AIに期待をかける以上、私たちは予想より早くAIによる解決策を必要とするようになるからだ。

AIによって編み出されるハックに最初に気をつけなければならないのは、おそらく金融システムだろう。ルールがアルゴリズム的に扱いやすく設計されているからである。超高速取引のアルゴリズムはその原初的な例で、将来的にはさらに巧妙なものになるだろう。AIに世界中の金融情報をリアルタイムで提供し、さらに世界中の法律や規制、ニュースフィードなど、関連しそうなあらゆる情報を与えるという方法が考えられるだろう。そのうえで、「合法的な最大利益」、あるいは「合法的に逃げ切れる最大利益」を目標に設定すればいい。私の推測では、これもそう遠い未来の話ではなく、その結果として、今の私たちにはまったく予想もできないほど斬新なハックが次々と生まれる。[1] 予想もできないほどということは、つまりその変化に私たちは気づけないのかもしれない。

短期的には、AIと人間による共同ハックが出現する可能性が高い。まずAIがハックとして利用できそうな脆弱性を特定し、次に経験豊富な会計士や税理士が自身の経験と判断力をもとにその脆弱性を悪用して儲けがあるかどうかを見極めるのだ。

これまでの歴史でほぼずっと、ハッキングはもっぱら人間の営みだった。新しいハックを探すには、専門知識と時間と創造性、そして運が必要だ。AIがハッキングを始めると、そこが変わるだろう。AIは人間と同じような制約を受けず、人間のような限界もない。眠る必要もない。その発想はほとんどエイリアンだ。そして、私たちが予期できない形でシステムをハッキングするようになる。

55章で述べたように、コンピューターは速度《スピード》、規模《スケール》、範囲《スコープ》、複雑度《ソフィスティケーション》という4つの次元でハッキングを加速させてきた。AIはその傾向をさらに推し進める。

まず速度《スピード》だ。人間がハッキングする場合なら数か月、ときには数年かかることもあるが、それが数日間、数時間、あるいは数秒にまで短縮されるかもしれない。AIにアメリカの税制をまるまる入力としてフィードし、納税額を最低限に抑える方法をすべて見つけ出すよう命じたらどうなるだろうか？　多国籍企業だったら、世界中の税制を分析して最適化するよう命じたらどうなるだろうか？　デラウェア州で法人を創設したり、パナマで船舶を登録したりするのが賢明だと、AIはプロンプトなしに発見できるのだろうか？　人がまだ知らない脆弱性や抜け穴を、いったいいくつ見つけられるのだろうか？　数十か、数百か、数千、それ以上か。今は見当もつかないが、10年以内には判明するだろう。

次は規模《スケール》だ。ひとたびAIシステムがハックを発見しはじめたら、私たちには備えられないほどの規模でそのハックを悪用できるだろう。そう考えると、金融システムを解明しはじめた段階で、AIは金融の世界を支配する。今でさえ、信用市場、税制、法律は全般的に富裕層に有利に偏っている。ＡＩはこの不公平を増幅する。利益を求めて金融をハッキングする最初のＡＩが、公平無私な研究者によって開発されることはまずない。それをするのは、グローバル銀行やヘッジファンド、経営コンサルタントだ。

三つ目は範囲《スコープ》だ。ハッキングに対処する社会システムは存在するが、それはハッカーが人間だった時代に作られたものであり、ハックも人間的なペースで発見された。何百という、ましてや何千何万という税金の抜け穴が新たに発見されるという猛攻撃を速やかに効率的に裁定できるガバナンスのシステムはない。税制に、それほど早くパッチを当てることはできないからだ。私たちはすでに、人がフェイスブックを使って民主主義をハッキングするのを食い止めることはできなかった。仮にＡＩが、予期されなかった合法的なハックを金融システムで把握しはじめ、世界経済を混乱に陥れたとしたら、そこから回復するには苦しく長い時間がかかるだろう。

最後は複雑度《ソフィスティケーション》だ。ＡＩを利用したハッキングは、人間の頭脳だけで考えつくレベルを超えた複雑な戦略という可能性を開く。複雑になったＡＩによる統計分析は、優秀な戦略家や専門家でさえ気づけなかったような変動要因間の関係を明らかにし、そこからエクスプロイトが生まれるだろう。そこまで分析が高度になると、ＡＩは狙ったシステムを複数のレベルで損ねる戦略を展開する可能性がある。たとえば、ある政党に最多票を獲得させるよう設計されたＡＩがあったら、経済上の変数、キャンペーンメッセージ、投票手続きの微調整について正確な組み合わせを決定し、その結果が選挙の勝敗を左右するかもしれない。そして、地図作成ソフトウェアがゲリマンダーにもたらしたのと同じ革新的変化が、民主主義のあらゆる面にまで拡大するかもしれない。しかも、株式市場や立法制度、世論を操作しようとしてＡＩが提案する、見つけがたい手口となると、それはまた別の話だ。

コンピューターの速度、規模、範囲、複雑度で、ハッキングはもはや私たちの社会では管理しきれない問題になっていく。

ここで思い出されるのは、映画『ターミネーター』のこんなシーンだ、主人公のカイル・リースが、執拗に追いかけてくるサイボーグについてサラ・コナーに説明する。「交渉の余地はない。理屈は通じない。やつは哀れみも後悔も恐怖も感じないからだ。そして決して止まらない」。私たちの相手は、文字どおりの殺人サイボーグでこそないが、AIが社会をハッキングして私たちの敵になった世界で、人間の脆弱性を探し出そうとするAIの人間離れした能力に、はたして私たちは対抗できるのだろうか。


AI研究者のなかには、広いAIが人間によって課せられた制約を乗り越えて、社会を支配するようになることを——あくまでも可能性として——懸念する人もいる。荒唐無稽な憶測に思えるかもしれないが、少なくとも一度は検討し、予防策を考えるに値するシナリオではある。

しかし、現在あるいは近い将来、本書で述べているようなハッキングは、権力者たちによってそれ以外の一般人に向けて使われることになるだろう。ノートパソコンやインターネットで使われているものであれ、ロボットの形をとったものであれ、世の中に存在するAIのすべては、他人によってプログラムされたものだ。目的はその人たちの利益であって、それ以外の者の利益ではない。アレクサのようにインターネットに接続されたデバイスは、まるで信頼できる友人のように振る舞っているが、アマゾンの製品を売る意図で設計されていることを決して忘れてはならない。そして、アマゾンのウェブサイトが競合他社の高品質な商品ではなく、自社ブランドの商品の購入をすすめてくるように、アレクサはいつもユーザーにとって最善となる利益を図って行動しているわけではない。アマゾンは株主の利益のために、ユーザーがアマゾンに寄せる信頼をハッキングしているのだ。

　実効的な規制がない以上、ＡＩによるハッキングの拡散を防ぐ手段はない。もはやハッキングが不可避であることを受け入れ、効果的に即応できる強固な統治機構を構築するしかない。その機構を通じて、システムに対する有益なハッキングであれば常態化させ、悪意のあるハッキングや不慮の損害をもたらすハッキングなら無力化するのである。

　この課題は、ＡＩがこれからどう進化するかとか、制度がＡＩにどう対応できるかという程度ではなく、もっと深く難しい問題を提起している。どんなハックが有益なのか。どんなハックが有害なのか。それを誰が決めるのか。「浴槽で溺れるくらい」小さな政府を理想としているなら、市民を管理する政府の能力を制限するようなハックを、普通は良いことだと考えるだろう。しかしその場合でも、政治上の支配者のかわりに技術政治上の支配者を据えたいとは思わないはずだ。予防第一[2]を主義としているなら、ハックが社会システムに組み込まれる前に、できるだけ多くの専門家にテストしてもらい、ハックを判定してもらいたいと望むだろう。そして、その原則をさらに上流、すなわちハックを可能にする制度や構造にまで適用したいと考えるようになるかもしれない。

　疑問はまだ終わらない。ＡＩが作り出したハックは、ローカルとグローバルのどちらで管理されるべきなのか。管理者と住民投票と、どちらによって管理するのか。あるいは、市場や市民グループに決定を委ねる方法はあるのだろうか（この行方の鍵を握っているのが、アルゴリズムに統括《ガバナンス》モデルを適用しようとする現在の取り組みだ）。そのガバナンス構造を設計するのは私たちなので、未来を形作るハックを決定する力を一部の人や組織に与えることになる。私たちは、その力が間違いなく賢明に行使されるよう図らなければならない。

60章　ハッキングをめぐるガバナンスシステム

ＡＩによる防御は、ＡＩによるハッキングへの対策になりそうだが、まだ十分に発展していないため、実現の可能性も見えていない。今のところ、この技術の開発と配備を導く統括構造《ガバナンス》の確立に協力する人間が必要だ。

このガバナンス構造がどうあるべきかは、いまだ定かではないが、人工知能の速度、規模、範囲、複雑度によってもたらされる問題に効果的に対処できる新しい規制モデルについては、さまざまな提案がある。ニック・グロスマンをはじめとするＡＩ技術者や業界リーダーらは、インターネット企業やビッグデータ企業が、「規制１・０」のパラダイムを脱して「規制２・０」の体制に移行すべきだと提唱している。[1]「規制１・０」とは新しい事業が許容範囲であるとみなされ、事後の審査も説明責任も求められない体制のこと、「規制２・０」とは新しい事業がデータに基づいた厳格な審査と制約を受ける体制だ。33章では、社会的なハック全般に適しているガバナンスシステムを見てきた。法廷、裁判官、陪審員、そして継続的に進化していく判例でできあがるコモン・ローのシステムである。今後、ＡＩの発展に対処するガバナンスシステムは、迅速、包括的《インクルーシブ》、透明、俊敏《アジャイル》を旨とする必要がある。この条件は、現代の優れたガバナンスシステム一般となんら変わらない。

どんなガバナンスシステムなら、AIによる故意あるいは過失のハッキングから受けそうな影響から社会を守ることができるのか、その概要を描写してみよう（略語を作って濫用するのは本意ではないのだが、ここからしばらくは「ハッキングのガバナンスシステム」の意味で「HGS」という略語を使わせてもらう。便宜的に抽象化した言葉と思ってもらえばよい）。

- 「迅速」――一番の基本である。技術も社会も変化のペースが加速している今、**HGSが実効性をもつには、迅速さと正確さが必要になる。**技術革新について以前から知られているのが「コリングリッジのジレンマ」[2]という言葉である。新しい革新的な技術が、社会に対するその影響を明らかに見てとれるほどに普及する頃には、規制が手遅れになる、という現象を表している。その頃にはもう、多くの生活や生計が新しい技術を中心に構築されているため、魔神を瓶に戻すことはできないというのである。これはナンセンスであって、建設、鉄道、食品、医療、工業、化学、原子力エネルギーなどがすべてそれを否定しているのだが、すでに確立したものほど規制が難しいのは確かだ。ハックは、たいていの政府が法律や裁定を変更するよりも速く進むので、理論的には対応が間に合いそうなときでさえ、政府は規制に苦労する。HGSがハックの浸透よりも速く対応したうえで、新しいハックの成熟を促すべきか芽のうちに摘み取るべきかを判断できれば理想的だ。
- 「包括的」――ハックの善悪を見極めるには、特にその初期段階において、ハックのどんな潜在的な脅威や利点も見落とさないように、**HGSはできるかぎり多くの視点をもつものでなければならない**。つまり、最低限でも、多様性のある学際的チームが関わって、あらゆる角度からハックとその影響を検証する必要がある。社会学や法律から経済学、デザイン思考、エコロジーに至るまで各分野が参画するのである。また、外部グループからの意見を積極的に求め、取り入れる必要もあるだろう。とりわけ、影響を受けていながらその声が専門スタッフに反映されていないコミュニティや、独立系の研究者と専門家、学者、労働組合、業界団体、地方自治体、市民グループなどの参加が望ましい。このようなグループや個人が、ときどき開かれる会合で意見を述べるだけでなく、理想的にはHGSのなかで対話を続ける過程で互いに意見を交換する。そうすれば、HGSの評価は一般市民との議論を通じて進展していくし、市民は大きなハックに対する見解を明確にしやすくなる。活動やロビー活動を立ち上げて、HGS以外の政治家やその他の公職者によるハックの管理を変えることも可能になる。

- 「透明」――HGSは、その意思決定に専門家と一般市民どちらも幅広く取り込む必要があるので、その**プロセスと裁定は公式に透明でなければならない**。HGSが不透明で、インサイダーや高い学位をもつ人しか確認できないとしたら、社会的ハックとその副作用を十分に理解するうえで欠かせない社会全体の重要なフィードバックを自ら閉ざしてしまうことになる。HGSのプロセスの透明性が高く、しかも決定の根拠についても透明性を保てれば、市民からの信頼も厚くなるだろう。[3] こうして信頼を重ねていくことが、実績のない新しい機関に対する政治的支持を維持するには不可欠だ。イノベーション、システムの安定性、そして公平性や公正といった価値観の間の厳しいトレードオフにその機関は対処しなければならないからである。

・「俊敏」――最後に、市民の政治的支持が変化したり、認められていたハックが派手に失敗したり、あるいはハックを有効に規制する方法について学者や政府の知見が深まったりするので、そうした変化の絶えない世界で**HGSが成功するには、その構造、機能、意思決定力、アプローチを短時間で進化させるメカニズムが必要になる。**たとえ最良の情報とインプットがあったとしても、社会システムとは複雑で予測しにくいものなので、有害な社会的ハックを阻止しようとする試みは時として失敗に終わる。また、HGSが社会に対する効果的なパッチその他の防御策を見つけたとしても、ハッカーはすぐにまた、それを弱体化しようと活動しはじめる。したがって、HGSには反復性も必要になる。失敗からいち早く学び、社会的ハックそれぞれを制御して取り込む際にどんなアプローチが最適かをテストして、新たに見つかったベストプラクティスを実施する能力を継続的に向上させていくのである。

ここで何にもまして重要な答えとなるのは、私たち市民全員が、生活におけるテクノロジーの正しい役割について今まで以上に意識的に考えることである。これまで私たちは、プログラマーがよかれと思うままに世界をコーディングすることをよしとしてきた。理由はひとつやふたつではない。生まれたばかりのテクノロジーを過度に制約したくなかった、議員が（制限のあるなかで）テクノロジーを規制するほどにも理解していなかったなどの理由もあるだろうし、大きいところでは懸念するほど重要ではなかったという理由もあるのだろう。しかし今は違う。コンピューターシステムが影響を及ぼすものは、もはやコンピューターにとどまらず、それについて決定を下すエンジニアは、文字どおり世界の未来を設計しているのである。

司法判断というコモン・ローのシステムが良い出発点になる。ここでは、民主主義とテクノロジーの間の緊張関係を抑え込みたいわけではない。万人がAIを理解し、規制に貢献できる能力をもっているかといえば、もちろんそうではない。その一方で、信頼するに足るテクノクラートをどうやって見つけ、その信頼をどうやって共有できるのかという問題がある。これは、現代のガバナンスをめぐって一般度のさらに高い、きわめて難解な問題だ。相互につながって技術的に強力になった現在の情報社会に関わってくる問題でもあり、本書で扱える範囲をはるかに超えている。また、この問題は、情報時代のスピードに対応し、情報時代の複雑さに直面してなお運営できるガバナンス機構を構築するという問題とかけ離れているわけではない。こうした一般的な問題については、ジリアン・ハドフィールド[4]、ジュリー・コーエン[5]、ジョシュア・フェアフィールド[6]、ジェイミー・サスキンド[7]といった法学者の執筆があり、さらに多くが待たれるところだ。

　こうした解決策を講じるには、まず社会における大きな問題を解決しなければならない。別の言い方をするなら、略奪的なハッキングが蔓延しているとすれば、それは欠陥のあるシステムの症状だということである。資金はすなわち力であり、力があって規則に違反している者の正義は、そうでない者の正義とは異なる。企業犯罪がめったに起訴されないことを考えれば分かるとおり、取締機関が公平に行動しなければ、権力をもつ者が規則を守るインセンティブは生まれない。そうなれば、システムと規則のどちらに対しても社会の信頼が損なわれる。不公平な取締のリスクは、実際にきわめて大きい。最大級に特権的な個人や企業に対する規制を最小限に抑えることになれば、そうした個人や企業が政策を決めるのを認めることになる。つまり、事実上の政府になるのだ。そうなったら、私たち国民はもはや発言権をもてなくなり、民主主義はそこで死を迎える。そう、問題を極端に定式化した見方だが、そんな最終状態に至るまで放置することは、あってはならないのである。

私はここまでに、人間とコンピューターシステムとの相互関係のあり方について、そしてコンピューターが人間の役割を担いはじめたときに起こりうるリスクについて述べてきた。これもまた、単にAIの使用と誤用では済まない、もっとずっと一般的な問題である。テクノロジストや未来学者が書き立てている問題でもある。テクノロジーに私たちの未来を委ねるのはたやすいが、私たちの未来におけるテクノロジーの役割がどうあるべきかは、市民が集団として決定するほうがはるかに望ましい。誰もが大量のテクノロジーを利用できるようになった現代社会においては、特にそうであるはずだ。

今はまだ、世界のどこにもハッキングのガバナンスシステムはないし、それを作ろうと発想している政府もない。今こそ、そのときではないだろうか。

おわりに

2022年の夏、この本の原稿を書き終えようとしていたときのこと、新手の金融ハックについて報道するウォール・ストリート・ジャーナルの記事が目にとまった。輸入業者は外国の商品にかかる関税を支払う義務があり、その額は小さくない。しかし、そこには「デ・ミニミス」ルールと呼ばれる抜け道があって、基準額以下の輸入なら課税対象にならない。本来はアメリカ人観光客が海外旅行からお土産を持ち帰るときの免除規定だ。ところが、最近それを悪用する輸入業者が現れており、海外の販売業者から顧客宛てに商品を直接発送させているというのである。「その結果、中国からの輸入のうち、金額にして10分の1以上がデ・ミニミス扱いで輸入されるようになっている。10年前は1%未満だった」。このハックによって失われている税収の総額は、年間670億ドルにのぼるという。[1]

こうした社会的なハッキングの現状に愕然とするのも無理はない。避けようのないことだと感じられる。こうして、システムは少数の人の目的を達成するために裏をかかれ、同じことが昔からずっと続いてきた。私たちにできる対策は今でさえ限界があり、今後は絶望的に役に立たなくなる。社会に対するハッキングはさらに悪化していくからだ。

本質的に、ハッキングとは逆向きの力のせめぎ合いだ。一方では、イノベーションの原動力となる。もう一方では、システムの裏をかき、ただでさえ不均衡になっている権力構造をさらに強化する。社会に害を与えることもある。人間の歴史のほとんどで、イノベーションはリスクに見合うものだという主張が容易に通用した。たしかに、特権階層は自分たちの利益のためにシステムをハッキングした。だが社会の大半は、それ以前から特権階層が有利になるように偏っていた。少々のハッキングで、それほど大きな違いは生じなかったのである。

今日では、このせめぎ合いのバランスが2つの理由で変わりつつある。ひとつは文化的な理由、もうひとつは技術的な理由だ。それぞれを詳しく説明しておこう。

まず、文化的な理由はこうだ。長い時間、それこそ数千年という時間をかけて、人間の社会システムはおおむねそれ以前より公平に、民主的に、公正になってきた。システムがそうした方向に進化するなかで、ハッキングは特権階層の個人や集団が自分たちに有利になるようにシステムの裏をかく強力な手段となっていく。ごく大雑把にいえば、独裁的なシステムで権限を掌握するほうが、欲しいものを手に入れるのは簡単だ。規則を作ったり破ったりしても罰せられることがないのなら、わざわざハッキングする必要はない。だが、ほかの人たちと同じように法律に縛られるとしたら、そう簡単には運ばなくなる。自分の行動を制限する経済的、社会的、政治的システムをハッキングすることが最善の選択肢ということになるのは当然だ。

証明はできないが、この数十年でハッキングが当たり前になってきたのは、こうしたダイナミズムが原因なのだろう。「後期資本主義」とそこで生じるあらゆる問題について私の個人的な説明は次のようになる。ルールに抜け穴を見つけることは、今やたいてい最も抵抗が少ない道筋になっている。手段や技術力のある人々は、システムをハッキングすることで利益を得られると気づいたとたん、実行に必要なリソースと知識を生み出し、脆弱性を突くことを学んだ。目的を達成するために、ハッキングの階層を上から下まで見直すようになった。自らのハックを常態化し、合法だと広言して、システムに取り込む術を身につけた。

それをさらに悪化させているのが所得の不均衡だ。経済学者のトマ・ピケティは、不平等が勝者に余剰資源がもたらし、その余剰資源はさらなる不平等を生み出すために動員されると説明している。[2] そこで頻繁に動員されるのが、ハッキングである。

今や、ハッキングの知識もリソースもかつてないほど増え、それを使う人も増えており、その知識とリソースに権力が伴うようになっている。権力と名声をめぐる争いが何世代にもわたって続いた結果、私たちの社会システムは、種々雑多なハッキングによって圧倒されつつある。クラウドコンピューティング、バイラルメディア、ＡＩによって新たなハックがかつてなく利用しやすく、また強力になっていくにつれて、ハックが作り出す不安定さもイノベーションも、指数関数的に増大する流れにあるように見える。それを利用する一般の人も増えているが、利益を得ているのはその設計や管理に当たる人々だ。

社会システムは信頼の上に成り立っており、ハッキングはその信頼を損なう。規模が小さければ問題にならないかもしれないが、ハッキングが蔓延すれば信頼は崩壊し、やがては社会が本来の機能を果たさなくなる。富裕層だけが利用できる税制の抜け穴は、敵意を生み、税制度の全体に対する信頼を蝕《むしば》んでいく。今の社会にハックが津波のように押し寄せているのは、信頼、社会的な結束、市民の関心が欠けていることの表れなのだ。

次は、技術的な理由だ。私たちの社会システムは全般的に見れば、数千年をかけて以前より公平に、公正になってきたかもしれないが、進み方は直線的でも均等でもない。その軌跡は、あとから振り返れば右肩上がりに見えるものの、細かく見ると何度となく上下を繰り返している。「変動性《ノイズ》の多い」プロセスなのである。

テクノロジーは、その変動の幅を変える。短期的な上下の変動は激しくなっており、長期的な軌跡には影響しないだろうが、その短い期間を生きる人すべてにとっての影響は甚大だ。だからこそ20世紀は、統計的に見るかぎり、人類史上で最も平和的な期間でありながら、二度にわたって激しい戦争を経験した世紀でもあるのだ。

こうした変動を無視できたのは、ダメージが世界規模では致命的になりそうになかったからだ。つまり、世界大戦といっても万人を殺したり社会を破壊したりするおそれがない場合、あるいは西洋諸国がとりたてて思い煩うことのない世界で起こり、そこで住む人々にしか影響しない場合である。そういう確信をもつことが、私たちにはもうできない。私たちがいま直面しているリスクは、かつてなかったほど人類の存亡に関わっている。テクノロジーは増幅効果をもち、短期的なダメージでも地球規模に及ぶ長期的なダメージを引き起こしかねない。私たちは半世紀ものあいだ、核戦争という亡霊と、生命が死に絶えるという大惨事の想像に脅えながら生きてきた。移動手段の発達によって地球が狭くなり、局地的な感染爆発はまたたく間に新型コロナウイルス感染症のようなパンデミックとなり、数百万人の命と数兆ドル以上の損害をもたらしながら、政治不安、社会不安を増大させる。テクノロジーは地球の大気に急速な変化をもたらし、それがフィードバックループによって増幅され、分岐点を超えるようになったため、地球はこれから何世紀にもわたって住みにくい環境になるかもしれない。今日では、ハッキングひとつをめぐる決定が地球全体に影響を及ぼす可能性がある。社会生物学者のエドワード・O・ウィルソンは、人類の根本的な問題をこうまとめたことがある。[3]「感情は旧石器時代、制度は中世、そしてテクノロジーは神の領域に迫る」

フォルクスワーゲン社のようなハックを使えば、実際以上に二酸化炭素排出量の削減を達成していると評価されるとしよう。何社もの企業が次々とこれに倣ったら、地球の気温はたちまち2度上昇し、地球上での生存は不可能になるだろう。あるいは、破壊的なテロリスト集団が核弾頭発射の指揮系統をハッキングしてミサイルを発射したり、バイオテロを起こして新たな病気を解き放ったりしたら、はたしてどうなるか。大量死が現実となり、全世界で政府が崩壊して、かつてなく高速で永続的な負のスパイラルに陥るだろう。そうなったら、人類がこれまで苦労して実現してきたゆったりとした上昇カーブなどたちまち消し飛んでしまう。

以上の2つの理由から、ハッキングは今や、人類の存亡に関わる危機をもたらしているといえるのだ。ハックが今より増え、高速に、効果的になることも予想される。現在の社会的・技術的システムは、急速な進化を経て、破壊とその対策が繰り返される戦場へと向かっており、その過程でまったく新しい形へと変異しようとしている。そして、社会の頂点に立つ層に有利なバイアスと、それが生み出す不安定性のはざまで、こうしたハッキングはすべて、社会のそれ以外の部分を、もしかしたら社会の全員を犠牲にして成り立つのである。

そうはいうものの、楽観視できる理由もあると私は考えている。技術の進歩はハッキングを悪化させる反面、悪いハックに対抗しながら良いハックを見つけ育むことで、ものごとを良い方向に進める可能性ももっているからだ。大切なのは、ガバナンスシステムを正しく構築することだが、それを速やかに実現しなければならないところに難しさがある。

ハックを——人間が生み出す今日のハックも、AIが生み出す明日のハックも——社会的イノベーションへと変えるには、良いハックと悪いハックを選別したうえで、前者を発展させ、後者の影響を封じ込めなければならない。これは、第2部で説明したハッキング対策だけで済む話ではない。急速な変化に対応できる、そしてそれぞれのハックのリスク、メリット、将来性について相反する利害と解釈を正しく考慮できるガバナンスシステムが必要になる。

私たちが構築しなければならないのは、ハックに速やかに効果的に対応できる回復性を備えたガバナンス機構だ。税制にパッチを当てるのに何年もかかっていたり、法律に対するハックが政治的な理由でパッチを当てられないほど定着したりしたのでは、まったく意味がない。社会の規則や法律も、コンピューターやスマートフォンと同じようにパッチを当てられるようにしなければならないのである。

ハッキングのプロセスそのものをハッキングし、そのメリットを維持しながらコストや不公平を緩和することが必要だ。それができなければ、私たちはテクノロジーが作るこうした未来を生き抜くために辛苦を重ねつづけることになるだろう。

謝辞

本書は、新型コロナウイルス感染症のパンデミックと私生活の大激変のなかで生まれ、そのどちらからもかなり影響を受けた。2020年のうちに8万6000ワードを書き終わったが、翌2021年はほとんど原稿のことを忘れて過ごし、その間に締切が過ぎて、次に原稿に戻ったのは2022年の春だった。その時点でオープン・ボード・エディティング（Open Boat Editing）のイブリン・ダフィーの手を借りながら2万ワードを削り、ご覧のように（本編の読後であってほしい）、全60章とその他という構成に編集し直した。

その2年のあいだ、たくさんの人が本書の執筆を支えてくれた。まず、ニコラス・アンウェイ、ジャスティン・デシャゾール、サイモン・ディクソン、デリック・フラコール、デビッド・レフトウィッチ、ヴァンディニカ・シュクラ、以上の研究アシスタントたちに感謝する。全員、ハーバード・ケネディ・スクールの学生で、夏期休暇中や学期中の数か月間、一緒に研究に取り組んだ。執筆中のどこかの時点で、さまざまな人に本書を読んでいただいた。ロス・アンダーソン、スティーブ・バス、ベン・ブキャナン、ニック・コールドリー、ケイト・ダーリング、ジェシカ・ドーソン、コリイ・ドクトロウ、ティム・エドガー、FC（別名、freakyclown）、エイミー・フォーサイス、ブレット・フリッシュマン、ビル・ハードル、トレイ・ハー、キャンベル・ハウ、デビッド・S・

アイゼンバーグ、ダリウス・ジェミエルニアク、リチャード・マラー、ウィル・マークス、アリーシア・マクドナルド、ロジャー・マクナミー、ジェリー・ミハルスキー、ピーター・ノイマン、クレイグ・ニューマーク、キルステン・ペイン、デビッド・ペリー、ネイサン・サンダース、マリエッチェ・スハーケ、マーティン・シュナイアー、ジェームズ・シャイアース、エリック・ソーベル、ジェイミー・サスキンド、ラフール・トンギア、アルン・ヴィシュワナス、ジム・ウォルド、リック・ウォッシュ、サラ・M・ワトソン、タラ・ウィーラー、ジョセフィン・ウォルフ、ベン・ウィズナー、以上の方々からは有意義なコメントをいただき、その大部分を参考にした。キャスリーン・ザイデルには編集の段階で細かく精査していただいた。長年のアシスタントであり共同編集者であるベス・フリードマンにも感謝したい。

編集者のブレンダン・カリーをはじめ、本書を原稿から最終形にまで仕上げてくれたW・W・ノートン&カンパニーの各位に感謝の意を表する。エージェントのスー・ラビナーにも。ここケンブリッジの新しいコミュニティにもたいへんお世話になった。ハーバード・ケネディ・スクール、バークマン・センター、インラプト（特にソリッド・プロジェクト）、そして同僚や友人たちだ。最後にタミー、いつもいろいろありがとう。

5 Julie E. Cohen (2019), *Between Truth and Power: The Legal Constructions of Informational Capitalism*, Oxford University Press
6 A. T. Fairfield (2021), *Runaway Technology: Can Law Keep Up?* Cambridge University Press
7 Jamie Susskind (2022), *The Digital Republic: On Freedom and Democracy in the 21st Century*, Pegasus

おわりに

1 Josh Zumbrun (25 Apr 2022), "The $67 billion tariff dodge that's undermining U.S. trade policy," *Wall Street Journal*, https://www.wsj.com/articles/the-67-billion-tariff-dodge-thats-undermining-u-s-trade-policy-di-minimis-rule-customs-tourists-11650897161
2 Thomas Piketty (2013), *Capital in the Twenty-First Century*, Harvard University Press（翻訳版は『21 世紀の資本』2014 年、みすず書房）
3 Tristan Harris (5 Dec 2019), "Our brains are no match for our technology," *New York Times*, https://www.nytimes.com/2019/12/05/opinion/digital-technology-brain.html

man reports fake bomb threat to delay flight he was running late for: Police," ABC News, https://abcnews.go.com/International/london-man-reports-fake-bomb-threat-delay-flight/story?id=68369727. Peter Stubley (16 Aug 2018), "Man makes hoax bomb threat to delay his flight," *Independent*, https://www.independent.co.uk/news/uk/crime/man-late-flight-hoax-bomb-threat-gatwick-airport-los-angeles-jacob-meir-abdellak-hackney-a8494681.html. Reuters (20 Jun 2007), "Woman delays Turkish plane with fake bomb warning," https://www.reuters.com/article/us-turkey-plane-bomb-idUSL2083245120070620

58章　ＡＩハッカーに対する防御策

1 Zeynep Tufekci (10 Mar 2018), "YouTube, the great equalizer," *New York Times*, https://www.nytimes.com/2018/03/10/opinion/sunday/youtube-politics-radical.html. Renee DiResta (11 Apr 2018), "Up next: A better recommendation system," *Wired*, https://www.wired.com/story/creating-ethical-recommendation-engines

2 一例がこちら。Gregory Falco et al. (28 Aug 2018), "A master attack methodology for an AI-based automated attack planner for smart cities," *IEEE Access* 6, https://ieeexplore.ieee.org/document/8449268

59章　ＡＩハッカーの未来

1 ヘッジファンドや投資会社はすでにAIを投資判断に活用している。Luke Halpin and Doug Dannemiller (2019), "Artificial intelligence: The next frontier for investment management firms," Deloitte, https://www2.deloitte.com/content/dam/Deloitte/global/Documents/Financial-Services/fsi-artificial-intelligence-investment-mgmt.pdf. Peter Salvage (March 2019), "Artificial intelligence sweeps hedge funds," BNY Mellon, https://www.bnymellon.com/us/en/insights/all-insights/artificial-intelligence-sweeps-hedge-funds.html

2 Maciej Kuziemski (1 May 2018), "A precautionary approach to artificial intelligence," Project Syndicate, https://www.project-syndicate.org/commentary/precautionary-principle-for-artificial-intelligence-by-maciej-kuziemski-2018-05

60章　ハッキングをめぐるガバナンスシステム

1 Nick Grossman (8 Apr 2015), "Regulation, the internet way," Data-Smart City Solutions, Harvard University, https://datasmart.ash.harvard.edu/news/article/white-paper-regulation-the-internet-way-660

2 Adam Thierer (16 Aug 2018), "The pacing problem, the Collingridge dilemma and technological determinism," Technology Liberation Front, https://techliberation.com/2018/08/16/the-pacing-problem-the-collingridge-dilemma-technological-determinism

3 Stephan Grimmelikhuijsen et al. (Jan 2021), "Can decision transparency increase citizen trust in regulatory agencies? Evidence from a representative survey experiment," *Regulation and Governance* 15, no. 1, https://onlinelibrary.wiley.com/doi/full/10.1111/rego.12278

4 Gillian K. Hadfield (2016), *Rules for a Flat World: Why Humans Invented Law and How to Reinvent It for a Complex Global Economy*, Oxford University Press

lem," *Wired*, https://www.wired.com/story/law-makes-bots-identify-themselves
5 Laim Vaughan (2020), *Flash Crash: A Trading Savant, a Global Manhunt, and the Most Mysterious Market Crash in History*, Doubleday
6 Shafi Goldwasser et al. (14 Apr 2022), "Planting undetectable backdoors in machine learning models," *arXiv*, https://arxiv.org/abs/2204.06974

56章 AIがハッカーになるとき

1 Jia Song and Jim Alves-Foss (Nov 2015), "The DARPA Cyber Grand Challenge: A competitor's perspective," *IEEE Security and Privacy Magazine* 13, no. 6, https://www.researchgate.net/publication/286490027_The_DARPA_cyber_grand_challenge_A_competitor%27s_perspective
2 Dakota Cary (Sep 2021), "Robot hacking games: China's competitions to automate the software vulnerability lifecycle," Center for Security and Emerging Technology, https://cset.georgetown.edu/wp-content/uploads/CSET-Robot-Hacking-Games.pdf
3 Bruce Schneier (18 Dec 2018) "Machine learning will transform how we detect software vulnerabilities," Security Intelligence, https://securityintelligence.com/machine-learning-will-transform-how-we-detect-software-vulnerabilities/
4 Economist staff (12 Jun 2018), "Law firms climb aboard the AI wagon," *Economist*, https://www.economist.com/business/2018/07/12/law-firms-climb-aboard-the-ai-wagon

57章 報酬ハッキング

1 一連の例はこちら。Victoria Krakovna (2 Apr 2018), "Specification gaming examples in AI," https://vkrakovna.wordpress.com/2018/04/02/specification-gaming-examples-in-ai
2 Karol Kurach et al. (25 Jul 2019), "Google research football: A novel reinforcement learning environment," *arXiv*, https://arxiv.org/abs/1907.11180
3 Ivaylo Popov et al. (10 Apr 2017), "Data-efficient deep reinforcement learning for dexterous manipulation," *arXiv*, https://arxiv.org/abs/1704.03073
4 David Ha (10 Oct 2018), "Reinforcement learning for improving agent design," https://designrl.github.io
5 Dario Amodei et al. (25 Jul 2016), "Concrete problems in AI safety," *arXiv*, https://arxiv.org/pdf/1606.06565.pdf
6 Dario Amodei et al. (25 Jul 2016), "Concrete problems in AI safety," *arXiv*, https://arxiv.org/pdf/1606.06565.pdf
7 Abby Everett Jaques (2021), "The Underspecification Problem and AI: For the Love of God, Don't Send a Robot Out for Coffee," unpublished manuscript
8 Stuart Russell (Apr 2017), "3 principles for creating safer AI," TED2017, https://www.ted.com/talks/stuart_russell_3_principles_for_creating_safer_ai
9 Melissa Koenig (9 Sep 2021), "Woman, 46, who missed her JetBlue flight 'falsely claimed she planted a BOMB on board' to delay plane so her son would not be late to school," *Daily Mail*, https://www.dailymail.co.uk/news/article-9973553/Woman-46-falsely-claims-planted-BOMB-board-flight-effort-delay-plane.html. Ella Torres (18 Jan 2020), "London

stable/10.1086/209566?seq=1
5 Joel Garreau (6 May 2007), "Bots on the ground," *Washington Post*, https://www.washingtonpost.com/wp-dyn/content/article/2007/05/05/AR2007050501009_pf.html
6 Paul Robinette et al. (Mar 2016), "Overtrust of robots in emergency evacuation scenarios," 2016 ACM/IEEE International Conference on Human-Robot Interaction, https://www.cc.gatech.edu/~alanwags/pubs/Robinette-HRI-2016.pdf
7 Sherry Turkle (2010), "In good company," in Yorick Wilks, ed., *Close Engagements with Artificial Companions*, John Benjamin Publishing

54章　ＡＩとロボティクスが人間をハッキングする

1 Samantha Bradshaw and Philip N. Howard (2019), "The global disinformation order: 2019 global inventory of organised social media manipulation," Computational Propaganda Research Project, https://comprop.oii.ox.ac.uk/wp-content/uploads/sites/93/2019/09/CyberTroop-Report19.pdf
2 Tom Simonite (22 Jul 2020), "Did a person write this headline, or a machine?" *Wired*, https://www.wired.com/story/ai-text-generator-gpt-3-learning-language-fitfully
3 Max Weiss (17 Dec 2019), "Deepfake bot submissions to federal public comment websites cannot be distinguished from human submissions," Technology Science, https://techscience.org/a/2019121801
4 Kate Darling (2021), *The New Breed: What Our History with Animals Reveals about Our Future with Robots*, Henry Holt
5 Woodrow Hartzog (4 May 2015), "Unfair and deceptive robots," *Maryland Law Review*, https://papers.ssrn.com/sol3/papers.cfm?abstract_id=2602452
6 Yaniv Hanoch et al. (17 May 2021), "The robot made me do it: Human—robot interaction and risk-taking behavior," *Cyberpsychology, Behavior, and Social Networking*, https://www.liebertpub.com/doi/10.1089/cyber.2020.0148

55章　コンピューターとＡＩで社会に対するハッキングが加速する

1 Karlheinz Meier (31 May 2017), "The brain as computer: Bad at math, good at everything else," *IEEE Spectrum*, https://spectrum.ieee.org/the-brain-as-computer-bad-at-math-good-at-everything-else
2 Samuel Gibbs (28 Jun 2016), "Chatbot lawyer overturns 160,000 parking tickets in London and New York," *Guardian*, https://www.theguardian.com/technology/2016/jun/28/chatbot-ai-lawyer-donotpay-parking-tickets-london-new-york
3 Amy Gallo (28 Jun 2017), "A refresher on A/B testing," *Harvard Business Review*, https://hbr.org/2017/06/a-refresher-on-ab-testing
4 カリフォルニア州には、ボットが身元を明らかにすることを義務付ける法律がある。Renee DiResta (24 Jul 2019), "A new law makes bots identify themselves—that's the prob-

だろう。Martin Ford (2018), Architects of Intelligence: *The Truth About AI from the People Building It*, Packt Publishing（翻訳版は『人工知能のアーキテクトたち —AI を築き上げた人々が語るその真実』2020 年、オライリージャパン）
4 Kate Darling (2021), *The New Breed: What Our History with Animals Reveals about Our Future with Robots*, Henry Holt

52 章　説明可能性という問題

1 Douglas Adams (1978), *The Hitchhiker's Guide to the Galaxy*, BBC Radio 4（翻訳版はダグラス・アダムズ『銀河ヒッチハイク・ガイド』1982 年、新潮社）
2 Cade Metz (16 Mar 2016), "In two moves, 213 AlphaGo and Lee Sedol redefined the future," *Wired*, https://www.wired.com/2016/03/two-moves-alphago-lee-sedol-redefined-future. "the magical number seven": George A. Miller (1956), "The magical number seven, plus or minus two: Some limits on our capacity for processing information," *Psychological Review* 63, no. 2, http://psychclassics.yorku.ca/Miller
3 J. Fjeld et al. (15 Jan 2020), "Principled artificial intelligence: Mapping consensus in ethical and rights-based approaches to principled AI," Berkman Klein Center for Internet and Society, https://cyber.harvard.edu/publication/2020/principled-ai
4 Select Committee on Artificial Intelligence (16 Apr 2018), "AI in the UK: Ready, willing and able?" House of Lords, https://publications.parliament.uk/pa/ld201719/ldselect/ldai/100/100.pdf
5 Jeffrey Dastin (10 Oct 2018), "Amazon scraps secret AI recruiting tool that shows bias against women," Reuters, https://www.reuters.com/article/us-amazon-com-jobs-automation-insight/amazon-scraps-secret-ai-recruiting-tool-that-showed-bias-against-women-idUSKCN1MK08G
6 David Weinberger (accessed 11 May 2022), "Playing with AI fairness," What-If Tool, https://pair-code.github.io/what-if-tool/ai-fairness.html. David Weinberger (6 Nov 2019), "How machine learning pushes us to define fairness," Harvard Business Review, https://hbr.org/2019/11/how-machine-learning-pushes-us-to-define-fairness

53 章　接近する人間とＡＩ

1 Joseph Weizenbaum (Jan 1966), "ELIZA: A computer program for the study of natural language communication between man and machine," *Communications of the ACM*, https://web.stanford.edu/class/linguist238/p36-weizenabaum.pdf
2 James Vincent (22 Nov 2019), "Women are more likely than men to say 'please' to their smart speaker," *Verge*, https://www.theverge.com/2019/11/22/20977442/ai-politeness-smart-speaker-alexa-siri-please-thank-you-pew-gender-sur
3 Clifford Nass, Youngme Moon, and Paul Carney (31 Jul 2006), "Are people polite to computers? Responses to computer-based interviewing systems," *Journal of Applied Social Psychology*, https://onlinelibrary.wiley.com/doi/abs/10.1111/j.1559-1816.1999.tb00142.x
4 Youngme Moon (Mar 2000), "Intimate exchanges: Using computers to elicit self-disclosure from consumers," *Journal of Consumer Research*, https://www.jstor.org/

article/craigsilverman/how-macedonia-became-a-global-hub-for-pro-trump-misinfo

47章　恐怖とリスク

1 Bruce Schneier (3 Apr 2000), "The difference between feeling and reality in security," *Wired*, https://www.wired.com/2008/04/securitymatters-0403
2 Bruce Schneier (17 May 2007), "Virginia Tech lesson: Rare risks breed irrational responses," *Wired*, https://www.wired.com/2007/05/securitymatters-0517
3 Nate Silver (1 Feb 2010), "Better to be strong and wrong—especially when you're actually right," FiveThirtyEight, https://fivethirtyeight.com/features/better-to-be-strong-and-wrong
4 Fox News (26 Jan 2017), "The truth about jobs in America," *The O'Reilly Factor* (transcript), https://www.foxnews.com/transcript/the-truth-about-jobs-in-america
5 Audrey Conklin (21 Feb 2022), "Homicides, rapes in Atlanta soar despite other decreasing violent crime," *Fox News*, https://www.foxnews.com/us/homicides-rapes-atlanta-soar-2022
6 Ronn Blitzer (26 Oct 2021), "Top Pentagon official confirms ISIS-K could have capability to attack US in '6 to 12 months,' " *Fox News*, https://www.foxnews.com/politics/pentagon-official-isis-k-us-attack-6-to-12-months
7 Tucker Carlson (9 Apr 2021), "Biden wants to take your guns, but leave criminals with theirs," *Fox News*, https://www.foxnews.com/opinion/tucker-carlson-biden-gun-control-disarm-trump-voters

48章　認知ハックに対する防御

1 Leah Savion (Jan 2009), "Clinging to discredited beliefs: The larger cognitive story," *Journal of the Scholarship of Teaching and Learning* 9, no. 1, https://files.eric.ed.gov/fulltext/EJ854880.pdf

49章　ハッキングの階層

1 Sam Dangremond (4 Apr 2019), "Jeff Bezos is renovating the biggest house in Washington, D.C.," *Townand Country*, https://www.townandcountrymag.com/leisure/real-estate/news/a9234/jeff-bezos-house-washington-dc
2 Lee Foster et al. (28 Jul 2020), " 'Ghostwriter' influence campaign: Unknown actors leverage website compromises and fabricated content to push narratives aligned with Russian security interests," Mandiant, https://www.fireeye.com/blog/threat-research/2020/07/ghostwriter-influence-campaign.html

50章　人工知能とロボティクス

1 Marvin Minsky (1968), "Preface," in Semantic Information Processing, MIT Press
2 Patrick Winston (1984), *Artificial Intelligence*, Addison-Wesley
3 未来学者のマーティン・フォードが著名なAI研究者23人に対してアンケートを実施し、広いAIが50%以上の確率で登場するのは何年かと質問した。答えは2029年から2200年まで幅があり、平均すると2099年だった。「今世紀末より前」と言っているのと同じ

43章　認知ハック

1 Jason Stanley (2016), *How Propaganda Works*, Princeton University Press, https://press.princeton.edu/books/paperback/9780691173429/how-propaganda-works

2 Cory Doctorow (26 Aug 2020), "How to destroy surveillance capitalism," *OneZero*, https://onezero.medium.com/how-to-destroy-surveillance-capitalism-8135e6744d59

44章　注意と中毒

1 Ethan Zuckerman (14 Aug 2014), "The internet's original sin," Atlantic, https://www.theatlantic.com/technology/archive/2014/08/advertising-is-the-internets-original-sin/376041

2 Richard H. Driehaus Museum (14 Mar 2017), "Jules Ch?ret and the history of the artistic poster," http://driehausmuseum.org/blog/view/jules-cheret-and-the-history-of-the-artistic-poster

45章　説得

1 Marieke L. Fransen, Edith G. Smit, and Peeter W. J. Verlegh (14 Aug 2015), "Strategies and motives for resistance to persuasion: an integrative framework," *Frontiers in Psychology* 6, article 1201, https://www.ncbi.nlm.nih.gov/pmc/articles/PMC4536373

2 Morgan Foy (9 Feb 2021), "Buyer beware: Massive experiment shows why ticket sellers hit you with last-second fees," Haas School of Business, University of California, Berkeley, https://newsroom.haas.berkeley.edu/research/buyer-beware-massive-experiment-shows-why-ticket-sellers-hit-you-with-hidden-fees-drip-pricing

46章　信頼と権威

1 Bruce Schneier (15 Oct 2000), "Semantic attacks: The third wave of network attacks," *Crypto-Gram*, https://www.schneier.com/crypto-gram/archives/2000/1015.html#1

2 Joeri Cant (22 Oct 2019), "Victim of $24 million SIM swap case writes open letter to FCC chairman," *Cointelegraph*, https://cointelegraph.com/news/victim-of-24-million-sim-swap-case-writes-open-letter-to-fcc-chairman

3 Twitter (18 Jul 2020; updated 30 Jul 2020), "An update on our security incident," Twitter blog, https://blog.twitter.com/en_us/topics/company/2020/an-update-on-our-security-incident

4 Nick Statt (5 Sep 2019), "Thieves are now using AI deepfakes to trick companies into sending them money," *Verge*, https://www.theverge.com/2019/9/5/20851248/deepfakes-ai-fake-audio-phone-calls-thieves-trick-companies-stealing-money

5 Hugh Schofield (20 Jun 2019), "The fake French minister in a silicone mask who stole millions," BBC News, https://www.bbc.com/news/world-europe-48510027

6 Drew Harwell (12 Jun 2019), "Top AI researchers race to detect 'deepfake' videos: 'We are outgunned,' " *Washington Post*, https://www.washingtonpost.com/technology/2019/06/12/top-ai-researchers-race-detect-deepfake-videos-we-are-outgunned

7 Craig Silverman and Lawrence Alexander (3 Nov 2016), "How teens in the Balkans are duping Trump supporters with fake news," *BuzzFeed*,https://www.buzzfeednews.com/

41章　政治における資金

1 Yasmin Dawood (30 Mar 2015), "Campaign finance and American democracy," *Annual Review of Political Science*, https://www.annualreviews.org/doi/pdf/10.1146/annurev-polisci-010814-104523

2 Lawrence Lessig (2014), *The USA Is Lesterland*, CreateSpace Independent Publishing Platform

3 Kenneth P. Vogel (12 Jan 2012), "3 billion aires who'll drag out the race," *Politico*, https://www.politico.com/story/2012/01/meet-the-3-billionaires-wholl-drag-out-the-race-071358

4 Sam Howe Verhovek (8 Aug 2001), "Green Party candidate finds he's a Republican pawn," *New York Times*, https://www.nytimes.com/2001/08/08/us/green-party-candidate-finds-he-s-a-republican-pawn.html

5 Sun-Sentinel Editorial Board (25 Nov 2020), "Evidence of fraud in a Florida election. Where's the outrage?" *South Florida Sun-Sentinel*, https://www.sun-sentinel.com/opinion/editorials/fl-op-edit-florida-election-fraud-20201125-ifg6ssys35bjrp7bes6xzizon4-story.html

6 Rama Lakshmi (23 Apr 2014), "Sahu vs. Sahu vs. Sahu: Indian politicians run 'clone' candidates to trick voters," *Washington Post*, https://www.washingtonpost.com/world/sahu-vs-sahu-vs-sahu-indian-politicians-run-clone-candidates-to-trick-voters/2014/04/23/613f7465-267e-4a7f-bb95-14eb9a1c6b7a_story.html

42章　破壊につながるハッキング

1 Andy Williamson (16 May 2013), "How Voltaire made a fortune rigging the lottery," Today I Found Out, http://www.todayifoundout.com/index.php/2013/05/how-voiltaire-made-a-fortune-rigging-the-lottery

2 Janus Rose (8 May 2020), "This script sends junk data to Ohio's website for snitching on workers," *Vice*, https://www.vice.com/en_us/article/wxqemy/this-script-sends-junk-data-to-ohios-website-for-snitching-on-workers

3 Taylor Lorenz, Kellen Browning, and Sheera Frenkel (21 Jun 2020), "TikTok teens and K-Pop stans say they sank Trump rally," *New York Times*, https://www.nytimes.com/2020/06/21/style/tiktok-trump-rally-tulsa.html

4 Janet Koech (2012), "Hyperinflation in Zimbabwe," *Federal Reserve Bank of Dallas Globalization and Monetary Policy Institute 2011 Annual Report*, https://www.dallasfed.org/~/media/documents/institute/annual/2011/annual11b.pdf

5 Patricia Laya and Fabiola Zerpa (5 Oct 2020), "Venezuela mulls 100,000 Bolivar bill. Guess how much it's worth?," Bloomberg, https://www.bloombergquint.com/onweb/venezuela-planning-new-100-000-bolivar-bills-worth-just-0-23. Gonzalo Huertas (Sep 2019), "Hyperinflation in Venezuela: A stabilization handbook," Peterson Institute for International Economics Policy Brief 19-13, https://www.piie.com/sites/default/files/documents/pb19-13.pdf

3 National Hockey League (accessed 11 May 2022), "Historical rule changes," https://records.nhl.com/history/historical-rule-changes

4 Donald Clarke (19 Jan 2017), "The paradox at the heart of China's property regime," Foreign Policy, https://foreignpolicy.com/2017/01/19/the-paradox-at-the-heart-of-chinas-property-regime-wenzhou-lease-renewal-problems. Sebastian Heilmann (2008), "Policy experimentation in China's economic rise," *Studies in Comparative International Development* 43, https://link.springer.com/article/10.1007/s12116-007-9014-4

5 Lara Seligman (2 Aug 2020), "Trump skirts Senate to install nominee under fire for Islamaphobic tweets in Pentagon post," *Politico*, https://www.politico.com/news/2020/08/02/donald-trump-anthony-tata-pentagon-390851

6 Kevin Drum (3 Aug 2020), "Do we really need Senate confirmation of 1,200 positions?" *Mother Jones*, https://www.motherjones.com/kevin-drum/2020/08/do-we-really-need-senate-confirmation-of-1200-positions

39章　投票資格のハッキング

1 Joshua Shiver (16 Apr 2020), "Alabama Constitution of 1875," *Encyclopedia of Alabama*, http://encyclopediaofalabama.org/article/h-4195

2 Alabama Legislature (22 May 1901), "Constitutional Convention, second day," http://www.legislature.state.al.us/aliswww/history/constitu tions/1901/proceedings/1901_proceedings_vol1/day2.html

3 John Lewis and Archie E. Allen (1 Oct 1972), "Black voter registration efforts in the South," *Notre Dame Law Review* 48, no. 1, p. 107, https://scholarship.law.nd.edu/cgi/viewcontent.cgi?article=2861&context=ndlr

4 Rachel Knowles (10 February 2020), "Alive and well: Voter suppression and election mismanagement in Alabama," *Southern Poverty Law Center*, https://www.splcenter.org/20200210/alive-and-well-voter-suppression-and-election-mismanagement-alabama#Disenfranchisement

5 Open Culture staff (16 Nov 2014), "Watch Harvard students fail the literacy test Louisiana used to suppress the Black vote in 1964," Open Culture, http://www.openculture.com/2014/11/harvard-students-fail-the-literacy-test.html

40章　選挙におけるその他のハック

1 Constitutional Rights Foundation (n.d., accessed 1 Jun 2022), "Race and voting," https://www.crf-usa.org/brown-v-board-50th-anniversary/race-and-voting.html. US Supreme Court (7 Mar 1966), *South Carolina v. Katzenbach* (Case No. 22), 383 U.S. 301, http://cdn.loc.gov/service/ll/usrep/usrep383/usrep383301/usrep383301.pdf

2 Peter Dunphy (5 Nov 2018), "When it comes to voter suppression, don't forget about Alabama," Brennan Center, https://www.brennancenter.org/our-work/analysis-opinion/when-it-comes-voter-suppression-dont-forget-about-alabama

14 Akela Lacy (19 Apr 2020), "Senate Finance Committee Democrats tried to strike millionaire tax break from coronavirus stimulus—then failed to warn others about it," *Intercept*, https://theintercept.com/2020/04/19/coronavirus-cares-act-millionaire-tax-break

36章　可決が必要な法律

1 US Congress (10 Apr 2019; latest action 20 May 2019), H.R. 2240: One Subject at a Time Act, 116th Congress, https://www.congress.gov/bill/116th-congress/house-bill/2240

2 State of Minnesota (13 Oct 1857; revised 5 Nov 1974), Constitution of the State of Minnesota, Article IV: Legislative Department, https://www.revisor.mn.gov/constitution/#article_4

3 Richard Briffault (2019), "The singlesubject rule: A state constitutional dilemma," *Albany Law Review* 82, https://scholarship.law.columbia.edu/cgi/viewcontent.cgi?article=3593&context=faculty_scholarship

4 Committee for a Responsible Federal Budget (17 Sep 2020), "Better Budget Process Initiative: Automatic CRs can improve the appropriations process," http://www.crfb.org/papers/better-budget-process-initiative-automatic-crs-can-improve-appropriations-process

37章　立法の委任と審議引き延ばし

1 Clyde Wayne Crews and Kent Lassman (30 Jun 2021), "New Ten Thousand Commandments report evaluates the sweeping hidden tax of regulation; Provides definitive assessment of Trump deregulatory legacy," Competitive Enterprise Institute, https://cei.org/studies/ten-thousand-commandments-2020

2 Zack Beauchamp (25 Mar 2021), "The filibuster's racist history, explained," Vox, https://www.vox.com/policy-and-politics/2021/3/25/22348308/filibuster-racism-jim-crow-mitch-mcconnell

3 Lauren C. Bell (14 Nov 2018), "Obstruction in parliaments: A cross-national perspective," *Journal of Legislative Studies*, https://www.tandfonline.com/doi/full/10.1080/13572334.2018.1544694

4 Michael Macarthur Bosack (31 Jan 2020), "Ox walking, heckling and other strange Diet practices," *Japan Times*, https://www.japantimes.co.jp/opinion/2020/01/31/commentary/japan-commentary/ox-walking-heckling-strange-diet-practices

5 Gazetta del Sud staff (11 April 2016), "Democracy doesn't mean obstructionism says Renzi," https://www.ansa.it/english/news/2016/04/11/democracy-doesnt-mean-obstructionism-says-renzi-2_e16b1463-aa10-432a-b40e-28a00354b182.html

38章　ハックが置かれている文脈《コンテキスト》

1 Natalie Kitroeff (27 Dec 2017), "In a complex tax bill, let the hunt for loopholes begin," *New York Times*, https://www.nytimes.com/2017/12/27/business/economy/tax-loopholes.html

2 Edmund L. Andrews (13 Oct 2004), "How tax bill gave business more and more," *New York Times*, https://www.nytimes.com/2004/10/13/business/how-tax-bill-gave-business-more-and-more.html

past lessons suggest lobbyists will fight for loopholes," *Huffington Post,* https://www.huffpost.com/entry/obama-corporate-tax-reform_n_2680880

3 Leah Farzin (1 Jan 2015), "On the antitrust exemption for professional sports in the United States and Europe," *Jeffrey S. Moorad Sports Law Journal* 75, https://digitalcommons.law.villanova.edu/cgi/viewcontent.cgi?article=1321&context=mslj

4 Taylor Lincoln (1 Dec 2017), "Swamped: More than half the members of Washington's lobbying corps have plunged into the tax debate," Public Citizen, https://www.citizen.org/wp-content/uploads/migration/swamped-tax-lobbying-report.pdf

5 Valerie Strauss (16 Oct 2013), "The debt deal's gift to Teach For America (yes, TFA)," *Washington Post,* https://www.washingtonpost.com/news/answer-sheet/wp/2013/10/16/the-debt-deals-gift-to-teach-for-america-yes-tfa

6 Jesse Drucker (26 Mar 2020), "Bonanza for rich real estate investors, tucked into stimulus package," *New York Times,* https://www.nytimes.com/2020/03/26/business/coronavirus-real-estate-investors-stimulus.html. Nicholas Kristof (23 May 2020), "Crumbs for the hungry but windfalls for the rich," *New York Times,* https://www.nytimes.com/2020/05/23/opinion/sunday/coronavirus-economic-response.html

7 Akela Lacy (19 Apr 2020), "Senate Finance Committee Democrats tried to strike millionaire tax break from coronavirus stimulus—then failed to warn others about it," *Intercept,* https://theintercept.com/2020/04/19/coronavirus-cares-act-millionaire-tax-break

8 共和党議員のビリー・ピッツは2017年にこう語っている「いったい何が仕込まれた？会議でも何でも、何が投下され？　これが規模のでかい法案の脅威だ。必ずいつも何かが隠されている」https://www.npr.org/2017/03/11/519700465/when-it-comes-to-legislation-sometimes-bigger-is-better

9 Matt Groening and J. L. Brooks (11 Feb 1996), "Bart the fink," *The Simpsons,* Season 14, episode 15, Fox Broadcasting Company/YouTube, https://www.youtube.com/watch?v=hNeIkS9EMV0.

10 Select Committee on the Modernization of Congress (2019), "116th Congress recommendations," https://modernizecongress.house.gov/116th-recommendations

11 Select Committee on the Modernization of Congress (2019), "Finalize a new system that allows the American people to easily track how amendments change legislation and the impact of proposed legislation to current law," Final Report, https://modernizecongress.house.gov/final-report-116th/chapter/recommendation/finalize-a-new-system-that-allows-the-american-people-to-easily-track-how-amendments-change-legislation-and-the-impact-of-proposed-legislation-to-current-law

12 Mia Jankowicz (22 Dec 2020), " 'It's hostage- taking.' AOC lashed out after lawmakers got only hours to read and pass the huge 5,593- page bill to secure COVID- 19 relief," *Business Insider,* https://www.businessinsider.com/aoc -angry -representatives -2 -hours -read -covid -19 -stimulus -bill -2020 -12 .

13 Yeganeh Torbati (22 Dec 2020), "Tucked into Congress's massive stimulus bill: Tens of billions in special-interest tax giveaways," *Washington Post,* https://www.washingtonpost.com/business/2020/12/22/congress-tax-breaks-stimulus

505 U.S. 833 (1992), https://www.oyez.org/cases/1991/91-744
8 L. V. Anderson (17 Feb 2015), "The Federal Nutrition Program for Pregnant Women is a bureaucratic nightmare," *Slate*, https://slate.com/human-interest/2015/02/the-wic-potato-report-a-symptom-of-the-bureaucratic-nightmare-that-is-americas-welfare-system.html

33章　コモンローにおけるハッキング

1 Jon Kolko (6 Mar 2012), "Wicked problems: Problems worth solving," *Stanford Social Innovation Review*, https://ssir.org/books/excerpts/entry/wicked_problems_problems_worth_solving
2 England and Wales High Court (King's Bench), *Entick v. Carrington* (1765), EWHC KB J98 1066
3 US Supreme Court (15 May 2006), *eBay Inc. v. MercExchange, LLC*, 547 U.S. 388, https://www.supremecourt.gov/opinions/05pdf/05-130.pdf

34章　進化としてのハッキング

1 M. Olin (2019), "The Eruv: From the Talmud to Contemporary Art," in S. Fine, ed., *Jewish Religious Architecture: From Biblical Israel to Modern Judaism*, Koninklijke Brill NV
2 Elizabeth A. Harris (5 Mar 2012), "For Jewish Sabbath, elevators do all the work," *New York Times*, https://www.nytimes.com/2012/03/06/nyregion/on-jewish-sabbath-elevators-that-do-all-the-work.html
3 JC staff (12 Aug 2010), "Israeli soldiers get Shabbat Bluetooth phone,"https://www.thejc.com/news/israel/israeli-soldiers-get-shabbat-bluetooth-phone-1.17376
4 Francis Fukuyama (2014), *Political Order and Political Decay: From the Industrial Revolution to the Globalization of Democracy*, Farrar, Straus & Giroux（翻訳版はフランシス・フクヤマ『政治の衰退 フランス革命から民主主義の未来へ』2018、講談社）
5 Yoni Appelbaum (Dec 2019), "How America ends," *Atlantic*, https://www.theatlantic.com/magazine/archive/2019/12/how-america-ends/600757.Uri Friedman (14 Jun 2017), "Why conservative parties are central to democracy," *Atlantic*, https://www.theatlantic.com/international/archive/2017/06/ziblatt-democracy-conservative-parties/530118. David Frum (20 Jun 2017), "Why do democracies fail?"*Atlantic*,https://www.theatlantic.com/international/archive/2017/06/why-do-democracies-fail/530949
6 Adam Winkler (5 Mar 2018), " 'Corporations are people' is built on an incredible 19th-century lie," *Atlantic*, https://www.theatlantic.com/business/archive/2018/03/corporations-people-adam-winkler/554852

35章　法律に隠された条項

1 S. Silbert (16 May 2014), "Latest Snowden leak reveals the NSA intercepted and bugged Cisco routers," Engadget, https://www.engadget.com/2014-05-16-nsa-bugged-cisco-routers.html
2 Ben Hallman and Chris Kirkham (15 Feb 2013), "As Obama confronts corporate tax reform,

31章 管轄権の相互関係

1 Alex Cobham and Petr Jansky (Mar 2017), "Global distribution of revenue loss from tax avoidance," United Nations University WIDER Working Paper 2017/55, https://www.wider.unu.edu/sites/default/files/wp2017-55.pdf

2 Ernesto Crivelli, Ruud A. de Mooij, and Michael Keen (29 May 2015), "Base erosion, profit shifting and developing countries," International Monetary Fund Working Paper 2015118, https://www.imf.org/en/Publications/WP/Issues/2016/12/31/Base-Erosion-Profit-Shifting-and-Developing-Countries-42973

3 Center for Budget and Policy Priorities (2019), "28 states plus D.C. require combined reporting for the state corporate income tax," https://www.cbpp.org/27-states-plus-dc-require-combined-reporting-for-the-state-corporate-income-tax

4 The Institute on Taxation and Economic Policy (Dec 2015), "Delaware: An onshore tax haven," https://itep.org/delaware-an-onshore-tax-haven/

5 Patricia Cohen (7 Apr 2016), "Need to hide some income? You don't have to go to Panama," *New York Times*, https://www.nytimes.com/2016/04/08/business/need-to-hide-some-income-you-dont-have-to-go-to-panama.html

6 Leslie Wayne (30 Jun 2012), "How Delaware thrives as a corporate tax haven," *New York Times*, https://www.nytimes.com/2012/07/01/business/how-delaware-thrives-as-a-corporate-tax-haven.html

32章 行政的負担

1 Pamela Herd and Donald P. Moynihan (2019), *Administrative Burden: Policymaking by Other Means*, Russell Sage Foundation

2 Rebecca Vallas (15 Apr 2020), "Republicans wrapped the safety net in red tape. Now we're all suffering." *Washington Post*, https://www.washingtonpost.com/outlook/2020/04/15/republicans-harder-access-safety-net

3 Vox staff (10 Jun 2020), "Why it's so hard to get unemployment benefits," Vox, https://www.youtube.com/watch?v=ualUPur6iks

4 Emily Stewart (13 May 2020), "The American unemployment system is broken by design," *Vox*, https://www.vox.com/policy-and-politics/2020/5/13/21255894/unemployment-insurance-system-problems-florida-claims-pua-new-york

5 Palm Beach Post Editorial Board (30 Nov 2020), "Where is that probe of the broken Florida unemployment system, Governor?" *Florida Today*, https://www.floridatoday.com/story/opinion/2020/11/30/where-probe-broken-florida-unemployment-system-governor/6439594002

6 Elizabeth Nash (11 Feb 2020), "Louisiana has passed 89 abortion restrictions since Roe: It's about control, not health," Guttmacher Institute, https://www.guttmacher.org/article/2020/02/louisiana-has-passed-89-abortion-restrictions-roe-its-about-control-not-health

7 US Supreme Court (29 Jun 1992), *Planned Parenthood of Southern Pennsylvania v. Casey*,

Max crisis: A regulator relaxes its oversight," *New York Times*, https://www.nytimes.com/2019/07/27/business/boeing-737-max-faa.html

8 Gary Coglianese, Gabriel Scheffler, and Daniel E. Walters (30 Oct 2020), "The government's hidden superpower: 'Unrules,' " Fortune, https://fortune.com/2020/10/30/federal-law-regulations-loopholes-waivers-unrules

29章　ハッキングと権力

1 Julie Cohen and Chris Bavitz (21 Nov 2019), "Between truth and power: The legal constructions of informational capitalism," Berkman Klein Center for Internet and Society at Harvard University, https://cyber.harvard.edu/sites/default/files/2019-12/2019_11_21_Berkman_Julie_Cohen_NS.pdf

30章　規制を蝕《むしば》む行為

1 最初は「ウーバーキャブ」という名前だったが、社名が変更されたのはまさにこれが理由だった。

2 Ruth Berens Collier, Veena Dubal, and Christopher Carter (Mar 2017), "The regulation of labor platforms: The politics of the Uber economy," University of California Berkeley, https://brie.berkeley.edu/sites/default/files/reg-of-labor-platforms.pdf

3 Uber Technologies, Inc. (2021), "2021 Form 10-K Annual Report," US Securities and Exchange Commission, https://www.sec.gov/ix?doc=/Archives/edgar/data/1543151/000154315122000008/uber-20211231.htm

4 Brian Dean (23 Mar 2021), "Uber statistics 2022: How many people ride with Uber?" *Backlinko*, https://backlinko.com/uber-users

5 Paris Martineau (20 Mar 2019), "Inside Airbnb's 'guerilla war' against local governments," Wired, https://www.wired.com/story/inside-Airbnbs-guerrilla-war-against-local-governments

6 Carter Dougherty (29 May 2013), "Payday lenders evading rules pivot to installment loans," Bloomberg, https://www.bloomberg.com/news/articles/2013-05-29/payday-lenders-evading-rules-pivot-to-installmant-loans

7 S. Lu (22 Aug 2018), "How payday lenders get around interest rate regulations," WRAL (originally from the MagnifyMoney blog), https://www.wral.com/how-payday-lenders-get-around-interest-rate-regulations/17788314

8 Liz Farmer (4 May 2015), "After payday lenders skirt state regulations, Feds step in," *Governing*, https://www.governing.com/topics/finance/gov-payday-lending-consumer-crackdown.html

9 Dave McKinley and Scott May (30 Nov 2020), "Canadians buzz through Buffalo as a way to beat border closure," WGRZ, https://www.wgrz.com/article/news/local/canadians-buzz-through-buffalo-as-a-way-to-beat-border-closure/71-07c93156-1365-46ab-80c1-613e5b1d7938

10 Carter Dougherty (29 May 2013), "Payday lenders evading rules pivot to installment loans," Bloomberg, https://www.bloomberg.com/news/articles/2013-05-29/payday-lenders-evading-rules-pivot-to-installmant-loans

27章　法律上の抜け穴

1 Brian C. Kalt (2005), "The perfect crime," *Georgetown Law Journal* 93, no. 2, https://fliphtml5.com/ukos/hbsu/basic

2 Clark Corbin (3 Feb 2022), "Idaho legislator asks U.S. Congress to close Yellowstone's 'zone of death' loophole," *Idaho Capital Sun*, https://idahocapitalsun.com/2022/02/03/idaho-legislator-asks-u-s-congress-to-close-yellowstones-zone-of-death-loophole

3 Louise Erdrich (26 Feb 2013), "Rape on the reservation," *New York Times*, https://www.nytimes.com/2013/02/27/opinion/native-americans-and-the-violence-against-women-act.html

4 US Supreme Court (6 Dec 1937), *James v. Dravo Contracting Co.* (Case No. 190), 302 U.S. 134, https://tile.loc.gov/storage-services/service/ll/usrep/usrep302/usrep302134/usrep302134.pdf

5 US Supreme Court (15 Jun 1970), Evans v. Cornman (Case No. 236), 398 U.S. 419, https://www.justice.gov/sites/default/files/osg/briefs/2000/01/01/1999-2062.resp.pdf

6 Andrew Lu (16 Jul 2012), "Foie gras ban doesn't apply to SF Social Club?" *Law and Daily Life*, FindLaw, https://www.findlaw.com/legalblogs/small-business/foie-gras-ban-doesnt-apply-to-sf-social-club

7 Indian Law Resource Center (Apr 2019), "VAWA reauthorization bill with strengthened tribal provisions advances out of the House," https://indianlaw.org/swsn/VAWA_Bill_2019. Indian Law Resource Center (2019), "Ending violence against Native women," https://indianlaw.org/issue/ending-violence-against-native-women

28章　お役所仕事をハッキングする

1 C. A. E. Goodhart (1984), Monetary Theory and Practice: *The UK Experience*, Springer, https://link.springer.com/book/10.1007/978-1-349-17295-5

2 Howard E. McCurdy (2001), *Faster, Better, Cheaper: Low-Cost Innovation in the U.S. Space Program*, Johns Hopkins University Press

3 James C. Scott (1985), *Weapons of the Weak: Everyday Forms of Peasant Resistance*, Yale University Press

4 Michael G. Vann (2003), "Of rats, rice, and race: The Great Hanoi Rat Massacre, an episode in French colonial history," *French Colonial History* 4, https://muse.jhu.edu/article/42110/pdf

5 Lucas W. Davis (2 Feb 2017), "Saturday driving restrictions fail to improve air quality in Mexico City," *Scientific Reports* 7, article 41652, https://www.nature.com/articles/srep41652

6 Sean Cole (7 Aug 2020), "Made to be broken," This American Life, https://www.thisamericanlife.org/713/made-to-be-broken. Gianluca Iazzolino (19 Jun 2019), "Going Karura. Labour subjectivities and contestation in Nairobi's gig economy," DSA2019: Opening Up Development, Open University, Milton Keynes, https://www.devstud.org.uk/past-conferences/2019-opening-up-development-conference

7 Natalie Kitroeff, David Gelles, and Jack Nicas (27 Jun 2019), "The roots of Boeing's 737

of the multi-trillion dollar financial swaps market," Institute for New Economic Thinking, https://www.ineteconomics.org/uploads/papers/WP_74.pdf

24章　ベンチャーキャピタルとプライベートエクイティ

1 Eric Levitz (3 Dec 2020), "America has central planners. We just call them 'venture capitalists,' " *New York Magazine*, https://nymag.com/intelligencer/2020/12/wework-venture-capital-central-planning.html

2 Eshe Nelson, Jack Ewing, and Liz Alderman (28 March 2021), "The swift collapse of a company built on debt," *New York Times*, https://www.nytimes.com/2021/03/28/business/greensill-capital-collapse.html

25章　ハッキングと財力

1 David Segal (23 Jan 2020), "It may be the biggest tax heist ever. And Europe wants justice," *New York Times*, https://www.nytimes.com/2020/01/23/business/cum-ex.html

2 Karin Matussek (1 Jun 2021), "A banker's long prison sentence puts industry on alert," Bloomberg, https://www.bloomberg.com/news/articles/2021-06-01/prosecutors-seek-10-years-for-banker-in-398-million-cum-ex-case

3 Olaf Storbeck (19 Mar 2020), "Two former London bankers convicted in first cum-ex scandal trial," Financial Times, https://www.ft.com/content/550121de-69b3-11ea-800d-da70cff6e4d3

4 Olaf Storbeck (4 Apr 2022), "Former German tax inspector charged with ￡279mn tax fraud," *Financial Times*, https://www.ft.com/content/e123a255-bc52-48c4-9022-ac9c4be06daa

5 Agence France-Presse (3 May 2022), "German prosecutors raid Morgan Stanley in cum-ex probe," Barron's, https://www.barrons.com/news/german-prosecutors-raid-morgan-stanley-in-cum-ex-probe-01651575308

6 Daniella Diaz (27 Sep 2016), "Trump: 'I'm smart' for not paying taxes," *CNN*, https://www.cnn.com/2016/09/26/politics/donald-trump-federal-income-taxes-smart-debate/index.html

7 1935年の連邦最高裁判所の判決ではこう認められている。「何人《なんぴと》も税金をできるかぎり低く抑えるように財務を管理することができる。財務省への納税額が最大になる形を選択する義務はない。納税額を上げるという愛国的な義務さえない」US Supreme Court (7 Jan 1935), *Gregory v. Helvering*, 293 US 465, https://www.courtlistener.com/opinion/102356/gregory-v-helvering

26章　法律をハッキングする

1 チキンを詰めたダックを詰めたターキーで、現在の形を考案したのはルイジアナ州の料理人ポール・プルドームである。私も作ってみたことはあるが、手間に見合うほどではなかった。

2 Jeanna Smialek (30 Jul 2020), "How Pimco's Cayman-based hedge fund can profit from the Fed's rescue," *New York Times*, https://www.nytimes.com/2020/07/30/business/economy/fed-talf-wall-street.html

20章　高級住宅をハッキングする

1 Matteo de Simone et al. (Mar 2015), "Corruption on your doorstep: How corrupt capital is used to buy property in the U.K.," Transparency International, https://www.transparency.org.uk/sites/default/files/pdf/publications/2016CorruptionOnYourDoorstepWeb.pdf

2 Louise Story and Stephanie Saul (7 Feb 2015), "Stream of foreign wealth flows to elite New York real estate," *New York Times*, https://www.nytimes.com/2015/02/08/nyregion/stream-of-foreign-wealth-flows-to-time-warner-condos.html

3 Michael T. Gershberg, Janice Mac Avoy, and Gregory Bernstein (2 May 2022), "FinCEN renews and expands geographic targeting orders for residential real estate deals," *Lexology*, https://www.lexology.com/library/detail.aspx?g=065ffb4d-f737-42dc-b759-ef5c4d010404

4 Max de Haldevang (22 Jun 2019), "The surprisingly effective pilot program stopping real estate money laundering in the US," *Quartz*, https://qz.com/1635394/how-the-us-can-stop-real-estate-money-laundering

21章　社会的なハックの多くは常態化する

1 Michael Cooney (5 May 2022), "Cisco warns of critical vulnerability in virtualized network software," *Network World*, https://www.networkworld.com/article/3659872/cisco-warns-of-critical-vulnerability-in-virtualized-network-software.html

2 Harold Bell (5 May 2022), "F5 warns of BIG-IP iControl REST vulnerability," *Security Boulevard*, https://securityboulevard.com/2022/05/f5-warns-of-big-ip-icontrol-rest-vulnerability

3 Charlie Osborne (5 May 2022), "Decade-old bugs discovered in Avast, AVG antivirus software," *ZD Net*, https://www.zdnet.com/article/decade-old-bugs-discovered-in-avast-avg-antivirus-software

4 インデックスファンドについても、その気になれば同じ同じような説明が可能だ。Annie Lowrey (Apr 2021), "Could index funds be 'worse than Marxism'?" Atlantic, https://www.theatlantic.com/ideas/archive/2021/04/the-autopilot-economy/618497

5 Robert Sabatino Lopez and Irving W. Raymond (2001), *Medieval Trade in the Mediterranean World: Illustrative Documents*, Columbia University Press

22章　マーケティングをハッキングする

1 David Kocieniewski (20 Jun 2013), "A shuffle of aluminum, but to banks, pure gold," *New York Times*, https://www.nytimes.com/2013/07/21/business/a-shuffle-of-aluminum-but-to-banks-pure-gold.html

2 Adam Smith (1776), *The Wealth of Nations*, William Strahan, pp. 138, 219-220（アダム・スミス『国富論』）

23章　「大きすぎてつぶせない」というハック

1 Michael Greenberger (Jun 2018), "Too big to fail U.S. banks' regulatory alchemy: Converting an obscure agency footnote into an 'at will' nullification of Dodd-Frank's regulation

for NOWs," Federal Reserve Bank of Cleveland, https://www.clevelandfed.org/en/newsroom-and-events/publications/economic-commentary/economic-commentary-archives/1981-economic-commentaries/ec-19810810-the-battle-for-nows.aspx

3 「ハッキング」という言葉こそ使わなかったが、ハイマン・ミンスキーがこれについて論じている。Hyman Minsky (May 1992), "The financial instability hypothesis," Working Paper No. 74, The Jerome Levy Economics Institute of Bard College, https://www.levyinstitute.org/pubs/wp74.pdf

4 Charles Levinson (21 Aug 2015), "U.S. banks moved billions of dollars in trades beyond Washington's reach," Reuters, https://www.reuters.com/investigates/special-report/usa-swaps. Marcus Baram (29 Jun 2018), "Big banks are exploiting a risky Dodd-Frank loophole that could cause a repeat of 2008," *Fast Company*,https://www.fastcompany.com/90178556/big-banks-are-exploiting-a-risky-dodd-frank-loophole-that-could-cause-a-repeat-of-2008

5 Deniz O. Igan and Thomas Lambert (9 Aug 2019), "Bank lobbying: Regulatory capture and beyond," IMF Working Paper No. 19/171, International Monetary Fund, https://www.imf.org/en/Publications/WP/Issues/2019/08/09/Bank-Lobbying-Regulatory-Capture-and-Beyond-45735

6 アメリカの通貨監督庁（OCC）や消費者金融保護局（CFPB）など、いくつかの銀行規制当局が、少なくとも期間を限ってコメントを受け付けている（https://www.occ.treas.gov/about/connect-with-us/public-comments/index-public-comments.html を参照）。Consumer Financial Protection Bureau (last updated 7 Apr 2022), "Notice and opportunities to comment," https://www.consumerfinance.gov/rules-policy/notice-opportunities-comment

18章　金融取引所をハッキングする

1 US Securities and Exchange Commission (9 Jul 2021), "SEC charges three individuals with insider trading," https://www.sec.gov/news/press-release/2021-121

2 Knowledge at Wharton staff (11 May 2011), "Insider trading 2011: How technology and social networks have 'friended' access to confidential information," *Knowledge at Wharton*, https://knowledge.wharton.upenn.edu/article/insider-trading-2011-how-technology-and-social-networks-have-friended-access-to-confidential-information

3 US Securities and Exchange Commission (11 Aug 2015), "SEC charges 32 defendants in scheme to trade on hacked news releases," https://www.sec.gov/news/pressrelease/2015-163.html

19章　コンピューター化された金融取引所をハッキングする

1 Atlantic Re:think (21 Apr 2015), "The day social media schooled Wall Street," *Atlantic*, https://www.theatlantic.com/sponsored/etrade-social-stocks/the-day-social-media-schooled-wall-street/327. Jon Bateman (8 Jul 2020), "Deepfakes and synthetic media in the financial system: Assessing threat scenarios," Carnegie Endowment, https://carnegieendowment.org/2020/07/08/deepfakes-and-synthetic-media-in-financial-system-assessing-threat-scenarios-pub-82237

lore," National Hockey League, https://www.nhl.com/news/marty-mcsorleys-illegal-stick-still-part-of-stanley-cup-final-lore/c-289749406

12 章　さらに微妙なハッキング対策

1 University of Foreign Military and Cultural Studies Center for Applied Critical Thinking (5 Oct 2018), *The Red Team Handbook: The Army's Guide to Making Better Decisions*, US Army Combined Arms Center, https://usacac.army.mil/sites/default/files/documents/ufmcs/The_Red_Team_Handbook.pdf

2 Defense Science Board (Sep 2003), "Defense Science Board Task Force on the Role and Status of DoD Red Teaming Activities," Office of the Under Secretary of Defense for Acquisition, Technology, and Logistics, https://apps.dtic.mil/dtic/tr/fulltext/u2/a430100.pdf

13 章　設計段階でハックの可能性を取り除く

1 Bruce Schneier (2000), *Secrets and Lies: Digital Security in a Networked World*, John Wiley & Sons（翻訳版はブルース・シュナイアー『暗号の秘密とウソ』2001 年、翔泳社）

14 章　セキュリティ対策の経済学

1 Adam Shostack (2014), *Threat Modeling: Designing for Security*, John Wiley & Sons.

16 章　天国をハッキングする

1 R. N. Swanson (2011), *Indulgences in Late Medieval England: Passports to Paradise?* Cambridge University Press

2 Ray Cavanaugh (31 Oct 2017), "Peddling purgatory relief: Johann Tetzel," *National Catholic Reporter*, https://www.ncronline.org/news/people/peddling-purgatory-relief-johann-tetzel

3 テッツェルはこの免罪符の売り口上まで用意しており、「棺《ひつぎ》で金貨がカチッと鳴れば／魂救われきちっと天へ」などという歌詞だった。

4 これとはまったく関係ないが、ボードゲーム「モノポリー」では「刑務所から釈放」カードを使うと、プレイヤー間でのお金の貸し借りを禁じているルールをハッキングすることができる。たいしたことではないが、このカードは好きな金額で売り買いできるため、便利な資金移動の手段になっている。Jay Walker and Jeff Lehman (1975), *1000 Ways to Win Monopoly Games*, Dell Publishing, http://www.lehman-intl.com/jeffreylehman/1000-ways-to-win-monopoly.html

17 章　銀行をハッキングする

1 R. Alton Gilbert (Feb 1986), "Requiem for Regulation Q: What it did and why it passed away," Federal Reserve Bank of St. Louis, https://files.stlouisfed.org/files/htdocs/publications/review/86/02/Requiem_Feb1986.pdf

2 Joanna H. Frodin and Richart Startz (Jun 1982), "The NOW account experiment and the demand for money," *Journal of Banking and Finance* 6, no. 2, https://www.sciencedirect.com/science/article/abs/pii/0378426682900322. Paul Watro (10 Aug 1981), "The battle

Spokesman-Review, https://news.google.com/newspapers?id=rS5WAAAAIBAJ&s-jid=3uUDAAAAIBAJ&pg=4920%2C3803143

2 Presh Talwalkar (6 Jun 2017), "Genius strategic thinking in the 1976 NBA Finals," *Mind Your Decisions,* https://mindyourdecisions.com/blog/2017/06/06/genius-strategic-thinking-in-the-1976-nba-finals-game-theory-tuesdays. Secret Base (5 Feb 2019), "The infinite timeout loophole that almost broke the 1976 NBA Finals," YouTube, https://www.youtube.com/watch?v=Od2wgHLq69U

3 John Lohn (24 Sep 2021), "Seoul Anniversary: When the backstroke went rogue: How David Berkoff and underwater power changed the event,"*SwimmingWorld,*https://www.swimmingworldmagazine.com/news/seoul-anniversary-when-the-backstroke-went-rogue-how-david-berkoff-and-underwater-power-changed-the-event

4 Rodger Sherman (10 Jan 2015), "The Patriots' trick play that got John Harbaugh mad," *SB Nation,* https://www.sbnation.com/nfl/2015/1/10/7526841/the-patriots-trick-play-that-got-john-harbaugh-mad-ravens

5 Ben Volin (26 Mar 2015), "NFL passes rule aimed at Patriots' ineligible receiver tactic," *Boston Globe,* https://www.bostonglobe.com/sports/2015/03/25/nfl-passes-rule-change-aimed-patriots-ineligible-receiver-tactic/uBqPWS5dKYdMYMcIiJ3s-KO/story.html

6 The plot of the 1997 movie Air Bud involves hacking the rules to pro basketball. In the movie, at least, there is no rule preventing a dog from playing on a basketball team. (No, the movie isn't any good.)

7 Manish Verma (7 Jan 2016), "How Tillakaratne Dilshan invented the 'Dilscoop,' " *SportsKeeda,* https://www.sportskeeda.com/cricket/how-tillakaratne-dilshan-invented-dilscoop

8 Jordan Golson (17 Dec 2014), "Well that didn't work: The crazy plan to bring 6-wheeled cars to F1," *Wired,* https://www.wired.com/2014/12/well-didnt-work-crazy-plan-bring-6-wheeled-cars-f1

9 Gordon Murray (23 Jul 2019), "Gordon Murray looks back at the notorious Brabham fan car," *Motor Sport,* https://www.motorsportmagazine.com/articles/single-seaters/f1/gordon-murray-looks-back-notorious-brabham-fan-car

10 McLaren (1 Nov 2017), "The search for the extra pedal," https://www.mclaren.com/racing/inside-the-mtc/mclaren-extra-pedal-3153421

11 Matt Somerfield (20 Apr 2020), "Banned: The 2010 Formula 1 season's F-duct," *AutoSport,* https://www.autosport.com/f1/news/149090/banned-the-f1-2010-season-fduct

12 Laurence Edmondson (6 Feb 2016), "Mercedes F1 engine producing over 900bhp with more to come in 2016," *ESPN,* https://www.espn.com/f1/story/_/id/14724923/mercedes-f1-engine-producing-900bhp-more-come-2016

13 Laurence Edmondson (21 Feb 2020), "Mercedes' DAS system: What is it? And is it a 2020 game-changer?" *ESPN,* https://www.espn.com/f1/story/_/id/28749957/mercedes-das-device-and-2020-game-changer

14 Dave Stubbs (2 Jun 2017), "Marty McSorley's illegal stick still part of Stanley Cup Final

added to Black Book," https://lasvegassun.com/news/1997/feb/21/slot-cheat-former-casino-regulator-reputed-mob-fig
2 Paul Halpern (23 May 2017), "Isaac Newton vs. Las Vegas: How physicists used science to beat the odds at roulette," *Forbes*, https://www.forbes.com/sites/startswithabang/2017/05/23/how-physicists-used-science-to-beat-the-odds-at-roulette
3 Don Melanson (18 Sep 2013), "Gaming the system: Edward Thorp and the wearable computer that beat Vegas," Engadget, https://www.engadget.com/2013-09-18-edward-thorp-father-of-wearable-computing.html
4 Grant Uline (1 Oct 2016), "Card counting and the casino's reaction," *Gaming Law Review and Economics*, https://www.liebertpub.com/doi/10.1089/glre.2016.2088
5 David W. Schnell-Davis (Fall 2012), "High-tech casino advantage play: Legislative approaches to the threat of predictive devices," *UNLV Gaming Law Journal 3*, https://scholars.law.unlv.edu/cgi/viewcontent.cgi?article=1045&context=glj
6 例外はニュージャージー州だ。アトランティックシティーのカジノは、カードカウンティングを禁止できていない。Donald Janson (6 May 1982), "Court rules casinos cannot bar card counters," *New York Times*, https://www.nytimes.com/1982/05/06/nyregion/court-rules-casinos-may-not-bar-card-counters.html
7 Ben Mezrich (Dec 2002), *Bringing Down the House: The Inside Story of Six MIT Students Who Took Vegas for Millions*, Atria Books
8 Janet Ball (26 May 2014), "How a team of students beat the casinos," *BBC World Service*, https://www.bbc.com/news/magazine-27519748

8章　マイレージサービスのハック

1 Josh Barro (12 Sep 2014), "The fadeout of the mileage run," *New York Times*, https://www.nytimes.com/2014/09/14/upshot/the-fadeout-of-the-mileage-run.html
2 Darius Rafieyan (23 Sep 2019), "How one man used miles to fulfill his dream to visit every country before turning 40," *NPR*, https://www.npr.org/2019/09/23/762259297/meet-the-credit-card-obsessives-who-travel-the-world-on-points
3 Gina Zakaria (25 Feb 2020), "If you're interested in a Chase card like the Sapphire Preferred you need to know about the 5/24 rule that affects whether you'll be approved," *Business Insider*, https://www.businessinsider.com/personal-finance/what-is-chase-524-rule
4 Nicole Dieker (2 Aug 2019), "How to make sure you don't lose your credit card rewards when you close the card," *Life Hacker*, https://twocents.lifehacker.com/how-to-make-sure-you-dont-lose-your-credit-card-rewards-1836913367
5 Carla Herreria Russo (3 Oct 2016), "Meet David Phillips, the guy who earned 1.2 million airline miles with chocolate pudding," *Huffington Post*, https://www.huffpost.com/entry/david-philipps-pudding-guy-travel-deals_n_577c9397e4b0a629c1ab35a7

9章　スポーツ界のハック

1 Associated Press (20 Aug 1951), "Brownies hit all-time low; Use 3foot 7-inch player,"

on missed call," *Rest of World*, https://restofworld.org/2021/the-rise-and-fall-of-missed-calls-in-india/

5 Tribune Web Desk (14 May 2020), "Students find 'creative' hacks to get out of their Zoom classes, video goes viral," *Tribune of India*, https://www.tribuneindia.com/news/lifestyle/students-find-creative-hacks-to-get-out-of-their-zoom-classes-video-goes-viral-84706

6 Anthony Cuthbertson (9 Mar 2020), "Coronavirus: Quarantined school children in China spam homework app with 1-star reviews to get it off app store," *Independent*, https://www.independent.co.uk/life-style/gadgets-and-tech/news/coronavirus-quarantine-children-china-homework-app-dingtalk-a9387741.html

7 Kimberly D. Krawiec and Scott Baker (2006), "Incomplete contracts in a complete contract world," *Florida State University Law Review 33*, https://scholarship.law.duke.edu/faculty_scholarship/2038

8 Bruce Schneier (2012), *Liars and Outliers: Enabling the Trust that Society Needs to Thrive*, John Wiley & Sons（翻訳版はブルース・シュナイアー『信頼と裏切りの社会』2013 年、NTT 出版）

9 Bruce Schneier (19 Nov 1999), "A plea for simplicity: You can't secure what you don't understand," *Information Security*, https://www.schneier.com/essays/archives/1999/11/a_plea_for_simplicit.html

6 章　ATM のハック

1 Jack Dutton (7 Apr 2020), "This Australian bartender found an ATM glitch and blew $1.6 million," *Vice*, https://www.vice.com/en_au/article/pa5kgg/this-australian-bartender-dan-saunders-found-an-atm-bank-glitch-hack-and-blew-16-million-dollars

2 Z. Sanusi, Mohd Nor Firdaus Rameli, and Yusarina Mat Isa (13 Apr 2015), "Fraud schemes in the banking institutions: Prevention measures to avoid severe financial loss," *Procedia Economics and Finance*, https://www.semanticscholar.org/paper/Fraud-Schemes-in-the-Banking-Institutions%3A-Measures-Sanusi-Rameli/681c06a647cfef1e90e52ccbf829438016966c44

3 Joseph Cox (14 Oct 2019), "Malware that spits cash out of ATMs has spread across the world," *Vice Motherboard*, https://www.vice.com/en_us/article/7x5ddg/malware-that-spits-cash-out-of-atms-has-spread-across-the-world

4 Dan Goodin (22 Jul 2020), "Thieves are emptying ATMs using a new form of jackpotting," *Wired*, https://www.wired.com/story/thieves-are-emptying-atms-using-a-new-form-of-jackpotting

5 Brian Krebs (27 Jan 2018), "First 'jackpotting' attacks hit U.S. ATMs," *Krebs on Security*, https://krebsonsecurity.com/2018/01/first-jackpotting-attacks-hit-u-s-atms

6 Kim Zetter (28 Jul 2010), "Researcher demonstrates ATM 'jackpotting' at Black Hat conference," *Wired*, https://www.wired.com/2010/07/atms-jackpotted

7 章　カジノのハック

1 *Las Vegas Sun* (21 Feb 1997), "Slot cheat, former casino regulator, reputed mob figure

2章　システムをハッキングする

1　Dylan Matthews (29 Mar 2017), "The myth of the 70,000page federal tax code," *Vox,* https://www.vox.com/policy-and-politics/2017/3/29/15109214/tax-code-page-count-complexity-simplification-reform-ways-means

2　Microsoft (12 Jan 2020), "Windows 10 lines of code," https://answers.microsoft.com/en-us/windows/forum/all/windows-10-lines-of-code/a8f77f5c-0661-4895-9c77-2efd42429409

3　Naomi Jagoda (14 Nov 2019), "Lawmakers under pressure to pass benefits fix for military families," *The Hill,* https://thehill.com/policy/national-security/470393-lawmakers-under-pressure-to-pass-benefits-fix-for-military-families

4　New York Times (28 Apr 2012), "Double Irish with a Dutch Sandwich" (infographic), https://archive.nytimes.com/www.nytimes.com/interactive/2012/04/28/business/Double-Irish-With-A-Dutch-Sandwich.html

5　Niall McCarthy (23 Mar 2017), "Tax avoidance costs the U.S. nearly $200 billion every year" (infographic), *Forbes,* https://www.forbes.com/sites/niallmccarthy/2017/03/23/tax-avoidance-coststhe-u-s-nearly-200-billion-every-year-infographic

6　US Internal Revenue Services (27 Dec 2017), "IRS Advisory: Prepaid real property taxes may be deductible in 2017 if assessed and paid in 2017," https://www.irs.gov/newsroom/irs-advisory-prepaid-real-property-taxes-may-be-deductible-in-2017-if-assessed-and-paid-in-2017

7　Jim Absher (29 Jan 2021), "After years of fighting, the military has started phasing out 'Widow's Tax,'" *Military.com,* https://www.military.com/daily-news/2021/01/19/after-years-of-fighting-military-has-started-phasing-out-widows-tax.html

4章　ハッキングのライフサイクル

1　税制の抜け穴にこんな話を読んだ覚えがある。教えてもらえるのは有望な投資家候補だけで、NDA（機密保持契約書）にサインする必要があり、サインしたあとでも全部を教えてもらえるわけではないという。この話の出典を知りたいと思っている。

5章　どこにでもあるハッキング

1　Stephanie M. Reich, Rebecca W. Black, and Ksenia Korobkova (Oct 2016), "Connections and communities in virtual worlds designed for children," *Journal of Community Psychology 42,* no. 3, https://sites.uci.edu/disc/files/2016/10/Reich-Black-Korobkova-2014-JCOP-community-in-virtual-worlds.pdf

2　Steven Melendez (16 Jun 2018), "Manafort allegedly used 'foldering' to hide emails. Here's how it works," *Fast Company,* https://www.fastcompany.com/40586130/manafort-allegedly-used-foldering-to-hide-emails-heres-how-it-works

3　Cara Titilayo Harshman (22 Dec 2010), "Please don't flash me: Cell phones in Nigeria," *North of Lagos,* https://northoflagos.wordpress.com/2010/12/22/please-dont-flash-me-cell-phones-in-nigeria

4　Atul Bhattarai (5 April 2021), "Don't pick up! The rise and fall of a massive industry based

原注・出典

はじめに

1 Massimo Materni (1 May 2012), "Water never runs uphill / Session Americana," YouTube, https://www.youtube.com/watch?v=0Pe9XdFr_Eo

2 このテストは私の発明ではない。Gregory Conti and James Caroland (Jul-Aug 2011), "Embracing the Kobayashi Maru: Why you should teach your students to cheat," *IEEE Security & Privacy 9*, https://www.computer.org/csdl/magazine/sp/2011/04/msp2011040048/13rRUwbs1Z3

3 Justin Elliott, Patricia Callahan, and James Bandler (24 Jun 2021), "Lord of the Roths: How tech mogul Peter Thiel turned a retirement account for the middle class into a $5 billion tax-free piggy bank," ProPublica, https://www.propublica.org/article/lord-of-the-roths-how-tech-mogul-peter-thiel-turned-a-retirement-account-for-the-middle-class-into-a-5-billion-dollar-tax-free-piggy-bank

4 ご存じの方がいたら、メールで教えてほしい。

1章　ハッキングとは何か

1 用語については、フィン・ブラントンが「重要な意味」の一覧をまとめている。Finn Brunton (2021), "Hacking," in Leah Lievrouw and Brian Loader, eds., *Routledge Handbook of Digital Media and Communication, Routledge*, pp. 75-86, http://finnb.net/writing/hacking.pdf

2 ハッカーだった故ジュード・ミルホン（セント・ジュード）による定義はこうだ。「政府にであれ、自分の個性や物理法則にであれ、押しつけられた制約を避ける賢明な手段」。Jude Mihon (1996), *Hackers Conference*, Santa Rosa, CA

3 Bruce Schneier (2003), *Beyond Fear: Thinking Sensibly About Security in an Uncertain World*, Copernicus Books（翻訳版はブルース・シュナイアー『セキュリティはなぜやぶられたのか』2007年、日経BP）

4 Lauren M. Johnson (26 Sep 2019), "A drone was caught on camera delivering contraband to an Ohio prison yard," *CNN*, https://www.cnn.com/2019/09/26/us/contraband-delivered-by-drone-trnd/index.html

5 Selina Sykes (2 Nov 2015), "Drug dealer uses fishing rod to smuggle cocaine, alcohol and McDonald's into jail," *Express*, https://www.express.co.uk/news/uk/616494/Drug-dealer-used-fishing-rod-to-smuggle-cocaine-alcohol-and-McDonald-s-into-jail

6 Telegraph staff (3 Aug 2020), "Detained 'drug smuggler' cat escapes Sri Lanka prison," *Telegraph*, https://www.telegraph.co.uk/news/2020/08/03/detained-drug-smuggler-cat-escapes-sri-lanka-prison

7 Jay London (6 Apr 2015), "Happy 60th birthday to the word 'hack,' "*Slice of MIT*, https://alum.mit.edu/slice/happy-60th-birthday-word-hack

著者略歴

ブルース・シュナイアー（Bruce Schneier）

著名なセキュリティ技術者であり、エコノミスト紙が「セキュリティ界の導師《グル》」と呼んでいる。著作数十数冊に及び、代表作としてニューヨーク・タイムズによるベストセラーにランクインした『超監視社会　私たちのデータはどこまで見られているのか?』（2014 年）、『Click Here to Kill Everybody』（2018 年、邦訳なし）などがある。現在はマサチューセッツ州ケンブリッジ在住で、ハーバード・ケネディ・スクールで教鞭をとっている。

訳者略歴

高橋 聡（たかはし・あきら）

CG 以前の特撮と帽子をこよなく愛する実務翻訳者。翻訳学校講師。日本翻訳連盟（JTF）副会長。
学習塾講師と雑多翻訳の二足のわらじ生活と、ローカライズ系翻訳会社の社内翻訳者生活を経たのち、2007 年からフリーランスに。現在は IT・マーケティング文書全般の翻訳を手がけつつ、セミナー（オンライン）や雑誌で、翻訳者に必要な辞書環境や文化背景知識などについても発信している。主な活動の場は、JTF と翻訳フォーラム（http://www.fhonyaku.jp/）。
ブログ：https://baldhatter.hatenablog.com/
訳書に『機械翻訳：歴史・技術・産業』（森北出版）、『現代暗号技術入門』（日経 BP）、『イーサリアム 若き天才が示す暗号資産の真実と未来』（日経 BP）、『ChatGPT の頭の中』（ハヤカワ新書）など、著書に『翻訳者のための超時短パソコンスキル大全』（KAODKAWA）、共著に『翻訳のレッスン』（講談社）がある。

ハッキング思考

強者はいかにしてルールを歪めるのか、それを正すにはどうしたらいいのか

2023年10月16日　第1版第1刷発行

著　者	ブルース・シュナイアー
訳　者	高橋 聡
発行者	中川 ヒロミ
発　行	株式会社日経ＢＰ
発　売	株式会社日経ＢＰマーケティング 〒105-8308　東京都港区虎ノ門4-3-12
装　丁	小口 翔平（tobufune）
制　作	谷 敦（アーティザンカンパニー株式会社）
翻訳協力	株式会社リベル
編　集	田島 篤
印刷・製本	図書印刷株式会社

本書籍に関するお問い合わせ、ご連絡は下記にて承ります。
https://nkbp.jp/booksQA

ISBN978-4-296-00157-6
Printed in Japan